L-984

ANNULÉ

DU MÊME AUTEUR

chez le même éditeur

INTENSITÉ, 1996

DEAN KOONTZ

SEULE SURVIVANTE

Roman

traduit de l'américain par Valérie Rosier

ROBERT LAFFONT

Titre original : SOLE SURVIVOR
© Dean Koontz, 1997
Traduction française : Éditions Robert Laffont, S.A., Paris, 1999

ISBN 2-221-08438-1
(édition originale : ISBN 0-679-42526-8 Alfred A. Knopf, Inc., New York)

À la mémoire de Ray Mock,
mon oncle, qui nous a quittés il y a longtemps pour
un monde meilleur.
Dans mon enfance, quand j'étais troublé, déses-
péré, ta pudeur, ta gentillesse, ta bonne humeur
m'ont appris tout ce que j'avais à savoir pour
devenir un homme.

Le ciel est profond, le ciel est noir.
La lumière des étoiles si austère.
Quand je lève les yeux, la peur me gagne.
Si c'est là tout ce qui nous est alloué,
Ce monde solitaire, ce lieu troublé,
ces étoiles froides et mortes, ce vide immense...
Alors je ne vois aucune raison de persévérer,
aucune raison de rire ni de verser des larmes,
aucune raison de dormir ni de me réveiller,
aucune promesse à tenir ni à faire.
Et je lève les yeux encore et toujours
pour scruter les cieux clairs mais mystérieux
qui nous dominent comme des arches,
aussi froids que la pierre.
Dieu, êtes-vous là ? Sommes-nous seuls ?

The book of counted sorrows

SANS ESPOIR DE RETOUR

1.

À deux heures et demie du matin un samedi, à Los Angeles, Joe Carpenter se réveilla en criant dans le noir le nom de sa femme. Il serrait son oreiller contre lui et c'est le timbre anxieux, troublé, de sa voix qui l'avait arraché au sommeil. Au lieu de s'évanouir d'un seul coup, les rêves formèrent un voile tremblotant qui tomba peu à peu, comme la poussière tombe des poutres quand une maison est secouée par un tremblement de terre.

Lorsqu'il se rendit compte qu'il n'étreignait pas Michelle, il serra plus fort l'oreiller. Dans son rêve, il sentait l'odeur de ses cheveux. Il craignait maintenant de la voir s'évaporer au moindre mouvement pour laisser place à l'âcre odeur de sueur qui imprégnait les draps.

Bien entendu, aucune immobilité ne pouvait conserver toute sa vivacité à son souvenir. L'odeur des cheveux de Michelle lui échappa comme un ballon qui s'élève.

Dépossédé, il se leva pour gagner la fenêtre. Son lit n'était qu'un vulgaire matelas posé à même le sol ; c'était d'ailleurs le seul meuble de la pièce. Le studio, au-dessus d'un garage à deux boxes situé en haut de Laurel Cañon, comprenait une grande chambre, une petite cuisine, des toilettes et une salle de bains étriquée. Après avoir vendu la maison de Studio City, il n'avait pas emporté de meubles. Les morts se passent de confort, et il était venu là pour mourir.

Depuis dix mois il payait le loyer en attendant le matin où il ne se réveillerait pas.

La fenêtre donnait sur la falaise du cañon, les persistants et les eucalyptus s'y découpaient, silhouettes sombres et dépenaillées. Vers l'ouest, une grosse lune argentée clignait de l'œil à travers les arbres, par-delà les mornes bois urbains.

Il était surpris d'être encore vivant. Vivant, c'est beaucoup dire. Plutôt à mi-chemin entre la vie et la mort, sans espoir de retour.

Il alla tirer une bière glacée du réfrigérateur et retourna s'asseoir sur le matelas, dos au mur.

Une bière à deux heures et demie du matin. Une vie sur le déclin.

Il aurait bien voulu se saouler à mort, fuir ce monde et se perdre dans les brumes de l'alcool. Le temps qu'il aurait mis à passer de vie à trépas n'aurait plus eu d'importance. Mais la picole risquait d'effacer irrémédiablement ses souvenirs, et ses souvenirs lui étaient sacrés. Il ne se permettait qu'une ou deux bières ou un verre de vin de temps en temps.

À part la faible clarté de la lune filtrant à travers les arbres, la seule lumière de la chambre provenait des voyants du combiné téléphonique posé à côté du matelas.

Il n'existait qu'une personne à qui il pouvait avouer son désespoir, au beau milieu de la nuit comme en plein jour. Il avait beau n'avoir que trente-sept ans, sa mère et son père étaient morts depuis longtemps et il n'avait ni frère ni sœur. Des amis avaient tenté de le réconforter après la catastrophe, mais il avait trop de peine pour l'évoquer et il les avait gardés à distance avec tant d'agressivité que tous, ou presque, s'étaient vexés.

Il prit le téléphone, le posa sur ses genoux et appela la mère de Michelle, Beth McKay.

En Virginie, à près de cinq mille kilomètres, elle décrocha à la première sonnerie.

— Joe ?

— Je t'ai réveillée ?

— Tu me connais, mon chéri. Couchée avec les poules et levée aux aurores.

— Et Henry ? s'enquit-il en parlant du père de Michelle.

— Lui ? Même les trompettes du Jugement dernier ne le réveilleraient pas.

Gentille et douce, elle possédait une force peu commune et était pleine de compassion pour Joe, malgré sa propre douleur.

À l'enterrement, Joe et Henry s'étaient appuyés sur Beth, et elle s'était montrée solide comme un roc. Pourtant, quelques heures plus tard, bien après minuit, Joe l'avait trouvée dans le patio, à l'arrière de la maison de Studio City. Elle était en pyjama, recroquevillée sur la balancelle, et étouffait ses sanglots dans un oreiller pour épargner à son mari et à son gendre le spectacle de son chagrin. Joe s'était assis à côté d'elle, mais elle n'avait pas voulu qu'il lui tienne la main ni qu'il l'entoure de son bras et avait tressailli à son contact. Elle était dans une angoisse si profonde, un tel état de nerfs que toute caresse amie la brûlait comme du fer rouge, toute parole compatissante, même murmurée, lui était insupportable. Ne pouvant se résoudre à la laisser seule, il avait pris l'épuisette à long manche et avait nettoyé la piscine. Il avait ramassé les insectes et les feuilles qui flottaient sur la surface noire, mécaniquement, sans rien voir, pendant que Beth pleurait dans l'oreiller, jusqu'à ce qu'il n'y ait plus rien à filtrer que le reflet d'étoiles froides et distantes. Quand ses larmes se furent enfin taries, Beth s'était levée de la balancelle et était venue lui arracher l'épuisette des mains. Elle l'avait fait monter et l'avait bordé comme un enfant. Il avait dormi d'un sommeil profond pour la première fois depuis des jours.

Déplorant la distance qui les séparait, Joe posa sa bière entamée.

— Il fait jour, chez vous ?

— Tout juste.

— Où es-tu ? Assise à la table de la cuisine, face à la grande fenêtre ? Et le ciel, il est beau ?

— Encore noir à l'ouest, indigo au-dessus, et là-bas vers l'est, rose corail et saphir. Un éventail de soie japonaise.

Ce n'était pas seulement parce qu'elle était forte que Joe appelait Beth fréquemment, mais aussi parce qu'il aimait l'écouter parler. Elle avait le même timbre de voix que Michelle, une voix douce teintée d'un léger accent de Virginie.

— Tu as tout de suite deviné que c'était moi, dit Joe.

— Qui veux-tu que ce soit d'autre, mon chéri ? Ce matin, ce ne pouvait être que toi.

Le malheur avait frappé il y a tout juste un an, changeant leurs vies pour toujours. Un triste anniversaire.

— J'espère que tu manges mieux, Joe. Est-ce que tu as encore perdu du poids ?

— Non.

Un pieux mensonge. Au fil des jours, il était devenu si indifférent à la nourriture que depuis trois mois environ, il s'était mis à maigrir. Il avait perdu dix kilos.

— Il va faire chaud, chez vous ? demanda-t-il.

— Oui, lourd et humide. Il y a bien des nuages à l'est, mais pas ceux qui apportent la pluie. Ils sont roses, avec un ourlet doré. Aucun répit en perspective. Le soleil est bien levé, maintenant.

— On a du mal à croire que ça fait déjà un an, non ?

— Non. Enfin, ça dépend, répondit Beth. Parfois ça paraît si loin. Une éternité.

— Elles me manquent tellement. Je suis perdu sans elles.

— Joe, mon chéri, tu sais combien nous t'aimons, Henry et moi. Tu es comme un fils pour nous. Tu es notre fils.

— Je sais et je vous aime aussi énormément. Mais ça ne suffit pas, Beth. Ça ne suffit pas... Il inspira profondément. L'année qui vient de s'écouler a été un enfer. Je ne pourrais pas en supporter une autre comme celle-là.

— Ça ira mieux avec le temps.

— J'ai peur que non. J'ai la trouille, Beth. Je ne vaux rien, tout seul.

— Tu n'envisages pas de reprendre le travail ?

Avant l'accident, il était reporter criminel au *Los Angeles Post*. Sa carrière de journaliste était finie.

— Je ne supporte pas de voir des cadavres, Beth.

Il était incapable de regarder la victime d'une fusillade ou d'un carambolage, quel que soit l'âge ou le sexe, sans avoir devant les yeux Michelle, Chrissie ou Nina, meurtries et baignant dans leur sang.

— Tu pourrais faire d'autres sortes de reportages. Tu écris bien, Joe. Écris sur la vie des gens des articles qui aient un intérêt humain. Tu as besoin de travailler, de te sentir de nouveau utile.

— Tout seul, je ne fonctionne pas, Beth. J'ai envie d'être avec Michelle, Chrissie et Nina. C'est tout.

— Tu le seras un jour, dit-elle, car elle demeurait profondément croyante.

— J'ai envie d'être avec elles maintenant. Sa voix se brisa et il s'interrompit, le temps de se reprendre : Je suis fini, lessivé, mais je n'ai pas le cran d'aller jusqu'au bout.

— Ne parle pas comme ça, Joe.

Il n'avait pas le courage de mettre fin à ses jours, car il

n'avait aucune certitude sur ce qui venait après. Il ne croyait pas vraiment qu'il retrouverait sa femme et ses filles dans un royaume de lumière et d'amour. Ces derniers temps, quand il fixait le ciel étoilé, il ne voyait que des soleils distants dans un vide dénué de sens. Mais comment se résoudre à exprimer ses doutes ? Cela aurait impliqué que les vies de Michelle et des petites étaient elles aussi dénuées de sens.

— Nous sommes tous là pour quelque chose.

— Elles étaient ma raison de vivre. Et elles ne sont plus là.

— Alors, c'est que tu es destiné à accomplir quelque chose d'autre. À toi de le trouver. Il y a une raison à ton existence.

— Je n'en vois aucune. Parle-moi du ciel, Beth.

Après une hésitation, Beth enchaîna :

— Les nuages à l'est ont perdu leur or et leur rose. Ils sont blancs et diffus, un filigrane devant le bleu du ciel. Ils n'amèneront pas de pluie.

Il l'écouta décrire le matin qui se levait à l'autre bout du continent. Puis ils parlèrent des lucioles qu'elle et Henry avaient admirées, la veille au soir, depuis leur véranda. En Californie du Sud, il n'y a pas de lucioles, mais Joe se souvenait d'en avoir vu durant son enfance en Pennsylvanie. Ils parlèrent aussi du jardin de Henry, où les fraises commençaient à mûrir, et Joe ne tarda pas à somnoler.

— Le jour est levé, maintenant. Le matin nous quitte pour aller te rendre visite, Joe. Donne-lui sa chance et il t'apportera une nouvelle raison de vivre. C'est un grand spécialiste en la matière.

Sur ces mots, ils se quittèrent.

Après avoir raccroché, Joe s'allongea sur le côté et fixa la fenêtre d'où la lueur argentée de la lune avait disparu pour laisser place au noir profond de la nuit.

Une fois couché, il ne rêva pas d'un but glorieux se profilant à l'horizon, mais d'une menace obscure, imminente, indéfinissable. Comme une énorme masse tombant du ciel.

2.

Plus tard ce même samedi matin, en route vers Santa Monica, Joe Carpenter eut une crise d'angoisse. Il se sentit étouffer et dut lutter pour retrouver sa respiration. Quand il leva une main du volant, il vit que ses doigts tremblaient comme ceux d'un vieillard.

Il avait l'impression de tomber de très haut, comme si sa Honda avait quitté l'autoroute pour dégringoler dans un abîme sans fond. La chaussée se déroulait intacte devant lui, sans aucune fissure, les pneus frottaient l'asphalte en un doux bourdonnement continu, mais il n'arrivait pas à se raisonner, à retrouver une perception stable de la réalité.

La sensation de chute devint même si aiguë, si terrifiante qu'il relâcha l'accélérateur et appuya sur la pédale de frein, obligeant ceux qui le suivaient à ralentir brusquement. On entendit des coups de klaxon, des crissements de pneus. En le doublant, les conducteurs le fusillèrent du regard, certains lui firent des gestes obscènes en vociférant des injures qui déformèrent leurs bouches muettes. La grande banlieue de Los Angeles, une étrange contrée en pleine mutation qui crépitait avec l'énergie du désespoir en appelant avec ardeur l'Apocalypse, une zone dangereuse où un hasard malencontreux, une intrusion involontaire sur le territoire d'autrui risquait de provoquer une réaction thermonucléaire.

La sensation de chute ne s'atténuait pas. Son estomac se retournait comme s'il était lancé sur des montagnes russes et glissait soudain le long de la pente la plus vertigineuse. Il avait beau être seul à bord, il entendait les autres passagers crier, pour rire

18

au début, puis de plus en plus fort. Pas les cris d'un public bon enfant en quête de sensations fortes ; de véritables hurlements d'angoisse.

Comme de très loin, il s'entendit murmurer : « Non, non, non, non. »

Un bref répit dans le trafic lui permit de gagner l'accotement. Il se gara aussi près que possible de la barrière de sécurité, bordée d'une luxuriante forêt de lauriers-roses, océan de verdure aux crêtes mouvantes.

Il immobilisa la voiture sans couper le moteur. Malgré ses sueurs froides, il avait besoin de l'air frais du climatiseur pour respirer. La sensation d'oppression qui lui écrasait la poitrine s'accrut. Chaque inspiration était un pénible combat, chaque expiration produisait un souffle chaud, poussif.

Joe sentait l'odeur de la fumée, il avait dans la bouche le goût âcre d'un mélange de pétrole enflammé, de plastique fondu, de vinyl fumant, de métal roussi.

Ses yeux se posèrent sur les épais fourrés de lauriers-roses. Les fleurs d'un rouge profond qui se pressaient contre la vitre du côté du passager se transformèrent en lourds nuages de fumée grasse. La vitre devint hublot.

Joe aurait pu croire qu'il perdait l'esprit, s'il n'avait eu des crises similaires tout au long de l'année. Il pouvait se passer deux longues semaines entre chaque crise, mais il lui arrivait aussi d'en avoir trois dans la même journée.

Il avait vu un psychothérapeute ; ses conseils ne lui avaient été d'aucun secours.

Son médecin avait voulu lui prescrire des anxiolytiques. Il avait refusé. Il voulait souffrir. La douleur était tout ce qui lui restait.

Il ferma les yeux et se couvrit le visage, luttant pour retrouver un semblant de contrôle. Mais la catastrophe continua à se dérouler en lui. La sensation de chute s'intensifia. La fumée s'épaissit. Les cris des passagers fantômes s'amplifièrent.

Tout se mit à trembler. Le sol sous ses pieds. Les parois de la cabine. Le plafond. D'horribles bruits accompagnèrent ces trépidations : des grondements, des bruits de métaux s'entrechoquant, grinçant, craquant, et ce qui ressemblait à des coups de gong.

— De grâce, implora-t-il.

Sans ouvrir les yeux, il ôta les mains de son visage. Elles retombèrent le long de ses flancs. Alors, de petites mains d'enfants effrayés agrippèrent les siennes. Il les serra bien fort.

Les enfants étaient assises sur leurs sièges, dans l'avion maudit. Joe revivait l'accident du vol 353. Tant que la crise durerait, il serait dans deux endroits à la fois : le monde réel de la Honda et le 747 qui avait quitté brusquement la sérénité de la stratosphère pour plonger dans la nuit et percuter une prairie aussi dure que de l'acier.

Michelle était assise entre les enfants. C'étaient ses mains, et non celles de Joe, que Chrissie et Nina avaient agrippées durant les dernières longues minutes d'une terreur indicible.

Les secousses s'amplifièrent, l'air s'emplit de projectiles divers. Livres, ordinateurs portables, calculatrices de poche, couverts, assiettes – certains passagers n'avaient pas fini de dîner –, gobelets en plastique, mignonnettes d'alcool, crayons, stylos à plume, ricochèrent à travers la cabine.

Toussant à cause de la fumée, Michelle avait dû insister pour que les filles gardent la tête baissée. *Baissez la tête. Protégez vos visages.*

Visages aimés. Celui de Chrissie, sept ans, les pommettes hautes et les grands yeux verts de sa mère. Joe n'oublierait jamais l'ardeur joyeuse qui empourprait le visage de Chrissie quand elle prenait un cours de danse classique, ni la concentration qui la faisait presque loucher, au moment où elle prenait position sur la base de départ durant les championnats de base-ball des petits. Et la figure lutine de Nina, sa fille de quatre ans, avec son nez retroussé, ses yeux de saphir, tombant en pâmoison devant un chat ou un chien. Les animaux le lui rendaient si bien qu'elle faisait penser à un saint François d'Assise miniature. Comme cette fois où il l'avait surprise en train de contempler avec une adoration muette un affreux lézard des jardins, lové précieusement dans le creux de sa main.

Baissez la tête. Protégez vos visages.

Dans ce conseil, il y avait encore de l'espoir. Il impliquait qu'ils survivraient, que le pire qui puisse leur arriver serait d'être défigurés à cause d'objets volants ou d'éclats de verre.

L'effroyable turbulence s'amplifia. L'angle de la descente s'accusa, clouant Joe à son siège, de sorte qu'il eut du mal à se pencher en avant pour se protéger le visage.

Les masques à oxygène étaient-ils tombés de la trappe située au-dessus de leurs têtes, ou les dommages causés à l'appareil avaient-ils entraîné un défaut dans le système de sécurité, de sorte que les masques ne s'étaient pas déployés pour chacun des passagers ? Il ignorait si Michelle, Chrissie et Nina avaient pu respirer ou si, étouffant dans les tourbillons de suie, elles s'étaient vainement efforcées d'aspirer de l'air frais.

La place du passager disparut sous une épaisse fumée.

La cabine devint aussi étouffante qu'une mine de charbon enfouie très profond sous la surface de la terre.

Dans les vapeurs grasses d'un noir opaque, des langues de feu se mirent à serpenter furtivement dans l'appareil. Une autre peur surgit : ne pas savoir où se trouvaient ces flammes ni quand elles s'amplifieraient soudain pour embraser le 747.

Alors qu'à bord la tension montait à son comble, des vibrations assourdissantes traversèrent le fuselage. Les ailes géantes tremblèrent comme si elles allaient se détacher. La structure en acier râla comme une bête en train d'agoniser, des soudures cédèrent avec fracas, des rivets se décrochèrent avec un bruit perçant.

Michelle, Chrissie et la petite Nina avaient-elles pensé que l'avion allait se désintégrer en plein vol et qu'elles allaient être éjectées pour finir non pas main dans la main, mais chacune horriblement seule, en chute libre vers la mort ?

Pourtant l'énorme 747-400 était une merveille de conception, un triomphe de construction mécanique, un miracle de solidité. Malgré la mystérieuse fêlure hydraulique qui avait fait perdre le contrôle de l'avion, les ailes ne lâchèrent pas et le fuselage résista. Ses puissants réacteurs Pratt & Whitney hurlèrent comme pour défier la pesanteur et le vol 353 de la compagnie Nationwide tint bon durant sa dernière descente.

À un moment, Michelle avait dû comprendre que tout espoir était perdu et que l'avion allait s'écraser. Avec le courage et l'oubli de soi qui la caractérisaient, elle avait dû alors ne penser qu'aux petites et tenter de les détourner de l'idée de la mort. Elle s'était sûrement penchée vers Nina, l'avait attirée contre elle et, malgré les vapeurs irrespirables, lui avait murmuré au creux de l'oreille : « Tout va bien, mon bébé, nous sommes ensemble, je t'aime, accroche-toi à moi, je t'aime, tu es ma petite fille chérie. » Plongeant toujours plus bas dans la nuit du Colorado, elle avait dû s'adresser à Chrissie d'une voix émue mais dénuée de panique : « Tout va bien, ma grande, je suis avec toi, tiens-moi la main ma chérie, je t'aime tellement, je suis si fière de toi, nous sommes ensemble, tout va bien, nous serons toujours ensemble. »

Dans la Honda, le long de l'autoroute, Joe entendait la voix de Michelle comme s'il avait été avec elle tandis qu'elle réconfortait les petites. Désespérément, il voulait croire que ses filles avaient pu se raccrocher à leur mère. Il avait besoin de penser que la dernière chose entendue par ses filles, c'était Michelle leur répétant combien elles comptaient pour elle, combien elle les chérissait.

Le choc avait été si brutal qu'il s'était répercuté à plus de trente kilomètres à la ronde, faisant s'envoler faucons, chouettes et aigles, et sursauter les fermiers fatigués qui goûtaient au repos du soir.

Dans la Honda, Joe Carpenter poussa un cri sourd. Il se courba en deux, comme sous l'effet d'un coup.

L'avion avait explosé. Il s'était désintégré en milliers de fragments tordus, brûlés, calcinés et avait vomi son essence en flammèches orange qui avaient embrasé les cyprès bordant la prairie. Trois cent trente personnes, passagers et équipage compris, étaient mortes sur le coup.

Et c'est ainsi que Michelle s'était éteinte. Michelle qui avait appris à Joe Carpenter presque tout de ce qu'il savait de l'amour et de la compassion. Chrissie, la ballerine de sept ans, ne tournerait plus sur les pointes, elle ne jouerait plus jamais au base-ball. Et si vraiment les animaux se sentaient liés à Nina, alors toutes les petites créatures qui nichaient dans les prés et les vertes collines du Colorado avaient dû se tapir misérablement au fond de leurs terriers, en cette nuit d'épouvante.

De toute sa famille, Joe Carpenter était le seul survivant.

Il n'était pas avec elles sur le vol 353, il ne s'était pas fracassé, comme elles, contre l'enclume de la terre. Sinon, on n'aurait pu l'identifier que par ses fiches dentaires et peut-être un ou deux doigts dont l'empreinte était encore lisible.

Ses flashes-back n'étaient pas des souvenirs, mais les produits d'une imagination fiévreuse qu'il retrouvait souvent en rêve et parfois lors de crises d'angoisse comme celle-ci. Se sentant affreusement coupable de n'avoir pas péri avec sa femme et ses filles, Joe se torturait en essayant de partager l'horreur qu'elles avaient subie.

Fatalement, ces tentatives ne lui apportaient pas la paix qu'il souhaitait si ardemment. Au contraire, chaque cauchemar et la crise qui suivait inévitablement jetaient du sel sur ses blessures.

Il ouvrit les yeux et fixa les voitures qui passaient à toute vitesse. À condition de bien choisir son moment, il pourrait ouvrir la portière, sortir de la voiture, marcher sur l'autoroute et se faire renverser par un camion.

Pourtant il resta bien sagement dans la Honda, non par peur de la mort, mais pour d'obscures raisons. Peut-être éprouvait-il le besoin de se punir en prolongeant ses jours.

Du côté passager, les buissons de lauriers-roses étaient sans cesse agités par le souffle du trafic. Le frottement des feuilles contre la vitre émettait un murmure sinistre, comme les voix d'âmes égarées, abandonnées.

Il ne tremblait plus.

L'air froid que soufflaient les bouches d'aération du tableau de bord sécha peu à peu la sueur qui lui couvrait le visage.

Il avait touché le fond. Il n'avait plus l'impression de tomber.

À travers la fine brume de chaleur, les voitures et les camions roulaient vers l'ouest, l'air pur et la mer bienfaisante comme de tremblants mirages. Joe attendit une trouée dans la circulation pour s'y engouffrer.

3.

Le sable était d'un blanc ivoire. La mer roulait, fraîche et verte, rejetant sur le rivage des milliers de coquillages abritant de petits êtres morts, ou qui le seraient bientôt.

En ce mois d'août, la plage de Santa Monica grouillait de gens. Ils se bronzaient au soleil, jouaient au badminton, pique-niquaient sur des couvertures et de grandes serviettes. À l'intérieur des terres, il faisait une chaleur torride, mais, ici, l'air rafraîchi par la brise de mer venant du Pacifique était agréable.

Quelques vacanciers regardèrent d'un œil curieux Joe fendre la foule enduite d'huile de coco pour se diriger vers le nord : en T-shirt blanc et pantalon de toile brune, pieds nus dans des chaussures de sport, il n'était visiblement pas venu ici pour se dorer la pilule.

Les maîtres nageurs surveillaient la baignade, épiés par des jeunes filles en Bikini qui flânaient le long de la plage. Tous étaient bien trop absorbés par leurs rituels respectifs pour remarquer les petits coquillages échoués sur la rive écumeuse.

Les enfants jouaient dans les vagues, mais Joe ne supportait pas de les regarder. Leurs rires, leurs cris de joie lui écorchaient les oreilles et provoquaient en lui des bouffées de rage irrationnelles.

Portant une glacière et une serviette, il continua vers le nord, fixant les collines brûlées de Malibu par-delà la baie de Santa Monica. Il trouva enfin une bande de sable un peu moins populeuse, y étendit sa serviette, s'assit face à la mer et sortit une bouteille de bière de la glacière.

S'il avait eu les moyens d'acheter une propriété avec vue sur la mer, il y aurait volontiers fini ses jours. Le clapotis incessant des vagues, les brisants qui venaient inexorablement mordre la rive, leurs reflets dorés ou argentés selon que la lune ou le soleil brillait au-dessus de l'horizon fluide et lisse lui apportaient une torpeur bienfaisante, à défaut de paix et de sérénité.

Les rythmes de la mer étaient tout ce qu'il espérait connaître de Dieu et de l'éternité.

Avec quelques bières dans le nez, en se laissant doucement gagner par la beauté et la vertu thérapeutique du Pacifique, il arriverait peut-être à trouver assez de calme intérieur pour aller au cimetière. Se pencher sur la terre qui recouvrait sa femme et ses filles. Caresser la pierre où leurs noms étaient gravés.

Ce jour entre tous, il se devait d'honorer ses morts.

Deux adolescents fluets vêtus de caleçons de bain bouffants leur tombant sur les hanches s'arrêtèrent à son niveau. L'un avait une longue queue de cheval, l'autre une coupe branchée, les cheveux rasés sur les tempes. Ils avaient tous deux la peau brunie par le soleil. Ils se campèrent face à la mer, lui barrant la vue.

Comme Joe s'apprêtait à leur demander de dégager, il entendit le jeune à la queue de cheval dire :

— T'en as, mec ?

Croyant qu'il s'adressait à son copain, Joe ne répondit pas.

— Alors, t'as quelque chose ? répéta le gosse, toujours dos tourné, fixant l'océan. Tu cherches ou tu vends ?

— De la bière, c'est tout ce que j'ai, lança Joe avec impatience en remontant ses lunettes noires pour mieux les voir. Et elle n'est pas à vendre.

— En tout cas, dit le jeune à la coupe branchée, il y a deux types, là-bas, qui t'observent et te prennent sûrement pour un dealer.

— Où ça ?

— Ne regarde pas maintenant, dit celui à la queue de cheval. Attends qu'on se soit éloignés. On les a observés. Ils te surveillent. Ils puent la flicaille à des kilomètres.

— À quinze mètres au sud, près de la tourelle de surveillance, dit l'autre. Deux andouilles en chemises hawaïennes, même qu'on dirait des prédicateurs en vacances.

— L'un a des jumelles et l'autre un talkie-walkie.

Médusé, Joe baissa ses lunettes et les remercia.

— Mec, faut bien se rendre service, entre potes. Et puis, on peut pas les encadrer, ces trous du cul qui se croient tout permis.

— Nique le système, ajouta le branché, plein d'une amertume nihiliste qui semblait absurde dans une si jeune bouche.

Avec l'arrogance de jeunes coqs, les garçons continuèrent
leur chemin vers le sud tout en matant les filles.

Quelques instants plus tard, Joe finit sa première bière, se
retourna pour ranger la canette vide dans la glacière et en profita
pour regarder négligemment vers la tourelle de surveillance.
Deux hommes en chemise hawaïenne étaient debout à côté.

Le plus grand portait une chemise où le vert dominait et un
pantalon de coton blanc. Il observait Joe à travers des jumelles.
Se sentant sans doute repéré, il tourna ses jumelles vers le sud
d'un air désinvolte, pour regarder non plus Joe, mais un groupe
d'adolescentes en Bikini.

Le plus petit portait une chemise tirant vers le vermillon et
un pantalon marron dont il avait roulé les bords au-dessus des
chevilles. Pieds nus dans le sable, il tenait chaussures et chaussettes d'une main, et, de l'autre, un objet appuyé contre son flanc
— un petit transistor, un lecteur de CD, ou un talkie-walkie.

Le plus grand était bronzé à outrance, avec des cheveux
blonds décolorés par le soleil ; en revanche, vu son teint pâlot, le
plus petit ne devait pas souvent fréquenter les plages.

Joe ouvrit une autre canette, huma sa fraîcheur pétillante et
se tourna à nouveau vers la mer.

Aucun des deux hommes n'avait l'air d'être parti de chez lui
le matin dans l'intention d'aller au bord de la mer, mais ils ne faisaient pas plus déplacés que lui. Les gosses avaient dit qu'ils
puaient la flicaille... Joe, qui avait été reporter criminel pendant
quatorze ans, ne reniflait rien de spécial.

Quoi qu'il en soit, il n'y avait aucune raison pour que la
police s'intéresse à lui. Avec le taux de criminalité qui montait en
flèche, le viol devenu aussi courant que le flirt et le vol si répandu
qu'il semblait que la moitié de la population dépouillait l'autre,
les flics ne perdraient pas leur temps à lui chercher des noises
parce qu'il avait bu de l'alcool sur la voie publique.

Trois mouettes s'envolèrent de la jetée. Elles suivirent
d'abord le rivage, puis s'élevèrent au-dessus de la baie scintillante
pour filer vers le large.

Joe lança un coup d'œil vers la tourelle de surveillance. Les
deux hommes n'étaient plus là.

Il revint à la mer.

Les vagues se brisaient sur le sable, ourlées de franges d'écume. Il les contemplait, comme un sujet regarde docilement le pendule d'un hypnoptiseur se balancer au bout d'une chaîne.

Mais, cette fois, il ne subissait pas leur magnétisme. Il était incapable de se laisser porter, de guider son esprit agité vers des courants plus calmes. Comme une planète la lune, le calendrier attirait Joe dans son orbite. Il ne pouvait empêcher ses pensées de tourner autour de la date fatidique : 15 août, 15 août, 15 août. Une date anniversaire qui le précipitait avec une force de gravitation irrésistible dans la tourmente de ses souvenirs.

Après l'enquête qui avait suivi l'accident et le classement méticuleux des débris organiques et non organiques, on fit parvenir à Joe les dépouilles de sa femme et de ses filles dans de petits cercueils scellés, normalement réservés aux tout jeunes enfants. Ce fut comme s'il prenait possession de reliquaires renfermant les restes sacrés d'un saint.

Joe comprenait les effets destructeurs du choc et savait qu'un feu implacable avait fusé à travers les débris, mais il avait trouvé étrange que les restes de Michelle et des filles tiennent dans si peu d'espace, alors qu'elles avaient occupé une si grande place dans sa vie.

Sans elles, il était étranger au monde et le monde lui était étranger. Quand il se levait le matin, il lui fallait au moins deux heures pour se réadapter à la vie et, certains jours, la terre faisait une rotation complète sans que Joe y ait réussi. Manifestement, c'était le cas aujourd'hui.

Après sa deuxième bière, il n'avait toujours pas atteint l'état recherché. En revanche, il ressentit un besoin urgent d'aller aux toilettes.

En se retournant, il aperçut le grand blond à la chemise verte, à une vingtaine de mètres au nord, assis tout seul sur le sable. Pour se cacher de Joe, il s'était installé derrière deux jeunes couples allongés sur des serviettes et une famille mexicaine, qui avait délimité son territoire avec des pliants et deux grands parasols de plage à rayures jaunes.

Discrètement, Joe regarda autour de lui. Le plus petit des deux prétendus flics, celui à la chemise rouge, n'était pas en vue.

Le gars à la chemise verte évitait soigneusement de tourner les yeux dans sa direction. Il collait une main contre son oreille droite, comme un mal-entendant portant un appareil cherche à masquer le bruit des transistors environnants pour se concentrer sur une fréquence précise.

Joe crut voir les lèvres de l'homme bouger. Mais à cette distance, pouvait-il en être sûr? Peut-être discutait-il avec son compagnon.

Laissant serviette et glacière sur le sable, Joe se dirigea au sud vers les toilettes publiques. Il n'eut pas besoin de se retourner pour savoir que le gars à la chemise verte l'observait.

Tout bien considéré, boire de l'alcool sur une plage était sans doute illégal, même de nos jours. Après tout, il fallait bien qu'une société si tolérante envers la corruption et la barbarie se rabatte sur les délits mineurs pour se convaincre qu'elle avait encore un semblant de sens moral.

Près de la jetée, la foule avait encore augmenté depuis l'arrivée de Joe. Dans le parc d'attractions, les voiturettes des montagnes russes s'entrechoquaient avec fracas. Les passagers poussaient des cris aigus.

Dans les toilettes publiques bondées, Joe ôta ses lunettes noires.

Ça puait l'urine et le désinfectant. Par terre, en plein milieu, entre les boxes et les lavabos, un gros cafard tournait en cercle à une allure saccadée. À moitié écrasé, il vivait encore, mais il avait perdu le sens de l'orientation et tournait sans but. Tout le monde l'évitait, certains avec amusement, d'autres avec dégoût ou indifférence.

Après s'être soulagé dans l'urinoir, Joe se lava les mains tout en observant dans la glace les visages de ceux qui l'entouraient, à la recherche d'un complice. Il fixa son choix sur un jeune adolescent d'environ quatorze ans aux cheveux longs, en caleçon de bain et sandales.

Quand le gosse se dirigea vers le distributeur de serviettes en papier, Joe le suivit, prit quelques serviettes juste après lui et dit :

— Il y a deux flics qui traînent dehors pour me coincer.

Le môme croisa son regard, mais continua en silence à s'essuyer les mains.

— Je te donnerai vingt dollars si tu vas en éclaireur et si tu reviens me dire où ils sont.

Les yeux du gosse tiraient sur le violet, et son regard était aussi direct qu'un coup de poing.

— Trente dollars.

À quatorze ans Joe aurait-il été capable de regarder un adulte dans les yeux avec autant d'audace et de défiance ? Sûrement pas. Accosté ainsi par un étranger il aurait secoué la tête et se serait dépêché de prendre le large.

— Quinze maintenant et quinze quand je reviendrai, dit le gosse.

Joe roula en boule les serviettes en papier et les jeta dans la poubelle.

— Dix maintenant, vingt quand tu reviendras.

— Tope là.

Joe sortit son portefeuille de sa poche.

— L'un fait dans les un mètre quatre-vingt-cinq, il est blond, bronzé, avec une chemise hawaïenne dans les verts. L'autre est plus petit, dans les un mètre soixante-quinze. Il est brun, un peu chauve, le teint pâle. Il porte une chemise hawaïenne rouge et orange.

Le gosse prit le billet de dix dollars sans baisser les yeux.

— Peut-être que c'est du baratin, qu'il n'y a personne dehors, et que, quand je reviendrai, vous allez vouloir que j'entre dans un de ces boxes avec vous pour gagner les vingt dollars.

Joe se sentit gêné, non pour lui-même, mais pour le gosse, dont la méfiance prouvait qu'à un âge si tendre il était déjà plus qu'affranchi.

— Ce n'est pas du baratin.

— Tant mieux parce que je ne mange pas de ce pain-là.

— Compris.

Certains des hommes présents avaient dû entendre leur conversation, mais aucun ne sembla s'y intéresser. Vivre et laisser vivre.

Comme le gosse s'apprêtait à sortir, Joe ajouta :

— Ils ne seront pas juste là dehors, à m'attendre, ce serait trop évident. Mais à une certaine distance, un point d'où ils peuvent surveiller l'endroit sans être vus.

Sans répondre, le garçon gagna la sortie en faisant claquer ses sandales sur le carrelage.

— Si tu ne reviens pas, l'avertit Joe, je te retrouverai et je te botterai le cul.

— Ouais, lança le gosse avec dédain avant de disparaître.

Retournant à l'un des lavabos tachés de rouille, Joe se lava les mains une nouvelle fois, histoire de se donner une contenance.

Trois gars d'une vingtaine d'années s'étaient rassemblés autour du cafard estropié, qui tournait toujours en rond sur le sol carrelé des toilettes comme sur une petite piste de cinquante centimètres de diamètre. Il avançait par à-coups avec une ténacité d'insecte. Les mains pleines de billets d'un dollar, les trois spectateurs pariaient sur le temps qu'il mettrait à effectuer chaque tour de piste.

Joe s'aspergea la figure d'eau froide. L'eau avait un goût et une odeur de chlore, mais toute sensation de propreté était balayée par la puanteur saumâtre qui émanait du tuyau d'écoulement à ciel ouvert.

Il faisait encore plus chaud à l'intérieur que dehors ; l'air mal ventilé empestait l'urine, la sueur et le désinfectant. Joe commençait à avoir la nausée.

Le gosse mettait du temps à revenir.

Il s'aspergea encore une fois, puis étudia son visage perlé de gouttes d'eau dans le miroir fêlé. Malgré son hâle et les petits coups de soleil qu'il venait de prendre sur la plage, il n'avait pas bonne mine. Ses yeux étaient gris ; autrefois du gris-bleu franc et vif de l'acier poli, aujourd'hui d'un gris de cendres, dans un blanc injecté de sang.

Un quatrième compère avait rejoint les trois parieurs. Il avait la cinquantaine bien sonnée, ce qui lui faisait trente ans de plus que les autres, mais il essayait de s'intégrer à leur jeu sadique en adoptant leur enthousiasme. Installés en plein milieu et ne se dérangeant même pas pour laisser passer les gens, ils riaient à gorge déployée devant la progression spasmodique de l'insecte. Ils le pressaient en criant : « Vas-y, fonce ! », comme s'il était un pur-sang galopant à bride abattue vers la ligne d'arrivée, et débattaient bruyamment pour savoir à quoi lui servaient ses antennes, si elles l'aidaient à s'orienter ou bien à détecter nourriture et partenaires éventuels.

S'efforçant de s'abstraire de leurs vociférations, Joe sonda ses yeux dans le miroir. Pour quel motif avait-il envoyé le gosse repérer les deux guetteurs ? Si vraiment ils le surveillaient, il s'agissait d'une méprise ; dès qu'ils comprendraient leur erreur, ils disparaîtraient. Pourquoi chercher plus loin ?

Il était venu à la plage afin de se préparer à sa visite au cimetière. Il avait besoin de se plier aux rythmes éternels de l'océan, qu'ils le polissent comme les vagues polissent le rocher, qu'ils gomment les arêtes tranchantes que l'angoisse avait creusées dans son esprit et lavent son cœur des esquilles qu'elle y avait plantées. Écouter, regarder la mer, c'était recevoir son message : la vie n'avait pas plus de sens que ce mouvement perpétuel des marées, elle allait et venait sans aucun but, agitée par les mêmes courants froids. C'était un message morne, empreint d'un désespoir qui vous apportait le calme, justement parce qu'il était brutal et vous réduisait à rien. Il lui faudrait aussi une ou deux bières de plus pour engourdir ses sentiments, de sorte que cette leçon maritime demeure en lui, le temps de traverser la ville et d'arriver au cimetière.

Il n'avait pas besoin de distractions. Ni d'action. Ni de mystère. La vie n'avait plus de mystère pour lui, depuis la nuit où elle avait perdu son sens, dans une prairie silencieuse du Colorado.

Toujours accompagné du bruit de ses sandales claquant sur le carrelage, le garçon revint pour récolter ses vingt dollars.

— Je n'ai vu aucun grand mec en chemise verte, mais l'autre est là dehors, sûr et certain. Il est en train de prendre un coup de soleil sur son crâne d'œuf.

Derrière Joe, certains des parieurs poussèrent des cris de triomphe, d'autres pestèrent tandis que le cafard agonisant terminait un autre tour de piste.

Le garçon tendit le cou, curieux de voir ce qui se passait.

— Où ça ? demanda Joe en tirant un billet de vingt de son portefeuille.

Le garçon répondit tout en essayant de voir à l'intérieur du cercle, entre les dos des joueurs.

— Il y a un palmier et une ou deux tables pliantes plantées dans le sable. C'est là que ces crétins de Coréens jouent aux échecs. Vingt, vingt-cinq mètres plus bas, sur la plage...

Malgré les hautes fenêtres en verre dépoli qui laissaient entrer le soleil et la lueur bleuâtre des néons encrassés du plafond, l'air semblait jaune, comme une brume acide.

— Regarde-moi, dit Joe.

— Hein ? dit le gosse, distrait par la course du cafard.

— Regarde-moi.

Surpris par la fureur contenue de sa voix, le gosse croisa vite son regard. Puis ses yeux bleu-mauve fixèrent le billet de vingt dollars.

— Le gars que tu as vu portait une chemise hawaïenne rouge ? demanda Joe.

— Surtout rouge et orange, oui. Avec d'autres couleurs.

— Et quoi d'autre ?

— Comment ?

— J'ai fait exprès de ne pas te dire ce qu'il portait d'autre. Puisque tu l'as vu, tu peux me le dire, maintenant.

— Hé mec, comment tu veux que je le sache ? J'ai pas fait gaffe. Je savais pas que tu m'avais envoyé faire un reportage de mode. Il est debout, les chaussures à la main, avec ses chaussettes roulées dedans. Il fait un peu bizarre dans le décor.

C'était bien l'homme que Joe avait vu muni d'un talkie-walkie, près de la tourelle de surveillance.

Les joueurs continuaient à crier pour encourager le cafard, à rire, à jurer, à parier. Leurs voix résonnaient si fort en cognant contre les murs de béton que Joe s'attendait presque à voir éclater les miroirs ternis des lavabos.

— Il fait mine de regarder les Coréens jouer aux échecs ? demanda Joe.

— Non, il regarde vers ici en discutant avec deux petits lots.

— Deux petits lots ?

— Deux salopes d'enfer, des supercanons en string. Tu verrais la rouquine dans son Bikini vert ! Tous les mecs de la plage en ont la langue pendante.

— Et qu'est-ce qu'il fait au juste, il les drague ?

— Je me demande... Un toquard comme lui, il n'y a aucune chance que ces deux salopes s'intéressent à lui.

— Arrête de les traiter de salopes, dit Joe.

— Quoi ?

— Ce sont des femmes.

Dans les yeux du gosse, la fureur jaillit comme la lame d'un couteau à cran d'arrêt.

— Dis donc, pour qui tu te prends, pour le pape ?

Le jaune acide de l'atmosphère semblait s'épaissir. Joe avait l'impression qu'il lui rongeait la peau. Les bruits de chasse d'eau lui soulevaient le cœur et il lutta pour réprimer la nausée qui le gagnait.

— Décris-moi les femmes, dit-il au garçon.

— Tankées comme un camion, répondit le gosse en le défiant plus que jamais du regard. Surtout la rouquine. Des seins comme ça. Mais la brune est pas mal non plus. Je ramperais sur du verre pilé rien que pour tirer un coup avec elle. Et tant pis si elle est sourdingue.

— Sourdingue ?

— Elle doit être sourde, elle a un genre d'appareil dans l'oreille. Elle n'arrête pas de le mettre et de l'enlever, comme si elle n'arrivait pas bien à le coincer. Ouais, une drôle de salope, super bien foutue.

Joe avait beau avoir quinze centimètres et vingt kilos de plus, il eut envie de prendre le gosse à la gorge et de le secouer comme un prunier, jusqu'à ce qu'il lui promette de ne jamais plus utiliser ce mot à la légère. Qu'il comprenne comme il était méprisant, sale, et qu'à force de s'en servir lui-même s'en trouvait avili.

Effrayé par la violence de sa propre réaction, Joe réussit tout juste à se contenir. Sentant le sang cogner à ses tempes et la pression rétrécir son champ de vision, il serra les dents. Sa nausée empira. Il prit une profonde inspiration, puis une autre, en s'efforçant de retrouver son calme.

Manifestement, le gosse dut voir quelque chose dans les yeux de Joe. Il se figea un instant, perdit son ton agressif et dirigea encore son regard vers les parieurs qui criaient.

— Donnez-moi les vingt dollars. Je les ai gagnés.

Mais Joe ne lâcha pas le billet.

— Où est ton père ?

— Quoi ?

— Où est ta mère ?

— Qu'est-ce que ça peut vous faire ?

— Où sont-ils ?

— Ils ont leur vie, j'ai la mienne.

La colère de Joe vira au désespoir.

— Comment tu t'appelles, petit ?

— En quoi ça vous regarde ? Vous me prenez pour un môme qui ne peut pas aller tout seul à la plage ? Je vous emmerde, je vais où je veux.

— Tu vas où tu veux, mais tu n'es chez toi nulle part.

Le gosse croisa son regard et, l'espace d'un instant, Joe fut saisi de lire dans les yeux d'un être si jeune tant de souffrance et de solitude.

— Chez moi nulle part ? Qu'est-ce que ça veut dire ?

Ils étaient soudain passés à un niveau de communication bien différent. Contre toute attente, une brèche s'était ouverte dans le mur des apparences. Joe sentit que leur avenir à tous deux pourrait beaucoup y gagner s'il arrivait à prolonger ce moment, à passer ce seuil. Mais sa vie était aussi creuse qu'une des coquilles gisant sur le rivage et sa réserve de sagesse épuisée. Il n'avait aucune foi à partager, aucune philosophie à transmettre, aucun espoir à offrir. Vidé de sa substance, comment aurait-il pu nourrir quelqu'un d'autre ?

Il faisait partie des paumés, et un paumé ne peut pas servir de guide.

L'instant de grâce passé, le gosse lui arracha le billet.

— Ce sont peut-être des femmes, répéta-t-il en reculant, avec un ricanement. Mais quand on les chauffe un peu, ce sont toutes des salopes.

— Et nous des chiens ? lança Joe, mais le gosse s'était déjà glissé dehors et n'avait pas entendu.

Joe avait beau s'être lavé deux fois les mains, il se sentait sale.

Il retourna aux lavabos, avec difficulté : ils étaient six, maintenant, autour du cafard, et d'autres traînaient derrière eux, à regarder.

Les toilettes bondées étaient étouffantes, Joe suait à grosses gouttes, l'air vicié lui brûlait les narines et lui piquait les yeux. Sur les miroirs, la condensation troublait le reflet des hommes. Ils n'étaient plus des êtres de chair et de sang, mais des esprits torturés aperçus par les fenêtres d'un abattoir, des damnés baignant dans l'atmosphère sulfureuse des royaumes infernaux. Les parieurs enfiévrés hurlaient en brandissant des poignées de dollars. Leurs voix se fondaient en une stridulation aiguë, une stridence déchaînée. Joe l'entendit monter, monter jusqu'à ce qu'elle l'atteigne au plus profond de son être, déclenchant de dangereuses vibrations, lui perçant le cerveau comme le son du cristal qui claque.

Il entra dans le cercle en bousculant deux types et écrasa le cafard estropié.

Dans l'instant de silence pétrifié qui suivit son intrusion, Joe se dirigea vers la sortie en tremblant de tous ses membres, tandis que le son perçant continuait à vibrer dans sa tête.

Comme un seul homme, les parieurs sortirent de leur stupeur paralysante. Ils poussèrent des cris de colère avec la même vertueuse indignation que des fidèles qui auraient vu un poivrot dégoûtant entrer en titubant pendant la messe, s'affaler contre la rambarde du chœur et dégueuler sur le sol du sanctuaire.

L'un d'eux, saisissant Joe par le bras, l'obligea à se retourner. Brûlée par le soleil, sa figure ressemblait à une tranche de lard. Ses lèvres craquelées se retroussèrent sur des dents jaunies par la nicotine.

– Qu'est-ce qui t'a pris, mon pote?

– Lâche-moi.

– Je me faisais du fric, mon pote.

Joe sentit la main moite lui serrer le bras et les ongles crasseux lui entrer dans la chair.

– Lâche-moi.

– Je me faisais du fric, mon pote, répéta le type.

Sous l'effet de la colère, sa bouche se tordit et du sang suinta à ses lèvres fendillées.

Joe lui saisit le poignet et lui retourna le pouce pour rompre son étreinte. Les yeux du gars s'écarquillèrent. Il se mit à gémir, mais Joe continua. Il lui tordit le bras derrière le dos, le fit se retourner et le projeta en avant. La tête du type alla cogner contre la porte d'un W.-C.

Joe avait cru qu'après la scène avec l'adolescent sa fureur s'était calmée, laissant place à de la tristesse, mais elle revenait, plus brûlante et explosive que jamais. Il rabattit la porte sur la gueule du type, une fois, deux fois, trois fois de suite. Pourquoi réagissait-il avec une telle violence? Pourquoi l'insensibilité de ces hommes le touchait-elle à ce point-là? Il l'ignorait, et ne voyait pas combien son comportement était disproportionné. La rage réduisait son champ de vision. Plein d'une fureur primitive qui bondissait en lui comme une horde de singes hurleurs, Joe finit quand même par se rendre compte qu'il avait perdu le contrôle de ses actes. Il relâcha le parieur. L'homme s'écroula sur le sol.

Frémissant de colère, effaré de sa propre réaction, Joe recula et buta contre les lavabos.

Les autres types s'étaient écartés. Tous restaient silencieux.

Le parieur était couché sur le dos au milieu de ses gains, des billets de un et cinq dollars éparpillés. Le menton maculé de sang, il pressait contre sa joue gauche la main qui avait heurté la porte.

– Tout ça pour un fichu cafard, bon Dieu! Un fichu cafard!

Joe essaya de s'excuser. Il ne put ouvrir la bouche.

– Tu as failli me casser le nez, tout ça pour un cafard?

Joe ne regrettait pas ce qu'il avait fait – ce type avait dû faire bien pire –, mais il regrettait la misérable épave humaine qu'il était devenu, et le déshonneur que son comportement inexcusable jetait sur la mémoire de sa femme et de ses filles. Pourtant il resta muet. Étouffant de dégoût, il sortit, quittant la puanteur des toilettes pour retrouver l'air du dehors. Mais la brise de mer ne suffisait pas à rafraîchir un monde aussi malsain que le bâtiment qu'il venait de quitter.

Malgré le soleil, il frissonna, pris dans l'étau glacé du remords.

Alors qu'il regagnait sa serviette, avançant en aveugle au milieu de la foule qui se dorait au soleil, il se souvint de l'homme à la chemise rouge. Il ne s'arrêta pas, ne regarda pas en arrière, mais progressa lentement sur le sable.

Il se fichait complètement de savoir qui le surveillait et pourquoi. S'il s'agissait bien de flics, alors c'était deux empotés qui l'avaient pris pour un autre. Ils ne faisaient pas partie de sa vie. Il ne les aurait même pas remarqués si le gosse à la queue de cheval n'avait pas attiré son attention sur eux. Ils s'apercevraient bientôt de leur erreur. D'ici là, qu'ils aillent se faire foutre.

La foule envahissait petit à petit la partie de la plage où Joe s'était installé. Il envisagea de prendre ses cliques et ses claques et de s'en aller, mais il n'était pas encore prêt à aller au cimetière. L'incident des toilettes avait rouvert la vanne de ses émotions, annulant l'effet apaisant des vagues et des deux bières qu'il avait bues.

Il retourna donc sur la serviette et plongea une main dans la glacière, non pour prendre une bière, mais pour se rafraîchir le front avec de la glace. Puis il laissa ses yeux errer sur l'océan. Les vagues gris-vert clapotaient à l'infini, comme actionnées par les multiples rouages d'un vaste mécanisme, et les éclats argentés du soleil qui jouaient à la surface ressemblaient aux éclairs d'une ligne à haute tension. Le va-et-vient des vagues était aussi monotone que le mouvement des bielles d'un moteur. La mer était une machine qui ne s'arrêtait jamais, sans avoir d'autre but que de continuer. Elle avait beau être chantée par d'innombrables poètes, elle ne connaissait rien à la nature humaine, à ses passions, ses douleurs et ses espoirs.

Il devait apprendre à accepter la froide mécanique de la Création. À quoi bon se répandre en injures contre une machine sans âme... Après tout, on ne peut tenir un réveil pour responsable de la fuite du temps. Ni en vouloir à un métier à tisser de produire le tissu qui façonnera un jour la cagoule du bourreau. S'il parvenait à accepter l'indifférence mécanique de l'univers, l'absurdité même de la vie et de la mort, il trouverait la paix. Du moins l'espérait-il.

Deux nouvelles venues étendirent un grand drap de bain blanc sur le sable à quelques mètres de lui. Une rouquine stupéfiante, dans un Bikini string qui aurait fait rougir une stripteaseuse. Et une brune, presque aussi séduisante que son amie.

La rousse avait les cheveux coupés court ; la brune les portait longs, ce qui était bien pratique pour dissimuler l'émetteur accroché à son oreille.

Pour des jeunes femmes de vingt ans, elles paraissaient puériles, gloussaient et se faisaient remarquer autant par leur bruyante gaieté que par leur beauté. Elles s'enduisirent paresseusement de crème, puis chacune offrit son dos à l'autre et elles se caressèrent avec un plaisir langoureux, attirant les regards concupiscents de tous les mâles hétérosexuels présents.

La stratégie était claire. Qui irait penser que des filles si peu discrètes et si délurées pouvaient être des agents ? Ce qui sautait aux yeux chez les deux types en chemises hawaiiennes était chez elles inimaginable. Et ça aurait marché, sans les remarques d'un adolescent de quatorze ans travaillé par sa libido.

Avec leurs longues jambes bronzées, leurs seins généreux, leurs fesses rondes et fermes, avaient-elles pour mission d'attirer son attention et de le séduire afin qu'il lie conversation ? Eh bien, c'était raté. Sur lui, leurs charmes n'opéraient pas.

Durant l'année passée, aucune image ni fantasme d'ordre érotique ne l'avait remué. Michelle était en lui, le corps de Michelle, son abandon, son ardeur dans le plaisir. Et cela le ramenait inévitablement à la descente mortelle de l'avion, à la fumée, au feu, à la mort.

Ces deux femmes n'occupaient ses pensées qu'à cause de la vague contrariété qu'elles lui causaient. Il envisagea de les aborder pour les informer de leur erreur, histoire de s'en débarrasser une bonne fois pour toutes. Mais, après l'incident des toilettes, la perspective d'une nouvelle confrontation ne le tentait guère. Il était vidé et n'avait plus de colère en lui, néanmoins il se méfiait de lui-même.

Un an jour pour jour.

Souvenirs et pierres tombales.

Il y arriverait.

Les vagues se brisaient, se reformaient, pour mieux s'enfuir et se briser, encore et toujours. Dans la contemplation du ressac, Joe Carpenter puisa peu à peu un semblant de calme.

Une demi-heure plus tard, et sans le secours d'une autre bière, il se sentit prêt.

Il secoua sa serviette, la plia en deux, la roula et ramassa la glacière.

Dorées sur tranche et aussi soyeuses que la brise de mer, les jeunes femmes en Bikini feignaient d'être captivées par la conversation monosyllabique de deux soupirants gonflés aux stéroïdes – les derniers d'une longue file de casanovas des faubourgs à tenter leur coup.

À l'abri de ses lunettes noires, Joe observait la scène. Les filles ne portaient pas de lunettes de soleil, et elles avaient beau jouer le jeu en encourageant leurs admirateurs avec de petits rires de gorge, il voyait bien qu'elles le regardaient à la dérobée.

Il s'éloigna sans se retourner, s'efforçant d'emporter avec lui un peu de l'indifférence de l'océan, comme on rapporte du sable dans ses chaussures en revenant de la plage.

N'empêche, une chose l'intriguait : quel service de police pouvait se glorifier d'avoir de telles beautés dans son équipe ? Il avait connu quelques femmes flics jolies et sexy, mais la rouquine et sa copine étaient hors concours.

Il s'attendait à ce que les gars aux chemises hawaïennes surveillent sa Honda ; si c'était le cas, ils étaient bien cachés.

Joe sortit du parking et tourna à droite sur la route côtière, en vérifiant dans son rétroviseur s'il n'était pas suivi. Non, apparemment.

Peut-être s'étaient-ils enfin rendu compte de leur erreur et étaient-ils repartis en chasse. Après le bon numéro, cette fois.

Passant de Wilshire Boulevard à l'autoroute de San Diego, filant au nord vers l'autoroute Ventura, puis à l'est, il quitta l'influence rafraîchissante des brises de mer pour retrouver la fournaise de la vallée de San Fernando. Dans la lumière éblouissante du mois d'août, les banlieues paraissaient aussi cuites que des céramiques sortant du four.

Cent cinquante hectares de prairies vallonnées et de larges pelouses composaient le cimetière, une cité des défunts, le Los Angeles des morts, divisé en quartiers par des chemins d'accès qui serpentaient élégamment entre les tombes. Acteurs connus, petits représentants de commerce, stars du rock'n'roll se retrouvaient enterrés côte à côte, dans l'intimité démocratique de la mort.

Deux services funèbres se déroulaient en petits comités. Joe croisa des voitures garées le long du virage et vit des rangées de chaises pliantes installées sur l'herbe, près de tumulus recouverts de bâches vertes. Sur chaque site, les parents ou amis du défunt étaient assis le dos voûté, engoncés dans leurs costumes de deuil, oppressés par la chaleur autant que par le poids du chagrin et de l'éphémère.

Le cimetière comprenait quelques cryptes sophistiquées et des concessions de famille bordées de mur bas, mais aucune pierre tombale verticale ni monument funéraire. Certains avaient choisi d'ensevelir les restes de leurs proches dans les niches murales des mausolées collectifs. D'autres préféraient les entrailles de la terre, mais les tombes n'étaient marquées que par de simples plaques de bronze incrustées dans les dalles de pierre qui arrivaient à ras de terre, de façon à ne pas dénaturer le lieu, qui ressemblait davantage à un parc qu'à un cimetière.

Michelle et les filles reposaient sur un flanc de colline, à l'ombre des cyprès et des lauriers indiens. Certains jours plus cléments, des écureuils bondissaient sur la pelouse et des lapins sortaient au crépuscule. Joe avait pensé que sa femme et ses filles chéries auraient préféré la verdure et le bruissement des arbres à un mausolée, massif et hermétique.

Il alla se garer au tournant, à bonne distance du deuxième service funèbre, coupa le moteur et sortit de la Honda. Il resta un instant debout près de la voiture dans la chaleur accablante, rassemblant son courage.

En gravissant la pente douce, il ne regarda pas vers leurs

tombes, mais progressa la tête basse. Même après toute une année, chaque visite le bouleversait comme s'il venait là non pour se recueillir, mais pour identifier leurs corps déchiquetés à la morgue. Combien d'années lui faudrait-il vivre avant que son chagrin s'atténue ? Comme un vieux cheval fourbu, il gravit la pente les yeux fixés au sol et le dos voûté.

Il découvrit la femme alors qu'il n'était plus qu'à trois ou quatre mètres d'elle. Surpris, il s'arrêta.

Elle se tenait sous l'ombre des pins, lui tournant le dos. Avec un Polaroïd, elle photographiait les plaques de bronze incrustées dans la pierre.

— Qui êtes-vous ? lui demanda-t-il.

Elle ne l'entendit pas. Il n'avait pas dû parler assez fort, ou bien elle était trop concentrée sur ses photographies.

— Que faites-vous ? dit-il en avançant d'un pas.

L'air alarmé, elle se tourna vers lui.

Petite, un mètre cinquante-cinq environ, mais athlétique, elle faisait une forte impression que n'expliquaient ni sa taille ni son apparence — elle portait un simple blue-jean et une chemise en coton jaune. Elle semblait entourée d'un puissant champ magnétique qui forçait au respect. Une peau café au lait. Des yeux immenses, sombres comme du marc de café, indé-chiffrables, dont la forme en amande suggérait une touche d'ori-gine asiatique. D'épais cheveux coupés au carré, raides et d'un noir bleuté confirmaient cette impression. En revanche, son visage avait le modelé d'un masque africain : un grand front, des pommettes hautes, des traits finement ciselés, empreints d'une farouche beauté. Elle devait approcher la quarantaine, ce qui lui faisait cinq ans de plus que Joe, mais une certaine innocence éclairait la sagesse du regard, et une fausse vulnérabilité un peu enfantine la faisait paraître plus jeune que lui.

— Qui êtes-vous et que faites-vous ici ? répéta-t-il.

Elle ouvrit la bouche pour parler, mais resta sans voix et le regarda comme s'il était une apparition. Elle leva une main vers son visage et lui caressa la joue. Joe ne tressaillit pas, il n'eut aucun geste de recul.

Au début, il avait cru voir de la stupeur dans ses yeux. Mais la douceur de sa caresse et la tendresse qu'elle y avait mise le poussèrent à la regarder encore. Ce qu'il avait pris pour de l'étonnement n'était que tristesse et pitié.

40

— Je ne peux pas vous parler pour l'instant. C'est trop tôt. Je ne suis pas prête, répondit-elle d'une voix douce et musicale.

— Pourquoi prenez-vous des photos... des photos de ces tombes ?

— Bientôt, dit-elle en agrippant son appareil des deux mains. Je reviendrai quand le moment sera venu. Ne désespérez pas. Vous verrez, comme les autres.

L'instant était si insolite que Joe faillit la prendre lui aussi pour une apparition, tant la main qui lui avait effleuré la joue était légère, presque irréelle.

Pourtant, elle avait trop de présence pour être un fantôme ou un mirage. Elle dégageait tant d'énergie qu'elle était plus réelle que le ciel, les arbres, le soleil d'août, le granit et le bronze qui l'entouraient. Elle s'imposait avec tant de force et de magnétisme qu'elle semblait venir à lui tout en restant immobile et le dominer alors qu'elle avait vingt-cinq centimètres de moins. Sous l'ombre des pins, elle était plus lumineuse que lui planté en plein soleil.

— Comment vous vous en tirez ? lui demanda-t-elle.

Décontenancé, il ne put que secouer la tête.

— Pas bien, murmura-t-elle.

Joe fixa son regard au-delà des plaques de bronze incrustées dans le granit. Quand il revint à la femme, elle regardait au loin d'un air inquiet, en plissant les yeux et le front, comme alarmée par le bruit d'un moteur qui s'emballait.

Joe se retourna. Sur la route qu'il avait prise, une fourgonnette Ford blanche approchait en roulant trop vite.

— Les salauds ! s'exclama-t-elle, et elle s'enfuit à toutes jambes, coupant la pente pour atteindre le sommet de la colline.

— Hé, attendez ! lui lança Joe.

Mais elle continua sans regarder en arrière.

Il voulut la poursuivre, mais sa forme physique n'était pas bonne, alors que la femme semblait être entraînée à la course. Joe abandonna vite, suffoquant dans la chaleur écrasante.

La fourgonnette blanche le dépassa, son pare-brise reflétant la lueur aveuglante du soleil, qui faisait aussi briller les phares. Elle roula parallèlement à la femme qui continuait sa course à travers les rangées de tombes.

Joe descendit la colline vers sa voiture, sans savoir ce qu'il allait faire. Devrait-il les suivre ? Que diable se passait-il ici ?

La fourgonnette passa devant la Honda garée dans le tournant et pila brusquement en laissant deux traces de pneus sur le bitume, cinquante mètres plus bas. Les portières avant s'ouvrirent sur les deux types en chemises hawaïennes. Ils se mirent à courir après la femme.

Interdit, Joe s'arrêta. Il était certain qu'aucune fourgonnette blanche ni aucun véhicule ne l'avait suivi depuis Santa Monica.

D'une manière ou d'une autre, ils avaient su qu'il viendrait au cimetière. Et puisque les deux hommes, ne faisant aucun cas de Joe, couraient après la femme comme des chiens d'attaque, c'est qu'ils avaient dû le surveiller à la plage non par intérêt pour lui, mais parce qu'ils espéraient qu'elle entrerait en contact avec lui.

Leur proie, c'était la femme.

Bon sang, ils avaient dû aussi surveiller son appartement, et le suivre de là jusqu'à la plage.

Cela durait peut-être depuis des jours. Des semaines. Il vivait dans le brouillard depuis si longtemps, avançant comme dans un rêve, qu'il n'avait même pas remarqué que des gens rôdaient furtivement à la lisière de son champ de vision.

Qui est-elle ? Qui sont-ils ? Pourquoi photographiait-elle les tombes ?
En haut de la colline, la femme s'engouffra sous les buissons serrés des cyprès qui bordaient le cimetière. Seule sa chemise jaune la trahissait encore.

Elle fonçait vers un point précis de la crête, comme si elle connaissait bien les lieux. Étant donné qu'aucune voiture n'était garée le long de cette partie de la route, à part la Honda de Joe et la fourgonnette blanche, elle avait dû entrer dans le cimetière par le même chemin, à pied.

Les hommes de la fourgonnette avaient du chemin à faire s'ils voulaient la rattraper. Le grand à la chemise verte semblait en meilleure forme que son collègue et, grâce à ses grandes jambes, il gagnait du terrain. Mais l'autre, même s'il se laissait distancer, n'abandonnait pas pour autant. Au contraire, il remontait la pente brûlée par le soleil en courant comme un fou, trébuchant une fois, deux fois sur les pierres tombales, puis retrouvant son équilibre et fonçant de plus belle, comme enragé par l'envie d'être présent quand l'autre aurait plaqué la femme à terre.

Par-delà les collines soigneusement entretenues du cimetière se dressaient d'autres collines restées à l'état sauvage : un sol sableux, des talus argileux où poussait une herbe maigre et jaunie, ponctuée de quelques chênes rabougris. Des ravins arides qui donnaient sur une terre inculte, située au-dessus du Griffith Observatory et à l'est du zoo de Los Angeles. Une zone désertique infestée de crotales, dernier îlot sauvage situé en plein cœur de l'étalement urbain.

Si la femme y pénétrait avant d'être rattrapée, elle pourrait semer ses poursuivants en zigzaguant entre les ravines.

Joe avança vers la fourgonnette blanche abandonnée. Peut-être en tirerait-il quelque chose.

Il avait envie que la femme leur échappe ; sans bien comprendre pourquoi, sa sympathie allait vers elle. Après tout, elle était peut-être recherchée pour toute une série de forfaits.

Cependant, sa gentillesse, la douceur de ses doigts sur sa joue, la pitié qu'il avait lue dans ses yeux, la tendre inflexion de sa voix la désignaient comme une femme de compassion, et il ne pouvait souhaiter qu'il lui arrive malheur.

Une détonation rompit brutalement la chaude immobilité du cimetière, suivi d'une autre.

La femme avait presque atteint le sommet de la colline. Il l'aperçut entre les deux derniers pins qui se détachaient sur le ciel. Blue-jean. Chemise jaune. Allongeant les jambes à chaque foulée. Ses bras bruns se levant et s'abaissant en rythme le long de ses flancs.

Durant sa course, le plus petit s'était écarté de son compagnon pour avoir un bon angle de vision. Arrêté, il levait les bras en la visant avec un revolver. Le fumier lui tirait dessus !

Les flics n'essaient pas de descendre des fugitifs désarmés en leur tirant dans le dos. En tout cas, pas des flics qui se respectent.

Comment s'y prendre pour lui venir en aide ? Si vraiment c'étaient des flics, Joe n'avait pas le droit d'intervenir ; dans le cas contraire, ils le descendraient sûrement s'il tentait de s'interposer. En admettant qu'il arrive à les rejoindre à temps.

Un autre coup de feu.

La femme atteignit la crête.

— Vas-y ! lança Joe d'une voix rauque. Vas-y !

Il n'avait pas de téléphone cellulaire dans sa voiture, et ne pouvait donc pas appeler police-secours. En tant que journaliste, il se déplaçait avec un téléphone mobile, mais, ces temps-ci, il n'appelait pratiquement personne, même de chez lui.

Un autre coup de feu claqua sous le soleil de plomb.

S'ils n'étaient pas policiers, ces hommes étaient soit prêts à tout, soit assez cinglés pour tirer des coups de feu dans un endroit public. Même si cette partie du cimetière était déserte, le bruit des coups de feu devait résonner bien au-delà et il suffirait aux employés du cimetière de refermer le gigantesque portail de l'entrée pour empêcher les tueurs de sortir.

Apparemment indemne, la femme disparut derrière le haut de la colline dans les broussailles.

Les deux types se précipitèrent à sa suite.

4.

Le cœur battant, la vue brouillée par le sang qui lui montait au visage, Joe Carpenter courut à toutes jambes jusqu'à la fourgonnette blanche.

C'était un véhicule utilitaire, de ceux dont se servent les entreprises pour effectuer de petites livraisons. Mais aucune inscription ni logo n'indiquait à qui elle appartenait.

Le moteur tournait. Les deux portières étaient restées ouvertes.

En se précipitant du côté du passager, il glissa sur de l'herbe détrempée par une tête d'arroseur qui fuyait et baissa la tête pour entrer dans la cabine, espérant y trouver un téléphone cellulaire. Il n'y en avait pas de visible. Peut-être dans la boîte à gants.

À l'instant où il l'ouvrait, il entendit quelqu'un lui parler depuis l'arrière du fourgon ; quelqu'un qui le prenait sans doute pour l'un des deux types.

– Alors, vous avez eu Rose ?

Bon sang !

La boîte à gants contenait un sachet ouvert de bonbons à la menthe qui s'éparpillèrent sur le sol et une enveloppe à fenêtre provenant du service des véhicules automobiles. En Californie, la loi exigeait que chaque conducteur ait à bord de son véhicule une carte grise en règle et une attestation d'assurance en cours de validité.

– Qui est là, nom de Dieu ? lança le gars à l'arrière.

Joe s'empara de l'enveloppe et sortit de la fourgonnette. Pourquoi prendre la fuite ? Ce type avait peut-être la gâchette aussi facile que les deux autres et il risquait de lui tirer dans le dos.

Joe entendit la portière arrière grincer sur ses charnières. Il fonça tout droit dans cette direction. Un type à la figure aplatie, avec des avant-bras à la Popeye et un cou de taureau, surgit du coin de la fourgonnette. Joe lui fila un coup de genou entre les jambes. Hoquetant, le souffle coupé, le gars se plia en deux. Il prit alors un coup de tête en pleine figure et s'affala à terre, évanoui.

Étant gosse, Joe était du genre bagarreur, mais, depuis qu'il avait rencontré Michelle, il n'avait pas levé le poing une seule fois contre quelqu'un. Et aujourd'hui, en l'espace de deux heures, il avait deux fois recouru à la violence. Il en était effaré, écœuré. Jamais il n'avait été animé d'une telle rage. Il luttait pour retrouver son calme comme il avait lutté dans les toilettes publiques de Santa Monica. Il commençait à se rendre compte que, sous le chagrin et l'abattement, un autre sentiment plus sombre l'habitait, noir comme un gisement pétrolifère profondément enfoui sous la terre. Ce sentiment qu'il avait voulu nier alors que son cœur en débordait, c'était la colère.

Puisque l'univers était une froide mécanique et la vie le simple passage d'un néant à un autre, lever le poing vers le ciel n'avait pas plus de sens que de crier dans le désert ou d'essayer de respirer sous l'eau. Dès qu'il avait trouvé prétexte à déverser sa colère sur quelqu'un, il s'était empressé de le faire avec une frénésie déconcertante.

Tout en massant son crâne douloureux à cause du coup de tête qu'il avait donné, Joe regardait avec une intense satisfaction la grosse brute évanouie sur le sol, la gueule en sang. Une jubilation farouche dont il avait honte, mais qui le galvanisait.

Le gars respirait par la bouche à cause du sang qui coulait de son nez cassé. Il portait un T-shirt promouvant une marque de jeux vidéo, un pantalon noir bouffant et des baskets rouges. Il paraissait avoir la trentaine, ce qui lui faisait dix ans de moins que ses deux associés. Il avait d'énormes paluches, avec des lettres tatouées sur la première phalange de chaque doigt, les pouces mis à part, et qui formaient le mot ANABOLIC [1].

Il n'avait pas précisément l'air d'un non-violent, ni d'un

---

1. En français, anabolique. Relatif aux substances stimulant l'anabolisme et entraînant un accroissement du système musculaire. *(N.d.T.)*

officier de police. Mais les apparences sont trompeuses et, si tel était le cas, cette agression délibérée vaudrait la prison à Joe.

Cependant, cette perspective ne diminuait en rien son plaisir. Il se sentait nauséeux, à moitié fou, mais plus vivant qu'il ne l'avait été depuis un an, même s'il se méfiait de cette nouvelle sensation de puissance et des dérives vers lesquelles elle pourrait l'entraîner.

Il regarda de chaque côté de la route : aucune voiture à l'horizon. Il s'agenouilla à côté de sa victime, qui laissa à cet instant échapper un soupir presque enfantin, malgré sa respiration sifflante et encombrée. Tandis que Joe lui fouillait les poches, il vit ses paupières tressaillir, mais le gars ne reprit pas conscience.

Joe n'en sortit que quelques pièces de monnaie, un coupe-ongles, un jeu de clefs, ainsi qu'un portefeuille contenant une pièce d'identité et des cartes de crédit. Le gars s'appelait Wallace Morton Blick. Il n'avait sur lui aucune plaque ni badge indiquant qu'il appartenait aux services de police. Joe garda le permis de conduire et remit le portefeuille en place.

Les deux tueurs n'avaient toujours pas émergé du désert broussailleux qui s'étendait au-delà de la colline du cimetière. Cela faisait un peu plus d'une minute qu'ils avaient disparu derrière la crête ; même si la femme leur échappait, il y avait peu de chances qu'ils abandonnent et s'en retournent après une poursuite aussi brève.

Avec une hardiesse qui l'étonna lui-même, Joe traîna Wallace Blick vers le côté du véhicule ; ainsi, il ne serait plus visible de la route. Il le coucha sur le côté afin qu'il ne s'étouffe pas avec le sang qui lui coulait du nez, puis il grimpa à l'arrière de la fourgonnette par la portière restée ouverte. Le doux vrombissement du moteur au ralenti faisait vibrer le plancher.

L'arrière était bourré à craquer de matériel électronique, disposé sur des tables bordant chacun des côtés. Deux fauteuils pivotants rivetés au sol leur faisaient face.

Joe se glissa jusqu'au deuxième fauteuil, devant un ordinateur allumé. L'intérieur de la fourgonnette était climatisé, mais le siège que Blick venait tout juste de quitter était encore chaud.

Sur l'écran de l'ordinateur figurait une carte, avec des noms de rue, évoquant la paix et la tranquillité. Joe reconnut ceux des chemins d'accès qui traversaient le cimetière.

Une petite lumière clignotante attira son attention. Verte,

régulière, elle indiquait à peu près l'endroit où la fourgonnette était garée.

Rouge et tout aussi régulière, une deuxième lumière clignotait sur la même route, un peu plus bas. L'emplacement de sa Honda...

Le système de repérage à distance utilisait un CD-Rom des cartes détaillées du comté de Los Angeles et des environs, peut-être même de l'État de Californie, si ce n'est du pays tout entier.

Quelqu'un avait fixé à sa voiture un mouchard assez puissant pour émettre un signal électromagnétique pouvant être suivi à distance. L'ordinateur utilisait les liaisons satellites de surveillance pour trianguler le signal, puis plaçait la Honda sur la carte par rapport à la position de la fourgonnette, de manière à pouvoir le suivre à la trace, sans contact visuel. La fourgonnette l'avait pisté à des rues ou des kilomètres de distance, tout en restant invisible.

Comme journaliste, il lui était arrivé d'accompagner, lors d'une mission de surveillance mobile, des agents fédéraux qui utilisaient un système similaire, quoique moins sophistiqué.

Conscient que Blick ou l'un des deux autres types pouvait à tout moment le coincer s'il traînait trop, Joe pivota sur son fauteuil et inspecta l'arrière du véhicule, en quête d'un indice susceptible de lui révéler quel service était impliqué dans cette opération. Il n'en trouva aucun. Tout était impeccablement rangé, et anonyme.

Deux publications étaient posées à côté de l'ordinateur : un numéro de *Wired* vantant une fois de plus le génie visionnaire de Bill Gates, et un magazine destiné aux anciens officiers des forces spéciales cherchant à se recycler comme mercenaires, ouvert à une page où l'on vantait des coutelas de ceinture assez tranchants pour éviscérer un adversaire ou lui fendre les os.

Technicien branché et maniaque du couteau, Blick l'*Anabolic* était décidément un type plein de ressources.

Quand Joe sortit de la fourgonnette, Blick grognait mais n'avait pas encore repris conscience. Ses jambes étaient agitées de soubresauts, comme les pattes d'un chien rêvant d'une chasse au lapin, et ses baskets rouges raclaient furieusement le gazon.

Aucun des deux hommes en chemises hawaiiennes n'était ressorti des broussailles.

Joe n'avait plus entendu de coups de feu, mais il se pouvait que le terrain ravineux les eût étouffés.

Il se hâta vers sa voiture. La poignée de la portière étincelait au soleil et il se brûla presque la main en la touchant.

L'intérieur de la voiture était si chaud qu'elle semblait au bord de la combustion. Il abaissa la vitre.

En démarrant, il jeta un coup d'œil dans le rétroviseur et vit un camion à plateau approcher, venant de l'est. Sans doute le véhicule d'un employé chargé de l'entretien du cimetière, qui venait vérifier l'origine des coups de feu ou faisait un simple tour de maintenance.

Joe aurait pu prendre la route vers l'extrémité ouest du parc, puis faire une grande boucle et rejoindre l'entrée est, mais il était pressé et il préféra repartir par le même chemin. Le sentiment d'avoir déjà trop tiré sur la corde résonnait en lui comme le tic-tac d'une bombe à retardement. Il quitta le bord du trottoir et essaya de faire un demi-tour en U, mais il n'y parvint pas en une seule fois.

Il se mit en marche arrière et appuya sur l'accélérateur en faisant crisser les pneus sur le pavé brûlant. La Honda bondit en arrière. Il pila et se remit en marche avant.

Tic-tac, tic-tac.

Son instinct ne l'avait pas trompé. Au moment où il accélérait en direction du camion approchant, la vitre arrière située de son côté explosa juste derrière sa nuque.

Il jeta un coup d'œil sur sa gauche. L'homme à la chemise rouge était posté en position de tir sur le flanc de la colline.

Il entendit quelqu'un maugréer d'une voix rauque. Blick. S'écartant de la fourgonnette blanche, il rampait sur les mains et les genoux, la bouche écumante et pleine de sang, comme un pit-bull blessé dans un combat de chiens.

Une autre série de coups de feu mitrailla la carrosserie avec un bruit mat suivi d'un sifflement nasillard.

Des courants d'air chaud s'engouffrèrent par les vitres ouvertes tandis que la Honda filait comme une fusée, mettant Joe à l'abri.

Joe s'enfuit, loin du premier enterrement et des silhouettes endeuillées qui glissaient devant la tombe ouverte comme des âmes en peine ; loin du deuxième enterrement et des gens toujours prostrés sur leurs chaises pliantes comme s'ils se préparaient à demeurer avec le défunt pour l'éternité. Il croisa une famille asiatique venue déposer un plateau de fruits et de friandises sur une tombe toute fraîche. Puis une drôle d'église blanche superposant flèche, coupole palladienne, colonnes et clocher, qui projetait une ombre chétive dans le soleil de début d'après-midi. Puis le monument blanc qui servait de dépôt mortuaire, flamboyant comme de l'albâtre sous le soleil californien, et qui aurait été mieux à sa place au bord des bayous de Louisiane. S'attendant à être pris en chasse ou à ce que sa route soit bloquée à tout moment par un essaim de voitures de police, il roula comme un fou. Mais rien ne se passa et il sortit sans encombre du cimetière, filant entre les grilles du portail ouvert.

Il passa sous l'autoroute Ventura et alla se perdre dans le dédale foisonnant des banlieues de San Fernando Valley.

Arrêté à un feu, il tomba sur une procession de voitures de collection, toutes plus incroyables les unes que les autres, qui traversaient lentement le croisement. Sans doute la sortie hebdomadaire d'un club automobile. Une Buick Roadmaster 41 d'époque, une Ford Sportsman Woodie de 47 couleur prune et rehaussée de panneaux d'érable, une Ford Roadster 32 de style art déco à jantes complètes et enjoliveurs chromés. Il y en avait douze et chacune révélait la passion de son propriétaire. Améliorées, reconfigurées, greffées de calandres façon *custom*, de phares refaits à la française, d'enjoliveurs élevés et évasés, d'ailes remodelées à la main, polies et repolies avec amour, elles se suivaient majestueusement, petits chefs-d'œuvre sur roues dédiés à l'art automobile.

En les regardant passer, il ressentit une drôle de sensation dans la poitrine, un relâchement à la fois douloureux et vivifiant.

Un pâté de maison, plus loin, il passa devant un square où malgré la chaleur, deux jeunes parents et leurs trois enfants rieurs jouaient au frisbee, escortés d'un golden retriever plein d'exubérance.

Le cœur battant, Joe ralentit. Il faillit même se garer pour observer la scène.

À un coin de rue, deux jeunes filles blondes qui avaient l'air de jumelles, toutes deux en short et corsage blancs, attendaient de traverser la rue en se tenant la main, petit mirage de fraîcheur surgi de la fournaise ambiante. Deux anges flottant gracieusement dans un paysage de béton enduit de crasse noire.

Juste après elles, Joe vit un gros massif de zauschneria bordant un immeuble bas de style espagnol, chargé de splendides grappes de cloches écarlates. Michelle aimait les zauschneria. Elle en avait planté dans le jardin situé à l'arrière de leur maison.

Cette journée ne ressemblait pas aux autres. Quelque chose avait changé.

Non. Non, ce n'était ni le jour ni la ville. C'était lui. C'est en Joe que le changement s'effectuait. Il se sentait traversé par une force aussi irrésistible qu'un courant marin.

Son chagrin, son désespoir n'avaient rien perdu de leur intensité. Mais alors qu'il avait commencé la journée en appelant la mort de ses vœux, à présent il voulait vivre.

Ce n'était pas le fait d'avoir frôlé la mort qui avait provoqué ce changement. Il n'avait pas suffi qu'on lui tire dessus pour que ses yeux s'ouvrent sur la beauté du monde.

Non, le puissant moteur du changement qui s'opérait en lui, c'était la colère. Une colère noire, amère, qui venait moins de la perte cruelle qui l'avait éprouvé que de son amour pour Michelle. Il était furieux que Michelle n'ait pas pu voir la parade automobile avec lui ni les massifs de zauschneria. Il était fou de rage à l'idée que Chrissie et Nina ne pourraient plus jamais jouer au frisbee tandis qu'un chien bondirait joyeusement autour d'elles, ni dédier au monde leur grâce et leur beauté, ni s'épanouir dans un métier qui leur convienne, ni connaître la joie d'être deux, de former un couple, d'élever ses enfants dans l'amour. La rage transformait Joe, le faisait grincer des dents et le mordait assez fort pour le tirer enfin de sa torpeur morbide.

Comment vous vous en tirez ? avait demandé la femme qui photographiait les tombes.

Je ne peux pas vous parler pour l'instant. C'est trop tôt. Je ne suis pas prête.

Bientôt. Je reviendrai quand le moment sera venu, avait-elle promis, comme si elle avait des révélations à faire et taisait encore une invraisemblable vérité.

Les types aux chemises hawaïennes. La brute épaisse fana de jeux vidéo et d'armes blanches. La rouquine et la brune en string. Toute une équipe chargée de l'espionner et attendant manifestement que la femme noire entre en contact avec lui. Une fourgonnette bourrée de matériel de repérage, microphones directionnels, ordinateurs, caméras à haute résolution. Des tueurs qui avaient cherché à l'abattre de sang-froid parce que...

Pourquoi ?

Parce qu'ils avaient cru que la femme lui avait appris une chose qu'il ne devait savoir à aucun prix ? Parce que le seul fait de connaître son existence le rendait dangereux à leurs yeux ? Parce qu'ils pensaient qu'il avait dû sortir de la fourgonnette avec assez d'informations sur eux pour percer leurs intentions ?

Il ne savait rien, ni qui ils étaient, ni ce qu'ils voulaient à la femme. Mais, de toute évidence, ce qu'il croyait savoir de la mort de sa femme et de ses filles était faux ou incomplet. Il y avait une faille dans l'histoire du vol Nationwide 353.

Il n'avait même pas eu besoin de faire appel à son instinct de journaliste pour que cette folle idée s'impose à lui. D'une certain façon, il l'avait su à l'instant précis où il avait vu la femme photographier les tombes, où il avait croisé son regard, entendu sa voix, perçu le mystère qu'elle dissimulait avec tant de douceur et de compassion. Le simple bon sens lui avait soufflé que quelque chose ne tournait pas rond.

Maintenant, en traversant les quartiers tranquilles de Burbank, il bouillait intérieurement d'un sentiment de révolte contre l'injustice, la trahison. Derrière l'apparente mécanique du monde et sa cruauté anonyme, il y avait une volonté malfaisante qui trompait, mentait, intriguait.

Il s'était forcé à admettre qu'en vouloir à la Création ne rimait à rien, que seules la résignation et l'indifférence le délivreraient de son angoisse. Et il avait eu raison. Pester contre l'occupant supposé de quelque trône céleste était aussi vain que de vouloir éteindre une étoile en lui jetant des pierres.

Mais il avait trouvé une cible à la mesure de sa rage. Ces gens avaient dû cacher ou déformer les circonstances exactes du crash de l'avion.

Michelle, Chrissie et Nina ne lui reviendraient jamais. La vie de Joe était détruite, de façon définitive. Les plaies ouvertes de son cœur ne pouvaient être pansées. Découvrir cette vérité cachée ne lui redonnerait pas un avenir. Mais il avait le droit et le devoir sacré de savoir exactement comment et pourquoi Michelle, Chrissie et Nina étaient mortes dans ce maudit 747.

Avec son amertume pour point d'appui et sa rage pour levier, il pourrait soulever ce fichu monde et faire surgir la vérité. Et tant pis s'il y avait de la casse.

Il se gara le long du trottoir d'une rue résidentielle bordée de palmiers dont les feuilles pendaient mollement, immobiles dans la chaleur, puis coupa le moteur et sortit de la voiture. Il disposait de très peu de temps avant que Blick et les autres le rattrapent.

Joe regarda d'abord sous le capot, mais le mouchard n'y était pas. Il s'accroupit devant la voiture et passa les mains sous le pare-chocs. Rien.

Le vrombissement d'un hélicoptère s'enfla rapidement à mesure que l'engin approchait.

Tâtonnant sous la carrosserie, Joe fit le tour de la voiture et se noircit les mains de graisse, sans rien trouver.

L'hélico arriva du nord et passa à très basse altitude, moins de quinze mètres au-dessus des maisons. Les longues palmes des arbres s'agitèrent soudain en fouettant l'air, comme sous l'effet d'une bourrasque.

Alarmé, Joe leva les yeux. L'hélico le recherchait-il ? Il s'accusa aussitôt de paranoïa. L'engin s'éloigna en se dirigeant vers le sud sans s'arrêter. Joe ne vit sur lui aucun sigle indiquant à quelle base il appartenait.

Les palmiers frissonnèrent, puis retrouvèrent peu à peu leur immobilité.

S'accroupissant de nouveau, Joe trouva enfin le mouchard accroché à l'amortisseur, derrière le pare-chocs arrière. Le petit mécanisme semblait bien inoffensif. Batteries comprises, il avait la taille d'un paquet de cigarettes. Le signal qu'il envoyait était inaudible.

Il le posa sur la chaussée avec l'intention de l'écraser avec son démonte-pneu. Mais voyant la camionnette d'un jardinier approcher dans la rue, chargée à l'arrière d'un fouillis odorant d'herbes et de tailles d'arbustes fourrées dans des ballots de toile, il décida d'y jeter la petite boîte en la laissant intacte. Histoire de faire perdre un peu de temps et d'énergie à ces salopards, qu'ils suivent leur mouchard jusqu'à la décharge municipale.

Tout en roulant, il repéra l'hélico volant en cercles serrés à quelques kilomètres plus loin vers le sud. Il s'immobilisa en planant, puis se remit à tourner.

Sa crainte était donc fondée. L'engin survolait le cimetière, ou plus vraisemblablement la zone désertique située au nord du Griffith Observatoire. Ils recherchaient la fugitive.

Ces gens-là avaient les moyens.

UNE QUÊTE ÉPERDUE

1.

De tous les journaux publiés aux États-Unis, le *Los Angeles Times* était celui qui contenait le plus de publicités, ce qui rapportait des fortunes à ses actionnaires à une époque où la presse écrite était sur son déclin. Il était installé en plein centre-ville et occupait tous les étages d'une tour dont il était propriétaire et qui tenait la place d'un pâté de maisons.

Quant au *Los Angeles Post*, il n'était pas basé à Los Angeles même, mais occupait un immeuble vieillot de quatre étages à Sun Valley, près de l'aéroport de Burbank. Au lieu d'un garage souterrain à plusieurs niveaux, le *Post* n'offrait qu'un parking en plein air entouré d'un grillage qui se terminait en tortillons de fil de fer barbelé. Et à la place d'un employé en uniforme arborant un écusson à son nom et un sourire accueillant, un tout jeune homme à l'air revêche surveillait l'entrée en écoutant du rap, assis sur une chaise pliante à l'ombre d'un parasol Cinzano crasseux. Le crâne rasé, la narine gauche percée d'un anneau d'or, les ongles laqués de noir, il portait un jean noir très large dont un genou était soigneusement déchiré, ainsi qu'un T-shirt noir distendu avec FEAR NADA écrit en rouge en travers de la poitrine. À la façon dont il regardait chaque voiture qui arrivait, on aurait pensé qu'il en évaluait la valeur pour décider quelle pièce détachée lui rapporterait le plus ; en fait, il vérifiait si l'autocollant de la maison figurait bien sur le pare-brise avant d'orienter le visiteur vers le parking qui donnait sur la rue.

Les autocollants changeaient tous les deux ans et celui de Joe était toujours valable. Deux mois après le crash de l'avion, il avait donné sa démission, mais Caesar Santos, son rédacteur en chef, l'avait refusée et l'avait mis en congé sans solde, en lui promettant de le reprendre sitôt qu'il se sentirait prêt.

Or il n'était pas prêt. Il ne le serait jamais. Dans l'immédiat, il avait besoin de pouvoir accéder aux ordinateurs et aux fichiers du journal.

On n'avait guère fait de frais pour la décoration du salon d'accueil, peint dans un beige convenu : des chaises en acier avec des coussins bleus en vinyl, une table basse à pieds métalliques avec un plateau de Formica imitant le granit, où étaient posés deux exemplaires de l'édition du jour.

Sur les murs, des photographies noir et blanc sobrement encadrées de Bill Hannett, le photographe de presse légendaire, lauréat de nombreux prix. Des clichés montrant des émeutes, une ville en flammes, des pillards hilares courant dans les rues. Des avenues éventrées par un tremblement de terre, des immeubles réduits à un tas de décombres. Une jeune Latino se jetant du sixième étage d'un immeuble dévoré par le feu. Un manoir délabré emporté par un glissement de terrain et dévalant un flanc de colline détrempé par la pluie, sous un ciel menaçant. Dans le journalisme, parlé, écrit ou filmé, il est rare qu'une réputation se construise sur de bonnes nouvelles.

Derrière son comptoir se tenait Dewey Beemis, réceptionniste et agent de sécurité, qui travaillait au *Post* depuis sa fondation. Vingt ans plus tôt, un milliardaire mégalomane avait eu l'ambition naïve et désespérée de détrôner le *Times*, malgré le prestige et les puissants soutiens politiques dont ce journal bénéficiait. À l'origine, le *Post* avait pris ses quartiers dans un immeuble neuf de Century City. L'entrée et tous les locaux publics avaient été conçus et meublés par le grand designer Steven Chase. À cette époque, l'équipe chargée de la sécurité comprenait sept agents à plein temps, dont Dewey. Le milliardaire mégalomane, tout assoiffé de pouvoir qu'il fût, finit un jour par se lasser de jeter l'argent par les fenêtres. Les superbes bureaux furent donc abandonnés pour un lieu plus modeste. On rogna drastiquement sur le personnel, mais Dewey se cramponna et il réussit à conserver sa place. Outre sa taille imposante et son cou de taureau, il était le seul agent de sécurité à savoir taper quatre-vingts mots à la minute et à pouvoir se vanter de connaissances en informatique.

Avec le temps, le *Post* finit par retrouver un équilibre financier. Le fameux M. Chase, designer visionnaire, conçut par la suite d'autres intérieurs stupéfiants vantés dans toutes les grandes revues de décoration, puis mourut en pleine gloire, malgré tout son génie, comme le milliardaire mourrait un jour malgré sa fortune et comme Dewey Beemis mourrait, malgré ses nombreux talents et son sourire contagieux.

— Joe! s'écria Dewey en se levant de son fauteuil et en lui tendant sa grosse paluche par-dessus le comptoir.

— Comment ça va, Dewey?

— Carver et Martin ont eu leur bac tous les deux avec mention très bien au mois de juin. Carver va faire son droit et Martin a choisi médecine, dit Dewey, se rengorgeant comme si ces nouvelles allaient faire la une du *Post*. Contrairement au milliardaire qui l'employait, Dewey ne tirait pas vanité de ses propres exploits, mais de ceux de ses enfants.

— Quant à ma Julie, vous savez qu'elle a obtenu une bourse. Elle vient de finir sa deuxième année à Yale avec une moyenne excellente. À partir de cet automne, elle sera rédactrice en chef d'un magazine littéraire pour étudiants. Elle veut devenir romancière, comme cette Annie Proulx qu'elle dévore à longueur de journée...

Soudain, le regard illuminé de Dewey s'obscurcit. Joe vit poindre dans ses yeux le souvenir du crash, comme un nuage noir couvrant un clair de lune. Dewey se tut, honteux de s'être vanté de ses enfants devant un homme qui avait perdu ses deux petites filles.

— Et Lena, comment va-t-elle? demanda Joe, parlant de la femme de Dewey.

— Elle va très bien... Enfin, ça va, quoi, ajouta Dewey en souriant pour cacher son embarras, réprimant avec peine l'élan d'enthousiasme qui le prenait chaque fois qu'il pensait à sa famille.

Joe détestait sentir la gêne et la pitié chez ses amis. C'était en partie pour cette raison qu'il les évitait. Dans leurs yeux se lisait une compassion sincère, mais Joe avait l'impression qu'ils le maljugeaient, qu'ils lui en voulaient de n'avoir pas repris sa vie en main.

— J'ai besoin de monter à l'étage faire quelques recherches, si tu veux bien, Dewey.

— Vous revenez parmi nous, Joe? s'enquit Dewey, plein d'espoir.

– Peut-être, mentit Joe. Disons que j'y réfléchis...

– Voilà qui fera plaisir à M. Santos.

– Il est là ?

– Non. Il est en vacances. Parti pêcher à Vancouver.

Soulagé de n'avoir pas à cacher à Caesar ses vraies motivations en invoquant de faux prétextes, Joe ajouta :

– Ça n'a rien à voir avec ce que je fais d'habitude. Juste un sujet qui m'intéresse, du point de vue humain. J'ai besoin d'un peu de documentation.

– Vous êtes ici chez vous. Je suis sûr que M. Santos dirait la même chose. Montez donc.

– Merci, Dewey.

Joe poussa une porte battante et pénétra dans un couloir aux murs piquetés et au plafond recouvert de panneaux isolants jaunis par le temps. Après les années fastes de Century City, le *Post* avait adopté une image toute différente, celle d'un journalisme de guérilla, pauvre, mais intègre.

L'ascenseur était à gauche, dans un renfoncement. Les portes des deux cages étaient cabossées et couvertes d'éraflures.

Au rez-de-chaussée, principalement voué aux bureaux des employés et aux services des petites annonces et de la diffusion, régnait l'imposant silence d'un samedi.

Il attendait encore l'ascenseur quand Dewey surgit soudain pour lui remettre une enveloppe blanche scellée.

– J'ai failli oublier. Une dame est venue il y a quelques jours, elle a dit qu'elle avait des informations sur une histoire qui vous intéresserait.

– Quelle histoire ?

– Elle n'a pas précisé. Elle a juste dit que vous comprendriez.

Les portes de l'ascenseur s'ouvrirent à l'instant où Joe prenait l'enveloppe.

– Quand je lui ai appris que vous n'étiez pas repassé ici depuis dix mois, elle a voulu que je lui donne votre numéro de téléphone. Bien sûr, j'ai refusé. Ainsi que votre adresse.

– Merci, Dewey, dit Joe en entrant dans l'ascenseur.

– Je lui ai dit que je vous l'enverrais ou que je vous appellerais pour vous mettre au courant. Puis j'ai découvert que vous aviez déménagé, que votre numéro de téléphone avait changé et que vous étiez sur liste rouge. Pas moyen de vous joindre.

– Ça ne doit pas être très important, le rassura Joe.

Les portes de l'ascenseur se fermaient quand Dewey les bloqua soudain avec son pied.

– Ce n'était pas juste une affaire de papiers à régler avec le service du personnel, Joe, dit-il en fronçant les sourcils. Ici, personne ne savait comment vous joindre. Même pas les copains.

– Je sais.

– Ça a été dur, hein? s'enquit Dewey après un temps d'hésitation.

– Assez, oui, reconnut Joe. Mais je remonte la pente.

– Les amis sont là pour vous faire la courte échelle. Ne l'oubliez pas, ajouta Dewey.

Touché, Joe hocha la tête.

– Merci.

Dewey recula et les portes se refermèrent.

Le troisième étage était principalement occupé par la salle de rédaction. Celle-ci était compartimentée en modules de travail qui formaient un véritable labyrinthe, de sorte qu'on ne pouvait embrasser l'espace d'un seul coup. Chaque poste de travail comprenait, entre autres, un ordinateur, un téléphone et une chaise ergonomique.

La pièce ressemblait beaucoup à la salle de rédaction du *Times*, en plus petite. Seules différences : le mobilier et les cloisons du *Times* étaient plus neuves que celles du *Post*, et son environnement sans doute débarrassé de l'amiante et du formaldéhyde qui conféraient à l'air une astringence si particulière. Et puis, même un samedi après-midi, le *Times* devait certainement montrer plus d'activité au mètre carré.

Deux fois au fil des ans, on avait offert à Joe de travailler pour le *Times*; il avait refusé. Le *Times* était un grand journal, mais engraissé par la publicité, il jouissait d'un certain confort et ne dérangeait guère l'ordre établi. Au *Post*, Joe savait qu'on l'encouragerait à être un reporter offensif. Même si l'ambiance y tenait parfois de l'asile d'aliénés, le journal avait la réputation de ne jamais prendre au pied de la lettre un communiqué émanant d'un homme politique et de considérer que tout représentant officiel pouvait être corrompu, dépravé, incompétent ou assoiffé de pouvoir.

Quelques années auparavant, après le tremblement de terre

de Northridge, des séismologues avaient découvert qu'il y avait un lien entre la faille qui courait sous L.A. et celle qui s'étendait sous les différentes communes situées dans la vallée de San Fernando. On avait beaucoup plaisanté, en salle de rédaction, sur la perte que subirait la cité si un séisme détruisait le même jour le *Times* au centre-ville et le *Post* dans Sun Valley. Sans ce dernier, les habitants de Los Angeles ne sauraient plus quels politiciens et autres serviteurs publics les grugeaient en acceptant les pots-de-vin de trafiquants de drogue notoires. Mais le pire, et de loin, serait la funeste disparition du *Times* dominical, où étaient annoncées toutes les soldes de la semaine.

Si le *Post* était aussi têtu et enragé qu'un chien ratier humant la présence de rongeurs, cette furie était largement compensée par son impartialité. Car la plupart de ses cibles méritaient largement ses attaques.

Michelle écrivait des chroniques pour le *Post*. C'est là que Joe l'avait rencontrée, courtisée, pour ensuite partager avec elle l'exaltation d'un combat désespéré. Elle avait porté leurs deux petites filles dans son ventre au cours de nombreuses journées de travail harassantes.

Pour lui, cet endroit était hanté d'images de Michelle. Dans l'hypothèse peu probable où il retrouverait un jour une certaine stabilité affective, son cher visage surgirait toujours pour mettre en péril ce fragile équilibre. Il ne serait jamais capable de retravailler en ces murs.

Il se rendit directement à son ancien poste de travail situé dans la section Métro, soulagé de ne rencontrer en chemin aucune vieille connaissance. Sa place avait été dévolue à Randy Colway, un type bien qui ne s'offusquerait pas de trouver Joe assis à sa place.

Des photographies étaient punaisées sur le tableau de liège : la femme de Randy, Ben, leur fils de neuf ans, et Lisbeth, six ans. Joe les contempla longuement, pour n'y plus revenir.

Il alluma l'ordinateur, puis tira de sa poche l'enveloppe qu'il avait chipée dans la boîte à gants de la fourgonnette blanche, au cimetière, et qui contenait la carte grise. À sa grande surprise, le propriétaire du véhicule n'était pas un quelconque service public, police ou autre, mais une société privée du nom de Medsped.

Bon sang, il ne s'attendait pas du tout que la fourgonnette

soit le véhicule de fonction d'une société. Wallace Blick et ses deux compères à la gâchette facile n'avaient pas l'air de flics ni d'agents fédéraux, mais encore moins de cadres supérieurs.

Il accéda ensuite au vaste fichier des vieux numéros du *Post*, qui comprenait toutes les éditions publiées par le journal depuis son lancement, photographies comprises. Seuls les bandes dessinées, horoscopes et mots croisés en avaient été supprimés.

Il lança une recherche sur Medsped et trouva six mentions du nom, correspondant à de petits articles extraits des pages affaires, qu'il lut intégralement.

Medsped était une société basée dans le New Jersey. Elle avait débuté en créant un service aéroporté d'action sanitaire opérant pour plusieurs villes importantes. Plus tard, elle avait développé ses activités et s'était spécialisée dans le transport et la conservation de fournitures médicales d'urgence à l'échelon national : tissus, échantillons sanguins, instruments scientifiques coûteux et fragiles. La société se chargeait même de transporter des échantillons de bactéries et de virus extrêmement contagieux entre différents laboratoires de recherches coopérant dans les secteurs publics et militaires. À cette fin, elle disposait d'un petit nombre d'appareils, avions et hélicoptères.

Et de fourgonnettes blanches banalisées...

Huit ans auparavant, Medsped avait été achetée par Teknologik, une société privée du Delaware qui comprenait une vingtaine de filiales à cent pour cent spécialisées dans l'industrie médicale et informatique, en particulier dans la création de logiciels destinés aux milieux scientifiques.

Quand Joe lança une recherche sur Teknologik, il trouva quarante et un articles, provenant presque tous des pages affaires. Mais ils étaient rédigés dans un jargon financier si abscons que cette bonne surprise prit vite un air de pensum.

Il imprima les quatre articles les plus longs dans l'intention de les lire plus tard. Pendant l'impression, il recherga la liste des articles que le *Post* avait publiés sur le crash du vol 353. Une suite de gros titres apparut sur l'écran, avec les dates correspondantes.

Joe dut s'armer de courage avant de s'y plonger. Il resta assis une minute ou deux les yeux fermés, inspirant profondément tout en essayant d'évoquer l'image de vagues se brisant sur la plage de Santa Monica.

Enfin, serrant les dents, il parcourut les articles l'un après l'autre, recherchant celui où figurerait le manifeste complet des passagers.

Il glissa rapidement sur les photos du lieu de l'accident – un chaos de débris tordus et déchiquetés dont on ne pouvait imaginer qu'ils aient un jour formé la carlingue d'un avion. Dans l'aube lugubre où ces photos avaient été prises, à travers le voile gris d'un crachin qui s'était mis à tomber deux heures après la catastrophe, les investigateurs de la commission d'enquête dépêchée par le National Transportation Safety Board, l'office gouvernemental s'occupant de la sécurité des transports nationaux, arpentaient la prairie incendiée en combinaisons de sûreté, abrités derrière des cagoules à visière. À l'arrière-plan, des arbres calcinés tendaient leurs moignons vers un ciel bas.

Il lança une recherche et trouva le nom du chef de l'équipe chargée de l'enquête, Barbara Christman, avec ceux des quatorze spécialistes travaillant sous ses ordres.

Dans un ou deux articles figuraient les photos de certains passagers ou membres d'équipage. Sur les trois cent trente personnes qui étaient à bord, toutes n'étaient pas représentées. L'accent était mis sur les victimes originaires de Californie du Sud qui rentraient chez elles, plutôt que sur les touristes venant de l'est du pays. Faisant partie de la famille du *Post*, Michelle et les deux filles étaient naturellement mises en avant.

Huit mois auparavant, en préparant son déménagement, Joe avait réagi contre son obsession morbide pour les photos de famille en les fourrant toutes dans une grande boîte en carton. Il avait scotché la boîte et l'avait rangée tout au fond de son unique placard.

Quand leurs visages apparurent sur l'écran, il en eut la respiration coupée, alors même qu'il pensait s'y être préparé. Un cliché professionnel pris par l'un des photographes du *Post* montrait Michelle dans toute sa beauté, mais il ne restituait pas sa douceur, son intelligence, son charme ni son humour. C'était quand même Michelle. La photo de Chrissie avait été prise lors d'une fête de Noël organisée par le *Post* pour les enfants de ses employés. Elle riait, les yeux tout brillants. Si brillants. Et la petite Nina avait ce sourire énigmatique qui n'appartenait qu'à elle et semblait dire qu'elle détenait quelque magique et mystérieux secret.

Son sourire rappela à Joe une chanson un peu bébête qu'il

lui chantait parfois au moment du coucher. Sans même s'en rendre compte, il retrouva sa respiration et se mit à la fredonner : « Nanny, Nanny, avez-vous vu Nina ? Nina, Nina, personne ne la voit. »

Quelque chose se brisa en lui.

Il cliqua vite sur la souris pour chasser leurs images. Mais elles restèrent imprimées dans son esprit, avec une terrible netteté.

Il s'effondra et se couvrit le visage en étouffant sa voix. « Merde. Merde. »

Vagues, vagues se brisant sur la plage, encore et toujours. Le temps filant sur son métier à tisser une suite sans fin de levers et de couchers de soleil, de lunes croissantes et décroissantes, rythmée par le tic-tac d'un réveil. Une machine sans âme, avançant dans une éternité sans but.

Seule issue possible, l'indifférence.

Il ôta les mains de son visage. Se redressa. Essaya de se concentrer sur l'écran de l'ordinateur.

Il trouva enfin le manifeste des passagers. Le *Post* lui avait épargné du temps et du travail en classant séparément les victimes qui habitaient en Californie du Sud. Chacun des noms était suivi du nom de la ville où résidait le défunt. Il imprima le tout.

Je ne peux pas vous parler pour l'instant, avait dit la femme qui photographiait les tombes. Il en avait déduit qu'elle aurait plus tard des révélations à lui faire.

Ne désespérez pas. Vous verrez, comme les autres.

Voir quoi ? Il n'en avait aucune idée.

Que pourrait-elle lui apprendre qui vienne adoucir son chagrin ? Rien.

… comme les autres. Vous verrez, comme les autres.

Mais quels autres ?

Il ne pouvait s'agir que des gens qui avaient eux aussi perdu des proches sur le vol 353, des gens dans la peine comme lui, et à qui elle avait déjà parlé.

Il n'attendrait pas qu'elle revienne. Avec Wallace Blick et compagnie à ses trousses, elle ne vivrait peut-être pas assez longtemps pour étancher sa curiosité.

Quand Joe eut fini d'assembler et d'agrafer les documents, il remarqua l'enveloppe blanche que Dewey Beemis lui avait remise. Joe l'avait posée contre une boîte de Kleenex, à droite de l'ordinateur, et aussitôt oubliée.

Comme reporter criminel dont le nom apparaissait souvent en tête d'articles, il lui était arrivé de recevoir de prétendus tuyaux envoyés par des lecteurs du journal un peu fêlés. Certains affirmaient être les victimes d'une secte satanique qui les harcelait sexuellement et avait des accointances avec les services municipaux chargés de l'entretien des jardins publics, d'autres avaient démasqué le projet perfide de cadres supérieurs travaillant pour l'industrie du tabac et qui s'apprêtaient à corser le lait en poudre pour bébé avec de la nicotine, d'autres enfin étaient convaincus qu'en face de chez eux, sous l'apparence d'une gentille famille d'immigrés coréens, se tapissaient des extra-terrestres ressemblant à des araignées.

Une fois, Joe s'était fait coincer par un type persuadé que le maire de Los Angeles n'était pas un humain, mais un robot contrôlé par le service d'animation électronique de Disneyland. Joe avait baissé la voix et lui avait avoué avec angoisse qu'ils le savaient depuis des années, mais que s'ils avaient le malheur de le divulguer, ils seraient abattus sur l'heure par la clique de chez Disney. Son accent était si sincère que le type avait aussitôt détalé, terrorisé.

En déchirant l'enveloppe, il s'attendait à trouver un canular du même acabit. Elle contenait une simple feuille de papier blanc pliée en trois.

Quand il lut les trois phrases tapées à la machine, il crut que son intuition ne l'avait pas trompé : le ton était paranaoïde, comme d'habitude, avec, en plus, une nuance de cruauté toute particulière. *J'ai essayé de vous joindre, Joe. Je compte sur votre discrétion. Ma vie en dépend. J'étais sur le vol 353.*

Tous ceux qui étaient à bord de l'avion avaient péri. Et Joe ne croyait pas aux messages venus de l'au-delà, contrairement à la plupart de ses concitoyens, versés depuis quelques années dans le New Age.

En bas de la page, il y avait un nom : Rose Tucker. Et, en dessous, un numéro de téléphone dont les premiers chiffres correspondaient au secteur de Los Angeles. Pas d'adresse.

Joe sentit monter en lui la rage qui l'avait enflammé plus tôt dans la journée. Il faillit bondir sur le téléphone pour appeler cette Mme Tucker et la traiter de cinglée, de schizo se repaissant du malheur d'autrui comme un vampire se nourrit du sang de ses victimes...

Puis il se rappela la phrase que Wallace Blick avait prononcée au moment où Joe avait ouvert la boîte à gants de la fourgonnette. *Vous avez eu Rose ?* avait dit Blick.

Rose.

Sur le moment, Joe avait été bien trop effrayé pour interpréter ces paroles. Ensuite, tout s'était passé si vite qu'il les avait oubliées.

Rose Tucker devait être la femme qui photographiait les tombes avec son Polaroïd.

Si elle n'avait été qu'une cinglée, Medsped ou Teknologik n'auraient pas mobilisé autant d'effectifs ni dépensé autant d'argent pour la retrouver.

Il se rappela la présence de cette femme, sa droiture, son calme si étrange en de telles circonstances. Et le pouvoir de son regard qui ne cillait pas.

Elle n'avait pas l'air d'une détraquée, loin de là.

J'ai essayé de vous joindre, Joe. Je compte sur votre discrétion. Ma vie en dépend. J'étais à bord du vol 353.

Joe se leva de sa chaise sans même s'en rendre compte et se retrouva debout, fiévreux, le cœur battant à tout rompre, tenant la feuille de papier entre ses doigts tremblants.

Il sortit dans l'allée qui longeait son module de travail en espérant trouver quelqu'un de connaissance avec qui partager cette incroyable découverte.

Regarde. Lis ça, lis, je te dis. Il y a quelque chose d'anormal dans tout ça. Bon Dieu, on nous a menti. Quelqu'un a survécu à l'accident. Il faut faire quelque chose, découvrir la vérité. Ils nous ont dit que c'était une catastrophe, qu'il n'y avait aucun survivant. Qu'est-ce qu'on nous cache ? Comment sont-ils morts en réalité ? Et pourquoi ? Pourquoi ?

Mais Joe se ravisa vite et décida de n'en toucher mot à personne. Rose Tucker n'écrivait-elle pas que sa vie en dépendait ?

Et puis il avait la folle intuition que s'il montrait le mot à quiconque, tout cela crèverait comme un ballon de baudruche : le permis de conduire de Blick s'avérerait être le sien, au cimetière, on ne trouverait aucune trace de ce qui s'était passé, pas de douilles vides tombées dans l'herbe, ni de marques de pneus là où la fourgonnette avait dérapé. Personne n'aurait rien vu, rien entendu. Et cette conviction était d'autant plus forte qu'elle était irrationnelle.

Ce mystère lui avait été confié et il devait le préserver. Soudain, tout s'éclairait. Il avait le devoir sacré de le résoudre. C'était là sa mission, son but et peut-être, qui sait? sa rédemption.

Tout tremblant, il retourna s'asseoir.

Et se demanda s'il n'était pas en train de perdre la tête.

2.

Joe appela la réception et interrogea Dewey sur l'inconnue qui avait déposé l'enveloppe.

— Un petit bout de femme, dit Dewey.

Mais à un géant pareil, même une amazone aurait semblé petite.

— Tu veux dire dans les un mètre soixante, ou plus petite ? demanda Joe.

— Pas plus d'un mètre cinquante-cinq. Mais imposante. Le genre de femme qui fait un peu gamine, mais qui était déjà capable de déplacer des montagnes à sa sortie de l'école primaire.

— Noire ? demanda Joe.

— Oui, une frangine.

— À peu près quel âge ?

— La quarantaine, pas plus. Jolie. Des cheveux noirs et luisants comme des ailes de corbeau. Quelque chose qui ne va pas, Joe ?

— Non, non. Ça va.

— Tu as l'air soucieux. Cette dame te crée des problèmes ?

— Oh ! non, c'est une femme bien. Merci, Dewey, dit Joe en raccrochant.

Il frissonna malgré lui, essuya ses paumes moites sur son jean et prit d'un geste nerveux le manifeste des passagers. Avec une règle, il suivit la liste des défunts ligne par ligne et trouva le nom qu'il cherchait : *Dr Rose Marie Tucker.*

Un docteur.

Elle pouvait être docteur en médecine ou en littérature, biologiste ou sociologue, musicologue ou dentiste, mais, aux yeux de Joe, elle gagnait en crédibilité. Les brindezingues qui prenaient le maire pour un robot étaient rarement docteurs.

Selon le manifeste, Rose Tucker avait quarante-trois ans et elle habitait à Manassas, une grande banlieue de Washington. Joe n'y était jamais allé, mais il lui était arrivé de passer à proximité, car elle n'était pas loin de la ville où vivaient les parents de Michelle.

Retournant à l'ordinateur, il fit défiler les articles concernant le crash avec l'espoir qu'elle se trouverait parmi la trentaine de photos de passagers. Mais non.

D'après la description de Dewey, la femme qui avait écrit ce mot et la femme du cimetière ne faisaient qu'une. Si cette Rose était bien le Dr Rose Marie Tucker de Manassas, Virginie (mais aucune photo n'était là pour le confirmer), alors elle était bien à bord du vol 353.

Et elle avait survécu.

Avec réticence, Joe revint aux deux plus grandes photographies représentant les lieux du drame. La première était celle qu'il avait regardée plus tôt : les arbres calcinés, la sculpture surréaliste formée par les débris de l'avion, les enquêteurs du NTSB dans leurs combinaisons intégrales, semblant glisser comme des moines en prière ou des esprits malfaisants évoluant dans quelque cercle oublié de l'Enfer. La seconde était une vue aérienne : les débris de l'appareil y apparaissaient dans un éparpillement si terrible que le terme de « catastrophe aérienne » semblait bien faible.

Personne n'avait pu survivre à ce désastre.

Pourtant Rose Tucker, si c'était bien elle qui était à bord de l'avion cette nuit-là, avait non seulement survécu, mais elle en était sortie indemne.

Impossible. Victime de l'inexorable pesanteur terrestre, le 747 s'était écrasé à la fin de sa chute vertigineuse de six mille mètres comme un œuf jeté contre un mur de briques. Puis il avait explosé et avait culbuté dans un tourbillon de flammes. En sortir indemne relevait d'un miracle comme échapper à la destruction de Gomorrhe ou sortir de la tombe, tel Lazare, quatre jours après sa mort.

Pourtant, si vraiment il avait cru cela impossible, son esprit n'aurait pas été aussi agité, tourmenté, plein de colère et d'angoisse, empli d'une crainte étrange, d'une ardente curiosité. Il sentait en lui le désir fou de croire à des prodiges.

Il appela le service des renseignements de Manassas pour demander le numéro de téléphone du Dr Rose Marie Tucker. Il s'attendait qu'on lui dise qu'elle ne figurait pas dans l'annuaire ou que sa ligne avait été coupée. Officiellement, elle était décédée.

Mais on lui donna un numéro.

Elle n'avait pu sortir indemne de l'accident et rentrer chez elle pour reprendre le cours de sa vie comme si de rien n'était. En outre, elle était pourchassée par des tueurs qui l'auraient déjà trouvée, si jamais elle était retournée à Manassas.

Peut-être que sa famille habitait toujours la maison et avait gardé la ligne téléphonique à son nom.

Joe fit le numéro.

On lui répondit à la deuxième sonnerie.

– Est-ce bien ici qu'habitent les Tucker ? demanda Joe.

– Oui, c'est ici, répondit une voix d'homme sèche, sans une once d'accent.

– Pourrais-je parler au Dr Tucker, s'il vous plaît ?

– Qui est à l'appareil ?

Joe écouta son intuition et décida de ne pas dévoiler son nom.

– Wally Blick.

– Qui ça ?

– Wallace Blick.

À l'autre bout du fil, le type resta silencieux.

– C'est à quel sujet ? demanda-t-il sur le même ton, mais avec une nuance à la fois prudente et alarmée.

Joe sentit qu'il ne fallait pas trop faire le malin et raccrocha.

Il essuya encore ses mains moites sur son jean.

Un journaliste passa derrière lui sans lever les yeux du bloc-notes qu'il relisait tout en marchant.

– Salut Randy, lança-t-il.

Joe revint au message tapé à la machine que Rose lui avait envoyé et composa le numéro de téléphone qui y figurait.

À la cinquième sonnerie, une voix de femme lui répondit.

– Allô ?

– Puis-je parler à Rose Tucker, s'il vous plaît ?

— Il n'y a personne de ce nom-là ici, dit-elle avec un accent venu du Sud profond. On vous a refilé un mauvais numéro.

Mais elle ne raccrocha pas.

— C'est elle-même qui me l'a donné, insista Joe.

— Attendez un peu, je parie que vous l'avez draguée à une soirée. Elle n'a trouvé que ce moyen pour se débarrasser de vous.

— Ça m'étonnerait.

— Oh! je ne voulais pas vous vexer, trésor, dit-elle d'une voix qui évoquait les magnolias en fleur, le whisky glacé à la menthe et les nuits embaumées de jasmin. Vous ne deviez pas être son type, c'est tout.

— Je m'appelle Joe Carpenter.

— Ravie de l'apprendre.

— Et vous ?

— Devinez un peu ? dit-elle d'un ton taquin.

— Comment ça ?

— Eh bien d'après ma voix, quel nom me donneriez-vous ? Octavia, Juliette...

— Demi, plutôt.

— Comme Demi Moore, la star de cinéma ! s'exclama-t-elle.

— Oui, vous avez un peu le même genre de voix. Chaude, un peu rauque, sexy, quoi...

Elle éclata de rire.

— Joe Carpenter, vous êtes un petit flatteur. D'accord, va pour Demi.

— Écoutez Demi, j'aimerais vraiment parler à Rose.

— Oubliez cette bonne vieille Rose. À quoi bon la regretter, après le coup vache qu'elle vous a fait ? Il n'y a pas qu'elle, sur terre.

Joe était certain que cette femme connaissait Rose et qu'elle attendait son appel. Étant donné la brutalité des gens qui poursuivaient l'énigmatique Dr Tucker, la prudence de Demi était compréhensible.

— À quoi vous ressemblez, mon chou ? Mais attention, pas de baratin.

— Un mètre quatre-vingts, les cheveux bruns, les yeux gris.

— Beau garçon ?

— Passable.

— Et quel âge avez-vous, Joe le passable ?

— Plus que vous. Trente-sept.

— Vous avez une voix douce. Vous est-il déjà arrivé de donner rendez-vous à une inconnue ?

Enfin Demi se décidait à arranger une rencontre.

— Non, mais je n'ai rien contre, dit-il.

— Et ça vous dirait de voir quelle tête elle a, cette voix rauque et sexy ? proposa-t-elle avec un petit rire de gorge.

— Bien sûr. Quand ça ?

— Vous êtes libre demain soir ?

— J'aimerais mieux plus tôt.

— Du calme, Joe le passable. Pas d'affolement. Il ne faut pas brûler les étapes. Sinon, gare aux cœurs brisés.

Joe comprit ce que Demi lui disait à mots couverts. Elle devait préparer le terrain et faire en sorte que la rencontre ne mette pas la vie de Rose en danger. Peut-être aussi ne pouvait-elle joindre Rose sans l'avertir vingt-quatre heures à l'avance.

— Il ne faut pas être trop pressé avec les femmes. Sinon elles se posent des questions... Elles se demandent si le Joe en question est vraiment si passable que ça.

— D'accord. Où ça ?

— Dans un endroit de Westwood où l'on sert du bon café. Je vais vous donner l'adresse. On peut se retrouver devant à six heures et prendre un pot, histoire de faire connaissance. Si je vous trouve plus que passable et que vous me trouvez aussi sexy que ma voix... alors la soirée promet d'être mémorable. Vous avez un papier et un stylo ?

— Oui, dit-il, et il nota le nom et l'adresse du café qu'elle lui donna.

— Maintenant faites-moi plaisir, chéri. La feuille avec ce numéro écrit dessus, déchirez-la en mille morceaux, jetez le tout dans les toilettes et tirez la chasse.... De toute façon, ça ne vous servira plus à rien, ajouta Demi en le sentant hésiter. Puis elle raccrocha.

Ces trois phrases tapées à la machine ne prouvaient rien. Il pouvait très bien les avoir tapées lui-même. La lettre ne portait aucune signature manuscrite pouvant servir de preuve.

Pourtant, il n'avait pas envie de s'en séparer. C'était le seul élément tangible conférant pour lui un peu de réalité à ces événements fantastiques.

Malgré ce qu'elle lui avait dit, il refit le numéro de Demi. À son grand étonnement, il tomba sur un message enregistré venant de la compagnie téléphonique et l'informant que le numéro demandé n'était plus attribué. On lui conseillait de s'assurer qu'il avait bien composé son numéro, puis d'appeler les renseignements. Il réessaya et obtint le même résultat.

Bien joué. Mais comment avait-elle fait ? Demi était manifestement plus subtile que sa voix éraillée ne le laissait supposer.

À l'instant où Joe reposait le combiné, le téléphone sonna. Il sursauta, le lâchant comme s'il lui brûlait les doigts. S'en voulant d'être si nerveux, il décrocha à la troisième sonnerie.

– Allô ?

– Le *Los Angeles Post* ? demanda une voix d'homme.

– Oui.

– C'est la ligne directe de Randy Colway ?

– Oui.

– Êtes-vous M. Colway ?

L'effet de surprise et l'interlude avec Demi avaient ralenti ses réflexes. Joe reconnut tout à coup la voix sans timbre de l'homme qui lui avait répondu quand il avait appelé chez Rose Marie Tucker à Manassas.

– Vous êtes M. Colway ? répéta son interlocuteur.

– Je suis Wallace Blick, dit Joe.

– Monsieur Carpenter ?

Une sueur froide coula de sa nuque dans son dos. Joe raccrocha en frissonnant.

Ils savaient où il était.

Le labyrinthe que formaient tous les postes de travail modulaires ne semblait plus si sûr. Il contenait trop d'angles morts.

Joe rassembla vite les feuillets imprimés et le message que Rose Tucker avait déposé pour lui.

À l'instant où il se levait de sa chaise, le téléphone sonna à nouveau. Il ne répondit pas.

En sortant de la salle de rédaction, il rencontra Dan Shavers qui revenait du service photocopies, tenant d'une main une liasse de papiers et de l'autre sa pipe éteinte. Shavers était complètement chauve, avec une luxuriante barbe noire ; il portait un pantalon noir à plis, des bretelles à carreaux noirs et rouges sur une chemise à fines rayures grises et blanches et un nœud papillon jaune. Ses lunettes de presbyte pendaient à son cou au bout d'une cordelette noire.

Journaliste et chroniqueur des pages affaires du journal, Shavers était un bavard au style pontifiant et laborieux qui se croyait irrésistible ; mais il était aussi affable, bienveillant, et l'illusion qu'il avait d'être un brillant conteur le rendait presque attachant.

— Joseph, mon garçon, commença-t-il sans préambule, j'ai ouvert la semaine dernière l'une des vingt caisses de cabernet 1974 que j'avais achetées lors de leur première mise en vente. Eh bien laisse-moi te dire que j'ai fait un bon investissement. Pourtant à l'époque, j'étais allé à Napa pour chiner une pendule ancienne, pas du tout pour visiter des négociants en vins. J'ai eu du nez, tu peux me croire. Ce vin a si bien vieilli que...

Il s'interrompit soudain en se rappelant que Joe n'avait pas travaillé au journal depuis pratiquement un an. Gauchement, il tenta de rattraper le coup et de lui faire ses condoléances. « Quelle chose épouvantable, tous ces pauvres gens, ta femme, les enfants... »

À distance, Joe entendit le téléphone de Randy Colway sonner et il coupa Shavers dans sa lancée.

— Écoute, Dan, connais-tu une société nommée Teknologik ?

— Si je connais ? fit Shavers en haussant les sourcils. Tu te fiches de moi, Joseph.

— Alors tu les connais ? Raconte-moi, Dan. S'agit-il d'un groupe important ? Sont-ils puissants ?

— Ça, ils ont le sens des affaires, Joseph, et ça leur réussit. Ils ont un flair étonnant en matière de technologie de pointe. Ils repèrent les jeunes sociétés prometteuses et en font l'acquisition, ou bien ils financent des entrepreneurs qui ont besoin de fonds pour développer leurs projets. Ils se polarisent plutôt sur une technologie reliée à la recherche médicale, mais pas toujours. Leurs cadres supérieurs sont imbus d'eux-mêmes comme c'est pas permis, ils croient appartenir à l'aristocratie des affaires, mais ils n'ont rien de plus que nous. Eux aussi doivent obédience au Grand Manitou.

— Au Grand Manitou ? répéta Joe, déconcerté.

— Comme nous tous, comme nous tous, dit Shavers en hochant la tête d'un air entendu avant de mordre le tuyau de sa pipe.

Le téléphone de Colway s'arrêta de sonner. Le silence rendit Joe encore plus nerveux.

Ils savaient où il était.

— Il faut que j'y aille, dit-il en s'éloignant tandis que Shavers commençait à lui vanter les avantages qu'il y avait à posséder des actions Teknologik.

Il se rendit tout droit aux toilettes pour hommes les plus proches. Heureusement, il n'y avait personne.

Joe déchira le message de Rose en petits morceaux, qu'il jeta dans la cuvette des toilettes. Comme Demi le lui avait demandé, il tira la chasse d'eau, vérifia que tous les morceaux avaient été avalés et tira une deuxième fois la chasse pour être sûr que rien ne resterait coincé dans le tuyau d'évacuation.

Medsped. Teknologik. Des compagnies commerciales effectuant ce qui avait toutes les apparences d'une opération de police. L'étendue de leur rayon d'action, de Los Angeles à Manassas, et cette omniscience qui faisait froid dans le dos démontraient que ces sociétés avaient des connexions puissantes, non seulement dans le monde des affaires, mais au-delà, peut-être même dans l'armée.

Néanmoins, sans parler des moyens mis en œuvre et des coûts engagés, il semblait insensé qu'une société fasse appel à des tueurs opérant en pleine place publique pour protéger ses intérêts. Les revenus de Teknologik étaient peut-être très lucratifs, mais cela ne dispensait pas ses cadres ou employés d'obéir à la loi, même dans une cité comme Los Angeles où le manque d'argent passe pour la racine de tous les maux.

Ces hommes qui croyaient pouvoir se servir d'armes à feu en toute impunité devaient à coup sûr être des militaires ou des agents fédéraux. Cependant Joe possédait trop peu d'informations pour élaborer des conjectures sur les rôles de Medsped et Teknologik.

En traversant le troisième étage pour rejoindre les ascenseurs, il s'attendait qu'on l'interpelle à tout moment en lui ordonnant de s'immobiliser. Peut-être l'un des deux types en chemises hawaiiennes. Ou Wallace Blick. Ou un officier de police.

Si ceux qui recherchaient Rose Tucker étaient bien des agents fédéraux, alors ils pouvaient très bien demander l'aide de la police locale. Dans l'état actuel des choses, Joe devrait donc considérer tout homme portant un uniforme comme un ennemi potentiel.

Quand les portes de l'ascenseur s'ouvrirent, il se crispa avec

76

la crainte de voir apparaître dans la cabine quelqu'un chargé de l'arrêter. Mais elle était vide.

Pendant la descente, il songea que l'ascenseur pouvait être stoppé ; quand les portes s'ouvrirent sur le rez-de-chaussée, il fut surpris de ne trouver personne sur le palier.

De sa vie il ne s'était jamais senti en proie à une telle paranoïa. Sa façon de réagir aux derniers événements et à ce qu'il avait appris depuis qu'il était arrivé aux bureaux du *Post* avait quelque chose de disproportionné.

La peur et la rage qui l'étreignaient n'étaient-elles pas une forme de réaction à l'année de carence affective qui venait de s'écouler ? Il ne s'était permis aucun sentiment à part le chagrin, l'auto-apitoiement et une terrible sensation de vide. En fait, il s'était même efforcé de se dépouiller de sa peine comme d'une mue douloureuse, de sortir de ses cendres comme un oiseau phénix au terne plumage qui n'attend plus rien de la vie, sauf la morne paix que procure l'indifférence. Maintenant que les événements le forçaient à s'ouvrir de nouveau au monde, l'émotion déferlait sur lui comme une vague énorme sur un surfer débutant.

Quand Joe entra dans la salle de réception, Dewey Beemis, au téléphone, écoutait avec une telle attention que son visage, lisse et plein d'ordinaire, en était tout froncé.

Joe se dirigea vers la sortie en le saluant de la main.

– Joe, attends une seconde, dit Dewey.

Joe s'arrêta. Dewey écoutait toujours, les yeux fixés sur Joe. Pour lui montrer qu'il était pressé, Joe tapota sa montre.

– Un instant, dit Dewey à son interlocuteur, puis s'adressant à Joe : C'est pour toi.

Joe secoua la tête d'un air inflexible et continua vers la sortie.

– Attends, Joe, lui lança Dewey. Le type dit qu'il est du FBI.

À la porte, Joe hésita. Le FBI ne pouvait être en cheville avec des gars comme Wallace Blick qui tiraient sur des gens innocents sans se poser de questions. Ou bien si ? Joe se méfiait de sa propre paranoïa. Peut-être obtiendrait-il du FBI des informations et une protection.

Mais le type au téléphone pouvait très bien mentir et ne pas être du bureau fédéral. Il essayait peut-être de retenir Joe le temps que Blick et compagnie rappliquent ici.

En secouant la tête, Joe tourna le dos à Dewey et poussa la porte pour se retrouver en pleine canicule.

– Joe ? lança Dewey derrière lui.

Joe marcha vers sa voiture, se retenant pour ne pas courir.

À l'autre bout du parking, à côté du portail ouvert, le jeune gars au crâne rasé et à la narine percée d'un anneau d'or faisait le guet. Dans cette ville où l'argent comptait parfois plus que la fidélité, l'honneur ou le mérite, le style importait encore davantage ; on changeait de look encore plus vite que de principes ou de convictions. La seule tradition qui se maintenait, c'étaient les couleurs emblématiques qu'adoptait chaque gang des rues. Le look de ce gosse, punk, grunge, néopunk ou autre, faisait déjà aussi démodé que des demi-guêtres. Au lieu d'intimider, son allure avait quelque chose de pathétique, mais lui ne s'en doutait pas. Pourtant dans ces circonstances, son intérêt pour Joe semblait ne rien présager de bon.

Même à bas volume, le rythme syncopé de la musique rap résonnait dans l'air étouffant.

Il faisait très chaud à l'intérieur de la Honda, mais c'était encore supportable. Sans le trou béant qu'avait laissé la balle en pulvérisant la vitre lors de la fusillade du cimetière, Joe y aurait suffoqué.

Le jeune gardien avait dû remarquer la vitre brisée, et cela avait dû l'intriguer. Et alors ? se dit Joe.

Il était certain que le moteur ne démarrerait pas ; et pourtant si.

Comme il reculait pour sortir du parking, Dewey Beemis ouvrit la porte de l'accueil et sortit sous l'auvent en béton qui portait l'insigne du *Post*, l'air perplexe plutôt qu'alarmé.

Dewey n'essaierait pas de l'arrêter. Après tout ils étaient amis, du moins l'avaient-ils été, et le type au téléphone n'était qu'une voix anonyme.

Joe commença à rouler.

Dewey lui cria quelque chose en descendant les marches.

Sans lui prêter attention, Joe se dirigea vers la sortie.

Sous le parasol Cinzano, toujours aussi crado, le jeune gardien se leva de la chaise pliante. Il n'était qu'à deux pas du portail coulissant et pouvait en un clin d'œil l'empêcher de sortir du parking.

En haut du grillage, les tortillons de fils barbelés étincelaient sous le soleil de fin d'après-midi.

Joe jeta un coup d'œil dans le rétroviseur. Il vit Dewey debout, les mains sur les hanches.

Quand Joe passa devant le parasol Cinzano, le jeune garçon ne sortit pas de l'ombre, mais le regarda en plissant des paupières lourdes de sommeil, avec des yeux aussi inexpressifs que ceux d'un iguane. Il s'essuya le front et Joe aperçut au passage le reflet brillant de ses ongles vernis noirs.

Joe franchit le portail et tourna à droite, roulant trop vite. Les pneus crissèrent avec un bruit mouillé sur le bitume ramolli par le soleil, mais il ne ralentit pas.

Il se dirigea vers l'ouest par Strathern Street et entendit les sirènes à l'instant où il prenait au sud par Lankershim Boulevard. Les sirènes ne le concernaient pas nécessairement. Elles accompagnaient la vie citadine de jour comme de nuit, sans que personne ne s'en inquiète.

Néanmoins, durant tout le trajet jusqu'à l'autoroute Ventura, puis à l'ouest par Moorpark, il regarda sans arrêt dans le rétroviseur pour s'assurer qu'aucun véhicule ne le suivait, banalisé ou non.

Il n'avait rien à se reprocher. Il aurait pu se rendre l'esprit tranquille au commissariat le plus proche pour rapporter l'incident du cimetière, leur parler du message de Rose Marie Tucker et leur faire part de ses soupçons concernant le crash du vol 353.

Mais d'un autre côté, alors qu'elle était en cavale et craignait pour sa vie, Rose n'avait apparemment pas cherché protection auprès de la police, peut-être parce qu'elle savait qu'elle n'en aurait pas obtenue. *Je compte sur votre discrétion. Ma vie en dépend.*

Il avait travaillé assez longtemps comme reporter criminel pour savoir qu'il n'est pas rare qu'une victime soit prise pour cible, non pour avoir contrevenu à la loi, ni à cause de l'argent ou d'autres biens qui exciteraient la convoitise de ses agresseurs, mais tout simplement parce qu'elle en sait trop. Quelqu'un qui en sait trop peut être plus dangereux qu'un homme armé.

Cependant, ce que Joe avait appris sur le vol 353 semblait si maigre, si insuffisant, que c'en était pathétique. S'il était pris pour cible juste parce qu'il connaissait l'existence de Rose Tucker et savait qu'elle prétendait avoir survécu au crash, alors les secrets que Rose détenait devaient avoir la puissance dévastatrice d'une bombe atomique.

En roulant vers l'ouest en direction de Studio City, il pensa aux lettres rouges sur fond noir qu'arborait le jeune gardien du *Post* en travers de sa poitrine : FEAR NADA, « Peur de rien ». Un mot d'ordre qui était loin de s'accorder à son humeur du moment. Il avait très peur.

Plus que tout, il était tourmenté par l'idée que le crash n'avait peut-être pas été un accident, que la mort de Michelle, Chrissie et Nina n'était pas un coup du sort, mais l'œuvre d'hommes bien vivants. Même si le bureau d'enquête sur la sécurité des transports n'avait pas été en mesure de statuer sur l'origine de l'accident, on avait évoqué l'hypothèse d'un défaut du système de contrôle hydraulique, compliqué par une erreur humaine. C'était l'un des scénarios possibles et il avait été capable de vivre avec cette idée, car elle était aussi impersonnelle, mécanique et froide que l'univers lui-même. Mais il ne pourrait supporter que leur mort soit due à un acte lâche et délibéré d'origine terroriste, ou que leurs vies aient été sacrifiées pour un motif particulier suscité par l'avidité, l'envie ou la haine.

Il redoutait donc de découvrir la vérité. Il craignait la sauvagerie qu'elle pourrait provoquer en lui, ce qu'il pourrait devenir, et l'horrible facilité avec laquelle il chercherait à se venger en donnant à cette vengeance le nom de justice.

3.

Poussés par la féroce compétition qui caractérise leur activité, les banquiers californiens gardent leurs agences ouvertes le
samedi, parfois jusqu'à cinq heures de l'après-midi. Joe arriva à
l'agence de Studio City vingt minutes avant la fermeture.

Quand il avait vendu la maison, il n'avait pas pris la peine
de transférer son compte à une agence plus proche de son appartement de Laurel Cañon. Le sens pratique ne rime à rien quand
pour vous le temps ne compte plus.

Il gagna un guichet où une certaine Heather s'occupait de
classer des paperasses en attendant les clients de dernière minute.
Elle travaillait à la banque depuis que Joe y avait ouvert un
compte pour la première fois, dix ans plus tôt.

— Je viens retirer de l'argent, dit-il après la petite conversation d'usage, mais je n'ai pas mon carnet de chèques sur moi.

— Aucun problème, lui assura-t-elle.

Cependant, elle sembla se raviser quand Joe lui réclama
vingt mille dollars en billets de cent et traversa la pièce pour aller
prendre discrètement l'avis du chef caissier, qui lui-même s'en
remit au sous-directeur, un beau jeune homme qui n'avait rien à
envier aux stars de cinéma les plus en vogue. Il y en avait tant, de
ces beaux gosses obligés de besogner dans le monde réel tout en
caressant des rêves de gloire. Tous trois regardaient Joe comme
s'ils doutaient de son identité.

Heather revint, d'un air un peu coincé, pour lui annoncer
qu'ils seraient heureux de satisfaire à sa demande, mais qu'il
devait suivre certaines procédures. À l'autre bout de la pièce, le
sous-directeur parlait au téléphone. Joe eut l'impression qu'il

devait être l'objet de sa conversation. Il eut soudain la bouche sèche et sentit les battements de son cœur s'accélérer.

C'était son argent. Il en avait besoin.

Heather avait beau connaître Joe depuis des années (en fait, elle appartenait à la paroisse luthérienne où Michelle emmenait Chrissie et Nina faire leur instruction religieuse), elle ne lui en réclama pas moins son permis de conduire. Le bon sens et la confiance mutuelle n'avaient plus cours depuis longtemps dans ce pays ; ils appartenaient à un autre âge, si ancien qu'on pouvait douter de son existence.

Joe s'arma de patience. Tout ce qu'il possédait était déposé dans cette agence, dont soixante mille dollars résultant de la vente de la maison. On ne pouvait donc lui refuser l'argent dont il aurait besoin pour subsister. Avec la sale engeance que Rose Tucker et lui-même avaient à leurs trousses, il lui était impossible de revenir à l'appartement. Il allait devoir vivre dans des motels pour une durée indéterminée.

Le sous-directeur avait raccroché. Il fixait le bloc posé sur son bureau en le tapotant avec un stylo.

Joe avait envisagé de se servir de ses cartes de crédit pour régler ses achats et effectuer de petits retraits à des distributeurs automatiques au fur et à mesure de ses besoins. Mais la police pouvait très bien filer un suspect de cette manière et suivre tous ses déplacements. Elle pouvait même à tout moment lui faire confisquer ses cartes par n'importe quel commerçant.

Sur le bureau du sous-directeur, le téléphone sonna. Il décrocha, jeta un coup d'œil à Joe et fit faire un demi-tour à sa chaise pivotante, comme s'il craignait que Joe puisse lire sur ses lèvres.

Quand toutes les procédures eurent été effectuées et que tout le monde fut bien persuadé que Joe n'était ni un jumeau animé d'intentions malfaisantes, ni un hardi usurpateur portant un masque en latex, le sous-directeur rassembla péniblement la somme requise en billets de cent dollars. Il observa Heather avec un sourire gêné tandis qu'elle les comptait devant Joe.

Peut-être était-ce un effet de son imagination, mais Joe sentait leur désapprobation. Ils trouvaient bizarre de transporter sur soi autant d'argent, non parce qu'ils jugeaient cela dangereux, mais parce que, de nos jours, les gens qui payaient en liquide étaient mal vus. Le gouvernement exigeait des banques qu'elles rendent compte de toutes les transactions en liquide dépassant cinq mille dollars. Officiellement cette loi avait pour but de dissuader les caïds de la drogue de blanchir des fonds en se servant d'organismes financiers légaux ; en fait, elle n'empêchait aucun caïd de magouiller comme bon lui semblait, mais elle permettait à l'État d'exercer un contrôle direct sur les transactions financières des simples citoyens.

Depuis toujours, l'argent liquide ou son équivalent, diamants, pièces d'or, était le meilleur garant de la liberté et de la mobilité individuelles. Pour Joe, il signifiait la même chose, rien de plus. Mais Heather et ses supérieurs continuaient à l'accabler de leurs regards méfiants, comme s'ils le soupçonnaient de quelque obscur dessein ou lui prêtaient des vices cachés.

Heather mettait les vingt mille dollars dans une enveloppe kraft quand le téléphone sonna de nouveau sur le bureau du sous-directeur, qui recommença à susurrer dans le combiné, les yeux toujours braqués sur Joe.

Joe quitta enfin la banque cinq minutes après l'heure de fermeture, d'un pas que l'appréhension rendait chancelant. Il était le dernier client.

La chaleur était accablante, le ciel d'un bleu sans nuages, mais moins intense que quelques heures auparavant. Il avait perdu de sa profondeur et lui rappelait le bleu terne des yeux du dernier cadavre qu'il avait vu à la morgue, la nuit où il avait décidé d'abandonner son métier de journaliste criminel.

Quand il sortit du parking de la banque, il aperçut le sous-directeur, debout derrière les portes vitrées, presque masqué par les reflets cuivrés du soleil couchant. Peut-être regardait-il la Honda afin d'en faire plus tard la description et de mémoriser le numéro d'immatriculation. Ou bien verrouillait-il les portes, tout simplement.

La métropole vibrait sous le regard aveugle du ciel mort.

Alors qu'il passait devant un petit centre commercial de quartier dont trois files de voitures le séparaient, Joe aperçut une femme aux longs cheveux auburn sortir d'une Ford Explorer, garée devant une épicerie d'appoint. Du siège du passager sauta une petite fille aux cheveux blonds tout emmêlés. Il ne vit pas leurs visages. Sans aucune prudence, il coupa la circulation et faillit rentrer dans une Mercedes grise conduite par un homme âgé. Au croisement, comme les feux passaient de l'orange au rouge, il fit demi-tour, malgré l'interdiction.

Il regrettait déjà ce qu'il allait faire. Mais il ne pouvait s'en empêcher, pas plus qu'il n'aurait pu hâter la fin du jour en ordonnant au soleil de se coucher.

Il alla se garer près de la Ford Explorer et sortit de la Honda, les jambes flageolantes. Il resta les yeux fixés sur l'entrée de l'épicerie. La femme et l'enfant étaient là, mais il ne pouvait les voir à cause des affiches et des étalages de la vitrine.

Il s'éloigna du magasin et alla s'adosser contre la Honda en essayant de retrouver un peu de calme.

Après l'accident, Beth McKay l'avait mis en rapport avec un groupe appelé le Cercle de compassion, une association nationale regroupant des gens qui avaient perdu des enfants. Beth progressait lentement sur le chemin de l'acceptation au sein du Cercle de compassion de Virginie, et Joe s'était rendu à quelques réunions d'une section locale. Mais il avait vite arrêté. À cet égard, il était comme presque tous les hommes qui se trouvaient dans sa situation : les mères allaient aux réunions avec confiance et trouvaient du réconfort à parler avec ceux qui partageaient leur souffrance, mais les pères se renfermaient et gardaient leur chagrin pour eux. Joe aurait aimé être l'un des rares à trouver son salut en s'ouvrant aux autres, mais une fatalité d'ordre biologique ou psychologique liée à son sexe, à moins que ce ne fût tout bêtement son côté borné ou une tendance à s'apitoyer sur lui-même, le faisait se tenir à l'écart, seul.

Néanmoins, ces brèves rencontres lui avaient fait découvrir que l'étrange compulsion qui le saisissait maintenant ne lui était pas particulière. Elle était si courante qu'on lui avait donné le nom de « quête éperdue ».

Tous ceux qui avaient perdu un être cher cédaient à cette pulsion, et elle était encore plus frénétique chez ceux qui avaient perdu des enfants. Certains y étaient plus sujets que d'autres. Joe était de ceux-là.

Intellectuellement, il pouvait accepter le fait qu'elles étaient mortes et disparues à jamais. Mais émotionnellement, à un niveau primaire, il restait convaincu qu'il les reverrait un jour. Il s'attendait que sa femme et ses filles sortent par une porte ou soient au bout du fil quand le téléphone sonnait. Lorsqu'il conduisait, il était soudain envahi par la certitude que Chrissie et

Nina étaient derrière lui dans la voiture, et il se retournait, le souffle coupé, plus choqué de trouver la banquette arrière vide qu'il ne l'aurait été en y découvrant ses filles, bien vivantes.

Il lui arrivait de les apercevoir dans la rue, dans un jardin public, dans un parc. Sur la plage. Elles étaient toujours à distance et s'éloignaient de lui. Parfois il les laissait partir, mais d'autres fois, il ne pouvait résister à l'envie de les suivre, de voir leurs visages, de leur crier : « Attendez-moi, j'arrive. »

Il s'éloigna de la Honda et gagna l'entrée de l'épicerie.

En ouvrant la porte, il hésita. À quoi bon se torturer vainement, aller au-devant du coup de poignard qu'il recevrait en découvrant que cette femme et sa petite fille étaient des étrangères ?

Mais la rencontre avec Rose Tucker, ce qu'elle lui avait dit, la lettre qui l'attendait au *Post*, tout ce qui constituait cette journée avait été si extraordinaire qu'il se découvrait une foi nouvelle et viscérale. Si Rose pouvait tomber de plus de six mille mètres, s'écraser en chute libre contre le sol rocheux du Colorado et en sortir indemne... Alors c'est que quelque chose transcendait la simple logique des faits. Une folie douce faisait tomber l'armure d'indifférence qu'il avait endossée de haute lutte, et en son cœur surgissait un espoir en lequel il n'osait croire.

Il entra dans l'épicerie.

Une jolie Coréenne d'une trentaine d'années enfilait des saucissons sur un présentoir métallique. Elle l'accueillit avec un sourire.

Un Coréen, son mari sans doute, était à la caisse, juste à gauche de l'entrée. Il salua Joe et fit une remarque sur la chaleur, à laquelle Joe ne répondit pas. Il alla regarder dans les deux premières allées, puis découvrit la femme et l'enfant au fond de la troisième.

Elles étaient debout devant une glacière pleine de boissons fraîches et lui tournaient le dos. Il resta un instant au commencement de l'allée, attendant qu'elles se tournent vers lui.

La femme avait des sandales blanches liées à la cheville, un pantalon en coton blanc et une chemise d'un vert vif. Michelle avait des sandales et un pantalon identiques. Mais la chemise, non. Il s'en serait souvenu.

La petite fille, qui avait l'âge et la taille de Nina, portait des sandales blanches comme celles de sa mère, un short rose et un

T-shirt blanc. Elle penchait la tête d'un côté en balançant ses bras menus, une posture que Nina prenait souvent.

Nanny, Nanny, avez-vous vu Nina ?

Joe descendit la moitié de l'allée sans même s'en rendre compte.

Il entendit la petite fille demander de la limonade à sa mère, puis sa propre voix qui disait : « Nina », car la limonade était la boisson préférée de sa fille. « Nina ? Michelle ? »

La femme et la petite fille se retournèrent.

Il savait bien que ce ne serait pas elles. Cet élan du cœur était insensé, il échappait à toute raison. Mais le choc n'en fut pas moins violent.

— Vous... J'ai cru que... De loin... dit-il stupidement.

— Oui ? dit la femme, sur ses gardes.

— Ne... ne la quittez pas des yeux, ne la laissez pas s'éloigner, dit-il à la mère d'une voix rauque qui le surprit lui-même. Ne la lâchez pas d'une semelle, c'est si vite arrivé.

Il vit une lueur inquiète passer dans les yeux de la femme.

Avec la franchise innocente d'une petite fille de quatre ans, la petite fille dit alors avec sollicitude :

— Monsieur, vous devriez acheter du savon. Vous sentez pas bon. C'est par là, je vais vous montrer.

La mère prit la petite par la main et l'attira contre elle.

C'est vrai qu'il devait sentir mauvais. Il était resté sur la plage en plein soleil pendant deux heures, puis au cimetière, et il avait eu plus d'une fois des sueurs froides. Il n'avait rien mangé de la journée et il devait avoir mauvaise haleine, à cause de la bière qu'il avait bue sur la plage.

— Merci, petite. Tu as raison. Je ne sens pas bon. Il faut que j'achète du savon.

— Tout va bien ? demanda quelqu'un derrière son dos.

Joe se retourna. C'était le gérant, dont le visage, placide un instant plus tôt, était maintenant tout renfrogné.

— Je les ai confondues avec d'autres, des gens que je connaissais. Enfin, que j'ai connus il y a longtemps, expliqua Joe.

Il se rappela qu'il ne s'était pas rasé le matin, avant de quitter l'appartement. Hirsute, luisant de graisse et de transpiration, l'haleine chargée d'une odeur de bibine, avec ses yeux d'allumé, il ne devait pas être très engageant. Il comprenait mieux l'attitude qu'avait eue à son égard le personnel de la banque.

– Tout va bien ? demanda le gérant à la femme.

– Je pense que oui, dit la femme d'un air de doute.

– J'y vais, dit Joe, qui se sentait barbouillé de l'intérieur. Ce n'est rien, je me suis trompé, c'est tout. Je m'en vais.

Il passa devant le gérant et gagna rapidement la sortie du magasin pour retrouver la chaleur accablante.

Quand il monta dans la Honda, il vit l'enveloppe brune posée sur le siège du passager. Il avait laissé vingt mille dollars dans une voiture sans même boucler les portières. Le miracle attendu n'avait pas eu lieu, mais c'en était un que l'argent ne se soit pas envolé.

L'estomac noué, la poitrine oppressée, Joe ne se sentait guère en état de conduire. Mais il n'avait pas envie que la femme s'imagine qu'il l'attendait. Il démarra et quitta le centre commercial.

Il mit le climatiseur en marche, orienta les aérateurs vers son visage et s'efforça de retrouver son souffle en rechargeant ses poumons. L'air qu'il inspirait lui semblait lourd, épais, brûlant, presque liquide.

Encore une chose qu'il avait apprise aux réunions du Cercle de compassion : chez presque tous ceux qui avaient perdu leurs enfants, la souffrance était physique, et très violente.

Il roula presque plié en deux sur le volant, soufflant comme un asthmatique.

En songeant au vœu qu'il avait fait, sous le coup de la colère, d'anéantir les éventuels responsables de la catastrophe, il eut un petit rire aigre. Tant de folie et l'image si peu crédible de lui-même en bras vengeur que rien ne peut arrêter... Une épave comme lui.

Si ses soupçons se confirmaient et s'il découvrait les coupables, ceux-ci l'élimineraient avant même qu'il ait eu le temps de lever le petit doigt. Ils étaient puissants, disposaient apparemment de moyens considérables. Il n'avait aucune chance de les traîner en justice.

Mais il ne renoncerait pas, il continuerait sa chasse. Pour lui, le choix ne se posait même pas. Il était mené par un désir compulsif, irrépressible. Une quête éperdue.

Dans un grand magasin, Joe acheta un rasoir électrique, un flacon de lotion après-rasage, une brosse à dents, du dentifrice et des articles de toilette.

La lueur des néons lui blessa les yeux. L'une des roues de son chariot grinçait désagréablement et agaçait ses nerfs, exacerbant son mal de tête.

Il acheta une valise, deux blue-jeans, une veste sport grise en velours côtelé (en août, les rayons montraient déjà la collection d'automne), des slips, des T-shirts, des chaussettes de sport, et une paire de Nike. Il choisit d'après les tailles indiquées, sans rien essayer.

Après avoir quitté le magasin, il trouva un motel modeste et propre à Malibu, sur l'océan, où il parviendrait peut-être à s'endormir, plus tard, bercé par le roulis des vagues. Il se rasa, se doucha et enfila des vêtements propres.

Vers sept heures et demie, alors qu'il restait une heure de soleil, il roula vers l'est jusqu'à Culver City. C'était là qu'habitait la veuve de Thomas Lee Vadance. Thomas figurait sur le manifeste des passagers du vol 353 et les propos de sa femme, Nora, avaient été cités dans le *Post*.

À un McDonald's, Joe acheta deux cheeseburgers et un Coca. Dans l'annuaire attaché par une chaîne à la cabine de téléphone publique du restaurant, il trouva le numéro et l'adresse de Nora Vadance.

De son ancienne existence de journaliste, il avait gardé un guide qui contenait les cartes des rues du comté de Los Angeles, mais il croyait connaître le quartier de Mme Vadance.

Tout en conduisant, il mangea les deux cheeseburgers, étonné d'avoir subitement retrouvé l'appétit.

C'était une maison à un étage en bois de cèdre, au toit de bardeaux, avec des moulures blanches et des volets blancs, un curieux mélange entre un ranch californien et un cottage de la Nouvelle-Angleterre, mais avec son allée en dalles de pierre et ses coquets parterres d'impatiences et d'agapanthes, elle était charmante.

Tandis que le ciel se teintait à l'ouest d'une lueur rose-orange et à l'est d'un crépuscule violet, Joe grimpa les deux marches qui menaient au porche d'entrée et sonna.

La femme qui lui ouvrit avait la trentaine, elle était jolie et fraîche, avec des cheveux châtains, une carnation de rousse, des taches de rousseur et des yeux verts. Elle portait un short kaki et une chemise d'homme usée en coton blanc, aux manches relevées. Ses cheveux étaient emmêlés, trempés de sueur, et sa joue gauche maculée d'une traînée sale.

On aurait dit qu'elle était en train de faire le ménage. Et qu'elle avait pleuré.

— Madame Vadance ? demanda Joe.

— Oui.

Alors qu'il avait toujours su s'y prendre du temps où il faisait des interviews, il se sentait gauche à présent, habillé de façon trop désinvolte étant donné les circonstances et la gravité des questions qu'il s'apprêtait à poser. À cause de la chaleur, il avait laissé la veste sport dans la Honda. Il regrettait maintenant de n'avoir pas acheté une chemise plutôt que des T-shirts.

— Madame Vadance, j'aurais aimé vous parler...

— Je suis très occupée...

— Je m'appelle Joe Carpenter. Ma femme est morte dans l'accident d'avion. Ainsi que mes deux petites filles.

Elle resta interdite, puis murmura :

— Il y a un an.

— Oui. Ça fera un an ce soir.

— Entrez, lui dit-elle en s'écartant.

Elle l'introduisit dans le salon, une pièce accueillante à dominante jaune et blanc, avec des rideaux et des coussins en chintz. Dans un coin, une vitrine éclairée abritait quelques porcelaines.

Elle invita Joe à s'asseoir et, pendant qu'il s'installait dans un fauteuil, elle alla appeler à la porte :

— Bob ? Bob, nous avons de la visite.

— Je suis désolé de vous déranger un samedi soir, dit Joe.

— Vous ne nous dérangez pas du tout, répondit la femme en revenant s'asseoir sur le canapé. Mais je ne suis pas celle que vous êtes venu voir. Je m'appelle Clarisse. C'est Nora, ma belle-mère, qui a perdu son mari dans... l'accident.

Venant de l'arrière de la maison, un homme entra dans le salon, que Clarisse lui présenta comme son époux. Il devait avoir deux ans de plus qu'elle. Il était grand, dégingandé, et semblait à l'aise ; mais sous son hâle, Joe perçut une pâleur étrange et il lut du chagrin dans ses yeux bleus.

Comme Bob Vadance prenait place sur le canapé à côté de sa femme, Clarisse expliqua que la famille de Joe avait péri dans la catastrophe.

— C'est le père de Bob que nous avons perdu, dit-elle à Joe, il revenait d'un voyage d'affaires.

Bob expliqua qu'il était pilote de chasse affecté à la station aéronavale de Miramar, au nord de San Diego. Ce soir-là, Clarisse et lui dînaient dehors avec deux autres pilotes et leurs femmes, dans un restaurant italien très sympathique. Après le dîner, ils passèrent au bar. Le poste de télévision diffusait un match de base-ball, mais l'émission fut soudain interrompue par un bulletin d'information concernant le vol 353. Bob savait que son père revenait cette nuit-là de New York à Los Angeles par avion et qu'il voyageait souvent sur la compagnie Nationwide, mais il ne connaissait pas le numéro du vol. Il appela du bar l'aéroport de Los Angeles et fut mis en relation avec un officier de police chargé des relations publiques, qui lui confirma que Thomas Lee Vadance figurait bien sur le manifeste des passagers. Bob et Clarisse avaient gagné Culver City en un temps record et étaient arrivés peu après onze heures du soir. Ils n'avaient pas appelé Nora, la mère de Bob, préférant lui annoncer la nouvelle en personne plutôt que par téléphone, au cas où elle l'ignorerait encore. Quand ils étaient arrivés chez elle juste après minuit, la maison était tout éclairée, la porte d'entrée ouverte. Dans la cuisine, Nora préparait une pleine marmite de soupe de maïs, car Tom en raffolait, ainsi que des cookies aux éclats de chocolat avec des noix de pécan, car c'étaient les préférés de Tom. Elle avait appris l'accident, elle savait qu'il était mort là-bas, à l'est des Rocheuses, mais elle avait besoin de faire quelque chose pour lui. Nora avait dix-huit ans et lui vingt quand ils s'étaient mariés, trente-cinq ans plus tôt.

— Quant à moi, je n'ai rien su avant d'arriver à l'aéroport, dit Joe. Elles étaient allées en Virginie chez les parents de Michelle, puis avaient fait escale à New York pendant trois jours, le temps que les filles fassent connaissance avec leur tante Delia, qu'elles n'avaient encore jamais vue. Je suis arrivé en avance et, dès que je suis entré dans l'aérogare, j'ai regardé sur les moniteurs pour voir si leur vol n'avait pas de retard. L'heure d'arrivée n'avait pas changé, mais quand je suis monté à la porte de débarquement attribuée au vol 353, j'ai vu que le personnel de l'aéroport accueillait les visiteurs en leur parlant à voix basse et en orientait certains vers un salon privé. Un jeune homme s'est approché de moi, et j'ai deviné ce qu'il allait dire avant même qu'il ouvre la bouche. « Non, ne dites rien, surtout ne dites rien », lui ai-je demandé. Comme il s'apprêtait tout de même à parler, je lui ai tourné le dos, et quand il a posé une main sur mon bras, je l'ai envoyé balader. J'aurais pu le cogner rien que pour l'empêcher de parler, sauf que deux femmes l'avaient rejoint. J'étais cerné. Pas moyen d'y échapper. Je ne voulais pas qu'on me le dise. Tant qu'on ne me le dirait pas, ça n'existerait pas, ce ne serait pas réel, vous comprenez, ça ne serait pas vraiment arrivé.

Ils restèrent tous les trois silencieux à écouter ces voix étrangères surgies du passé, porteuses de funestes nouvelles.

— Maman ne l'a pas supporté, dit enfin Clarisse en parlant de sa belle-mère avec la même tendresse que si Nora avait été sa propre mère. Elle n'avait que cinquante-trois ans, mais elle ne voyait pas pourquoi continuer sans Tom.

— Ils étaient... si proches, continua Bob. Ça a duré toute cette année. Mais la semaine dernière, quand nous sommes venus la voir, elle commençait à remonter la pente, elle avait l'air bien mieux. Après des mois où nous l'avions vue amère, déprimée, aigrie, elle était de nouveau pleine de vie. Vous savez, avant l'accident, c'était quelqu'un de très gai...

— Quelqu'un de très ouvert aussi, poursuivit Clarisse, comme si leurs pensées à tous deux cheminaient toujours ensemble. Soudain, la semaine dernière, nous avons retrouvé la Nora d'autrefois, qui nous avait tant manqué.

Une crainte terrible s'empara de Joe quand il se rendit compte qu'ils parlaient de Nora Vadance au passé.

— Mais qu'est-il arrivé ?

— La semaine dernière, elle nous a dit qu'elle avait compris que Tom n'était pas parti pour toujours, que personne n'était parti pour toujours. Elle semblait si heureuse. Elle..

— Elle rayonnait, dit Bob en prenant la main de sa femme. Mais alors qu'elle semblait enfin sortie de sa dépression, si pleine de vie et de projets pour la première fois depuis un an... Il y a quatre jours, maman... elle s'est suicidée.

L'enterrement avait eu lieu la veille. Bob et Clarisse n'habitaient pas ici. Ils ne resteraient que jusqu'au mardi, le temps d'emballer les vêtements et les affaires personnelles de Nora pour en distribuer aux parents proches et donner le reste à l'Armée du salut.

— C'est dur, dit Clarisse en déroulant la manche droite de

sa chemise blanche pour la remonter aussitôt. C'était une femme si douce, si gentille.

— Je n'aurais pas dû venir, dit Joe en se levant du fauteuil. Le moment est mal choisi.

Bob se leva d'un bond et tendit vers lui une main presque implorante. Son grand corps tout en jambes et en bras avait perdu sa grâce, son assurance.

— Non, je vous en prie, asseyez-vous. Cela nous fait du bien de faire une pause. Toutes ces choses à trier, à emballer... Et puis parler avec vous, eh bien... Vous savez ce que c'est, dit-il en haussant les épaules. C'est plus facile...

— Vous et nous, on se comprend. On sait à quoi s'en tenir, finit Clarisse.

Après une hésitation, Joe se rassit dans le fauteuil.

— J'ai juste une ou deux questions... Mais peut-être que seule votre mère aurait pu y répondre.

Après avoir rajusté sa manche droite, Clarisse déroula, puis retroussa la gauche. Elle avait besoin de s'occuper les mains tout en parlant. Peut-être craignait-elle qu'elles ne la trahissent si jamais elle les laissait oisives, qu'elles la poussent à exprimer le chagrin qu'elle s'efforçait avec tant de peine de réprimer, qu'elles viennent lui couvrir le visage, lui tirer les cheveux ou, poings serrés, frapper la table.

— Joe... avec cette chaleur, vous aimeriez peut-être boire quelque chose de frais ?

— Non, merci. Plus vite ce sera fini, plus tôt je partirai. Ce que je voulais demander à votre mère, c'est si elle avait eu la visite d'une femme, récemment. Une femme qui s'appelle Rose.

Bob et Clarisse échangèrent un regard.

— Une femme noire ? demanda Bob.

— Oui, répondit Joe avec un frisson. Petite, dans les un mètre cinquante-cinq, mais beaucoup de présence.

— Maman ne nous a pas appris grand-chose à son sujet, dit Clarisse. Cette Rose est venue une fois, elles ont parlé, et c'est comme si ce qu'elle avait raconté à Maman avait tout changé. Nous nous sommes dit que c'était peut-être un genre de...

— ... de conseiller spirituel ou autre, termina Bob. Au début, on s'est méfié. C'est facile de profiter de quelqu'un de malheureux, de vulnérable comme l'était maman. Ça pouvait être une de ces toquées du New Age...

— Ou bien une arnaqueuse, continua Clarisse en se penchant pour arranger les fleurs artificielles posées dans un vase sur la table basse. Une escroc, qui risquait de la manipuler.

— Mais quand elle nous a parlé de Rose, elle était si...

— Si sereine. Ça ne pouvait pas être vraiment mauvais, puisque ça faisait tant de bien à maman.

— De toute façon, elle a dit que cette femme ne reviendrait pas, conclut Bob. Et que, grâce à Rose, elle savait que papa était en lieu sûr et qu'il allait bien.

— Elle n'a pas voulu nous dire comment elle en était arrivée à cette certitude, alors qu'elle n'avait pas la foi et n'avait jamais pratiqué de sa vie, ajouta Clarisse. Ni qui était cette Rose, ni ce qu'elle lui avait raconté. Elle a juste dit que cela devait rester secret pour l'instant, mais que tôt ou tard...

— ... tout le monde le saurait.

— Tout le monde saurait quoi ? demanda Joe.

— Que papa était en lieu sûr et qu'il allait bien.

— Non, dit Clarisse en abandonnant les fleurs en soie pour se radosser, les mains croisées sur les genoux. Je crois que, dans son esprit, c'était plus que ça. Elle voulait dire qu'un jour ou l'autre, on saura que personne ne meurt jamais, que nous continuons à vivre quelque part, sain et sauf.

— Je serai franc avec vous, soupira Bob. Cela nous a rendus un peu nerveux, d'entendre ça dans la bouche de ma mère. Elle a toujours eu les pieds sur terre. Mais ça lui faisait du bien, et après l'année atroce que nous venions de passer...

— ... nous n'y avons pas vu de mal.

Joe ne s'attendait pas une réponse de ce type. Il était mal à l'aise, pour ne pas dire déçu. Il avait pensé que le Dr Rose Tucker savait ce qui était vraiment arrivé au vol 353 et était prête à désigner les responsables. Il n'avait pas imaginé que ce qu'elle avait à offrir était tout simplement un soutien d'ordre spirituel.

— Croyez-vous qu'elle ait eu l'adresse ou le numéro de téléphone de cette Rose ?

— Non, dit Clarisse, je ne crois pas. Maman faisait beaucoup de mystère à ce sujet. Montre-lui la photo, dit-elle à son mari.

— Elle est toujours dans sa chambre, dit Bob en se levant du canapé. Je vais la chercher.

— Quelle photo ? demanda Joe à Clarisse tandis que Bob quittait le salon.

– C'est étrange. Une photo que cette Rose a apportée à maman. Elle est plutôt sinistre, mais maman y puisait du réconfort. On y voit la tombe de Tom.

La photo était un cliché Polaroïd en couleur, qui montrait la pierre tombale de Thomas Lee Vadance, avec son nom, les dates de sa naissance et de sa mort et les mots « à mon mari adoré et à nôtre bien-aimé père ».

Joe revoyait Rose Marie Tucker dans le cimetière. *Je ne peux pas vous parler. Je ne suis pas prête.*

– Maman est sortie pour acheter le cadre, dit Clarisse. Elle voulait conserver la photo sous verre, pour qu'elle ne risque pas de s'abîmer. C'était très important pour elle.

– La semaine dernière, nous avons passé trois jours ici, et, durant tout notre séjour, elle l'a trimbalée partout avec elle, ajouta Bob. À la cuisine, devant la télé, dehors dans le patio, quand on faisait un barbecue...

– Même quand on est sortis dîner dehors, elle l'a mise dans son sac à main, ajouta Clarisse.

– Ce n'est qu'une photographie, dit Joe, déconcerté.

– Oui, acquiesça Bob Vadance. Et maman aurait pu tout aussi bien la prendre elle-même, mais pour je ne sais quelle raison, cette photo comptait pour elle parce que Rose l'avait prise.

Joe passa un doigt sur le cadre en métal argenté et sur le verre, comme si un don de double vue allait lui permettre de saisir le sens caché de la photographie.

– La première fois qu'elle nous l'a montrée, elle a épié notre réaction, dit Clarisse.

– Comme si elle attendait quelque chose... confirma Bob.

– Quel genre de réaction attendait-elle, à votre avis ? demanda Joe en posant la photographie sur la table.

– Nous n'avons pas compris, répondit Clarisse, qui prit la photo et commença à frotter le cadre et le verre avec le pan de sa chemise. Et comme ça ne venait pas, elle nous a demandé de lui dire ce qu'on voyait.

– Une pierre tombale, dit Joe.

– La tombe de papa, acquiesça Bob.

– Mais maman y voyait autre chose, précisa Clarisse.

– Autre chose ? Mais quoi ?

– Elle n'a pas voulu nous dire, mais elle...

— ... elle nous a répété que le jour viendrait où nous la verrions différemment, conclut Bob.

Joe revit Rose dans le cimetière, agrippant son appareil des deux mains, les yeux levés vers lui. *Vous verrez, comme les autres.*

— Savez-vous qui est cette Rose ? Pourquoi nous posez-vous toutes ces questions à son sujet ? s'étonna Clarisse.

Joe leur raconta sa rencontre avec elle au cimetière, sans évoquer les tueurs ou la fourgonnette blanche. Dans sa version des faits, Rose était partie en voiture sans qu'il ait pu la retenir.

— D'après ses propos... j'ai pensé qu'elle avait dû rendre visite aux familles des autres victimes de l'accident. Elle m'a dit de ne pas désespérer et que je verrais, comme les autres, mais qu'elle n'était pas prête à en parler. L'ennui, c'est que je n'ai pas pu attendre qu'elle soit prête. Si elle en a parlé aux autres, je veux savoir ce qu'elle leur a dévoilé.

— En tout cas, cela a fait du bien à maman.

— Tu en es sûre ? interrogea Bob.

— Pendant une semaine, oui, affirma Clarisse. Pendant une semaine, elle a été heureuse.

— Mais voilà où ça l'a menée, dit Bob.

Si Joe n'avait pas été journaliste pendant tant d'années, s'il n'avait pas eu l'habitude de poser des questions délicates aux victimes et à leurs familles, il aurait pu trouver difficile de pousser Bob et Clarisse à envisager une tout autre possibilité. Mais étant donné les événements insolites de la journée, la question devait être posée.

— Êtes-vous absolument certains qu'il s'agit bien d'un suicide ?

Bob s'apprêta à parler, flancha et détourna la tête pour refouler ses larmes.

— Il n'y a aucun doute. Nora s'est tuée, dit Clarisse en prenant la main de son mari.

— A-t-elle laissé un mot ?

— Non. Absolument rien qui nous aide à comprendre.

— Vous avez dit qu'elle paraissait si heureuse...

— Elle a laissé une cassette vidéo, murmura Clarisse.

— Vous voulez dire, comme adieu ?

— Non. C'est si étrange... si terrible...

Elle secoua la tête, le visage tordu de dégoût, comme si les mots lui manquaient. Bob lâcha la main de sa femme et se leva.

— Je ne suis pas porté sur l'alcool, Joe, mais j'ai besoin d'un remontant.

— Je ne voulais pas ajouter à votre souffrance... dit Joe, consterné.

— Non, ça va, assura Bob. Tous ceux qui sortent de cet accident forment une sorte de famille. Et, en famille, on ne doit rien se cacher. Vous voulez boire un verre ?

— Volontiers.

— Clarisse, ne lui parle pas du film avant que je revienne. Je sais ce que tu penses, qu'il vaudrait mieux pour moi que tu lui en parles en mon absence, mais ce n'est pas le cas.

Bob Vadance regarda sa femme avec une grande tendresse.

— J'attendrai, répondit-elle.

Et il y avait tant d'amour dans ce simple mot que Joe dut regarder ailleurs, tellement cela lui rappelait ce qu'il avait perdu.

Quand Bob fut sorti de la pièce, Clarisse recommença à tripoter les fleurs. Puis elle s'assit, posa les coudes sur ses genoux et enfouit son visage dans ses mains.

Elle finit par redresser la tête et déclara :

— C'est un type bien.

— Il m'en a tout l'air.

— Bon mari, bon fils. Les gens ne le connaissent pas, ils voient le dur, le pilote de chasse qui a servi pendant la guerre du Golfe. En fait, c'est un grand sentimental, comme son père.

Joe attendit qu'elle lui révèle ce qu'elle avait sur le cœur.

— On a traîné avant de faire des enfants, reprit-elle enfin. J'ai trente ans, Bob trente-deux. On croyait avoir le temps, il y avait tellement de choses à faire. Mais maintenant, nos gosses grandiront sans connaître les parents de Bob, et c'était de si braves gens.

— Ce n'est pas de votre faute. Les choses nous échappent. Nous ne sommes que passagers dans ce train-là, même si nous nous berçons d'illusions.

— Avez-vous vraiment atteint ce niveau d'acceptation ?

— Disons que j'essaie.

— Et vous avez l'impression de vous en rapprocher ?

— Oh ! que non...

Elle rit doucement.

Joe n'avait fait rire personne depuis un an, sauf l'amie de Rose au téléphone, un peu plus tôt dans la journée. Le petit rire de Clarisse était teinté de chagrin et d'ironie, mais aussi d'un certain soulagement. Joe éprouva une drôle de sensation. Comme si le simple fait d'avoir touché quelqu'un le reliait à la vie, un lien qui avait été si longtemps rompu.

— Joe, cette Rose, vous croyez qu'elle a pu être néfaste pour Nora ? demanda Clarisse après un silence.

— Non. Bien au contraire.

— Vous en semblez si sûr, dit-elle. Son visage couvert de taches de rousseur, confiant par nature, était assombri par le doute.

— Vous le seriez si vous l'aviez rencontrée.

Bob Vadance revint avec trois verres, un bol de glace pilée, un litre de Seven-Up et une bouteille de whisky.

— Il n'y a guère le choix, s'excusa-t-il. Personne n'est porté sur l'alcool dans cette famille. Quand on prend une cuite, on ne se complique pas la vie.

— Ça me va très bien, dit Joe, à qui Bob tendit son verre quand il fut prêt.

Pendant un instant, on n'entendit que le bruit des glaçons tintant dans les verres. Bob les avait corsés.

— Nous savons que c'était un suicide, parce qu'elle l'a enregistré, dit Clarisse.

— Qui l'a enregistré ? dit Joe, sûr d'avoir mal compris.

— Nora, la mère de Bob, dit Clarisse. Elle a filmé son propre suicide.

La lumière vaporeuse du crépuscule se fondit en un lavis cramoisi, tandis que la nuit s'amassait en ombre compacte contre les fenêtres du salon jaune et blanc.

Vite et sobrement, avec une louable maîtrise, Clarisse révéla ce qu'elle savait de l'horrible fin de sa belle-mère. Elle parla à voix basse, mais chaque mot tomba clair comme le tintement d'une cloche et résonna à travers Joe jusqu'à ce qu'il se mette à trembler comme une feuille.

Cette fois, Bob Vadance n'intervint pas. Il resta silencieux tout du long, sans regarder Joe ni Clarisse, les yeux fixés sur son verre.

La caméra Sanyo 8 mm qui avait filmé la mort de Nora appartenait à Tom Vadance. Elle était restée dans le placard de son bureau depuis sa mort.

Elle était d'un usage enfantin. La vitesse d'obturation et la lumière se réglaient automatiquement. Même si Nora ne l'avait jamais utilisée, elle n'avait eu besoin que de quelques minutes pour apprendre à s'en servir.

La batterie n'avait plus de jus, après un an passé dans le placard. Nora Vadance avait pris le temps de la recharger, preuve effrayante de sa préméditation. La police avait trouvé l'adaptateur et le chargeur fichés dans une prise de courant sur le comptoir de la cuisine.

Le mardi matin, Nora était sortie par l'arrière de la maison. Elle avait installé la caméra sur la table du patio, se servant de deux livres de poche pour orienter la caméra selon l'angle désiré. Puis elle l'avait enclenchée.

Tandis que la bande se déroulait, elle avait installé une chaise de jardin en plastique à trois mètres de l'objectif. Elle était allée vérifier par le viseur que la chaise était bien au centre du cadre.

Ensuite, elle était retournée à la chaise et l'avait légèrement déplacée. Puis elle s'était complètement dévêtue, pas du tout comme le ferait une actrice, mais sans aucune hésitation, comme si elle s'apprêtait à prendre un bain, tout simplement. Elle avait soigneusement plié sa robe, ses collants, puis ses dessous, et les avait posés par terre, sur les dalles du patio.

Nue, elle était sortie du champ de la caméra, sans doute pour aller prendre quelque chose dans la cuisine. Quarante secondes plus tard, elle était revenue avec un grand couteau de boucher. Elle s'était assise sur la chaise, face à la caméra.

Selon le rapport préliminaire du médecin légiste, à environ huit heures dix du matin ce mardi-là, Nora Vadance, jouissant jusqu'à présent d'une bonne santé mentale et physique, récemment sortie de la dépression qui avait suivi la mort de son mari, s'était supprimée. Prenant le couteau à découper des deux mains, elle se l'était sauvagement enfoncé dans l'abdomen. Elle l'avait ressorti, puis avait frappé une deuxième fois. La troisième fois, elle s'était ouvert le ventre en tirant la lame de gauche à droite. Elle avait alors lâché le couteau, s'était effondrée sur la chaise et était morte en moins d'une minute, se vidant de son sang.

Deux heures plus tard, à dix heures et demie, Takashi Mishima, un vieux jardinier de soixante-six ans qui faisait sa tournée, avait découvert le corps et immédiatement appelé la police.

Quand Clarisse eut fini, Joe resta muet.

Bob leur reversa une rasade de whisky. Ses mains tremblaient, et la bouteille se cogna contre chacun des verres.

– Je suppose que la police a la bande, dit enfin Joe.

– Oui, acquiesça Bob. Ils doivent la garder jusqu'à l'audience, l'enquête ou je ne sais quoi.

– J'espère que vous n'avez eu connaissance de cette vidéo que par personne interposée. Qu'aucun de vous ne l'a vue.

– Moi non, dit Bob. Mais Clarisse l'a vue.

Clarisse resta les yeux fixés sur son verre.

– La police nous a décrit ce qu'elle contenait... Elle n'avait aucune raison de nous mentir, mais ni Bob ni moi ne pouvions le croire. Je suis donc allée au commissariat le vendredi matin, avant l'enterrement, et je l'ai visionnée. Il le fallait. À présent nous savons. Quand ils nous rendront la bande, je la détruirai. Bob ne la verra jamais. Jamais.

Cette femme pour qui Joe avait déjà tant de respect grandit encore dans son estime.

– Il y a quelque chose qui m'intrigue, déclara-t-il. J'aimerais vous poser quelques questions, si ça ne vous dérange pas.

– Allez-y, dit Bob. Des questions, nous aussi nous en avons. Des centaines de questions.

– D'abord... Est-il possible qu'elle ait agi sous la contrainte ?

– Non, répondit Clarisse. On ne peut pas forcer quelqu'un à faire une chose pareille. Pas au moyen de simples pressions psychologiques ni de menaces. En plus, il n'y avait personne dans le champ de la caméra à part elle, pas une ombre. Ses yeux ne se sont pas dirigés une seule fois vers quelqu'un qui se serait trouvé hors champ. Elle était seule.

– D'après votre récit, Clarisse, on aurait dit que Nora se comportait presque machinalement, en automate.

– Oui, elle a gardé cette attitude pendant presque toute la scène. Aucune expression, le visage flasque.

– Pendant presque toute la scène ? Elle n'a jamais montré de l'émotion ?

– Deux fois. Après qu'elle se fut presque entièrement déshabillée, elle a hésité... avant d'enlever son slip. C'était une femme très pudique, Joe. C'est d'autant plus bizarre.

Les yeux fermés, tenant son verre glacé contre son front, Bob dit :

– Même si... même en supposant qu'elle ait été assez perturbée mentalement pour s'infliger cela, il est difficile de l'imaginer en train de se filmer toute nue... avec le désir qu'on la retrouve ainsi.

– Une haute palissade recouverte de bougainvilliers entoure le jardin. Les voisins ne pouvaient pas la voir. Mais Bob a raison... elle n'aurait pas voulu qu'on la retrouve comme ça. Bref, à l'instant où elle s'apprêtait à enlever son slip, elle a hésité. Ce regard mort, vide, s'est dissous, juste un instant, pour laisser place à autre chose. C'était terrible..

– Pourquoi ? demanda Joe.

Un rictus déforma le visage de Clarisse tandis qu'elle se remémorait ce moment.

– Elle a le regard vide, les paupières un peu lourdes.... soudain, ses yeux s'agrandissent, ils retrouvent leur profondeur, redeviennent normaux. Son visage qui était si vide se convulse comme sous l'effet d'un choc, une brusque remontée de conscience. Et, soudain, elle a l'air terrifiée, perdue. Ça m'a déchiré le cœur de lui voir cet air-là. Mais ça n'a duré qu'une ou deux secondes, peut-être trois. Elle a frissonné, ses yeux se sont vidés, et elle est redevenue aussi calme et froide qu'une machine. Elle a enlevé son slip, l'a plié et l'a déposé sur ses autres vêtements.

– Suivait-elle un traitement ? demanda Joe. Y a-t-il une raison de penser qu'elle ait ingéré une surdose d'un médicament ayant provoqué une grave altération de sa personnalité ?

– Son médecin traitant nous affirme qu'il ne lui a prescrit aucun médicament. Mais vu son comportement sur la vidéo, la police la soupçonne d'avoir pris de la drogue. Le médecin légiste procède en ce moment à des tests toxicologiques.

– C'est ridicule ! dit Bob avec force. Ma mère, prendre de la drogue alors qu'elle répugnait même à avaler de l'aspirine ! Elle était très naïve, Joe, on aurait dit qu'elle ne se rendait pas compte à quel point le monde avait changé en trente ans, bien souvent en pire. C'était comme si elle vivait des dizaines d'années en arrière et était contente d'être là.

– Il y a eu une autopsie, dit Clarisse. Pas de tumeur au cerveau ni de lésions cérébales, pas d'état pathologique pouvant expliquer son geste.

– Vous avez parlé d'une autre fois où elle a montré de l'émotion.

— Oui, juste avant de s'enfoncer le couteau dans le ventre. L'espace d'un éclair, encore moins longtemps que la première fois. Comme un spasme. Tous ses traits se sont tordus comme si elle allait pleurer. Puis c'est parti, et elle est restée inexpressive jusqu'à la fin.

— Vous voulez dire qu'à aucun moment elle n'a crié ni pleuré ? s'exclama Joe, comprenant soudain une chose qui ne lui était pas encore venue à l'esprit.

— Non.

— Mais c'est impossible.

— Juste à la fin, quand elle lâche le couteau... il y a un drôle de bruit, tout doux, qui vient peut-être d'elle, presque un soupir.

— Mais la souffrance...

Joe ne put se résoudre à dire combien la souffrance de Nora avait dû être atroce.

— Elle n'a pas crié une seule fois, insista Clarisse.

— Même involontairement, comme un réflexe...

— Elle est restée silencieuse.

— Le micro marchait ?

— Oui, c'est un micro intégré, omnidirectionnel, précisa Bob.

— Sur la vidéo, on entend d'autres bruits, ajouta Clarisse. Le raclement de la chaise de jardin sur le béton quand elle la change de place. Un oiseau qui chante. Un chien qui aboie tristement dans le lointain. Mais venant d'elle, rien. Aucun son.

En franchissant le seuil, Joe fouilla la nuit du regard, s'attendant à trouver une fourgonnette blanche ou un autre véhicule suspect garé en face de chez les Vadance. De la maison voisine provenaient les faibles accords d'une sonate de Beethoven. Il faisait encore chaud, mais une douce brise s'était levée de l'ouest, apportant avec elle des effluves de jasmin. Aussi loin que portait son regard, Joe ne vit rien de menaçant dans la nuit embaumée.

Clarisse et Bob l'accompagnaient.

— Quand ils ont trouvé Nora, la photographie de la tombe de Tom était-elle avec elle ?

— Non, dit Tom. La photo était restée dans la cuisine.

— On l'a trouvée sur la table quand on est arrivés de San Diego, rappela Clarisse. À côté de l'assiette de son petit déjeuner.

— Elle avait pris son petit déjeuner ? s'étonna Joe.

— Je sais ce que vous pensez, dit Clarisse. Quand on va mettre fin à ses jours, pourquoi prendre un petit déjeuner ? C'est encore plus bizarre que ça, Joe. Elle s'était préparé une omelette avec du cheddar, des lamelles d'oignon et du jambon. Du pain grillé. Et une orange pressée toute fraîche. Elle en avait déjà mangé la moitié quand elle s'est levée et est sortie avec la caméra.

— La femme que vous avez décrite telle que vous l'avez vue sur la vidéo était terriblement perturbée. Comment aurait-elle pu avoir la présence d'esprit ou la patience de se préparer un petit déjeuner si élaboré ?

— Attendez, ce n'est pas tout... Le *Los Angeles Times* était ouvert à côté de son assiette...

— ... et elle était en train de lire les bandes dessinées, ajouta Bob.

Pendant un instant, ils restèrent silencieux.

— Vous voyez ce que je veux dire quand je parle des centaines de questions que nous nous posons, conclut Bob.

Comme s'ils étaient des amis de longue date, Clarisse prit Joe dans ses bras et le serra contre elle.

— J'espère que cette Rose est quelqu'un de bien, comme vous le croyez. J'espère que vous la retrouverez. Et quoi qu'elle puisse vous dire, Joe, j'espère que cela vous apportera un peu de paix.

Ému, il lui rendit son étreinte.

— Merci, Clarisse.

Bob avait écrit leur adresse et leur numéro de téléphone à Miramar sur une feuille de papier qu'il plia et tendit à Joe.

— Au cas où vous auriez d'autres questions... ou si jamais vous appreniez quelque chose qui pourrait nous aider à comprendre.

Ils échangèrent une poignée de main fraternelle.

— Qu'allez-vous faire maintenant, Joe ?

Il regarda l'heure au cadran lumineux de sa montre.

— Il est seulement neuf heures passées. Je vais essayer de rendre visite à une autre famille.

— Soyez prudent, dit-elle.

— Promis.

— Il y a quelque chose qui ne va pas dans tout ça, Joe.

— Je sais.

Bob et Clarisse restèrent sur le seuil de la maison serrés l'un contre l'autre, jusqu'à ce que Joe s'éloigne en voiture.

Joe avait presque fini son deuxième verre, mais il n'en ressentait aucun bienfait. Il n'avait jamais vu de photo de Nora Vadance ; mais l'image d'une femme anonyme sur une chaise de jardin tenant un couteau de boucher suffisait largement à contrer l'effet du whisky qu'il avait ingurgité.

La métropole étalait sa moisissure luminescente tout le long de la côte et salissait le ciel d'une traînée jaune acide. On apercevait de rares étoiles à la lumière glaciale, distante.

La nuit gracieuse et embaumée dont il croyait n'avoir rien à redouter planait, menaçante, au-dessus de lui. Tout le long du trajet, il ne cessa de regarder dans son rétroviseur.

4.

Charles et Georgine Delmann habitaient une immense maison de style anglais construite sur un vaste terrain dans Hancock Park. Deux magnolias encadraient le portail qui ouvrait sur l'allée centrale, bordée de haies de buis si bien taillées qu'on les imaginait entretenues jour et nuit par une légion de jardiniers. L'ensemble, maison et jardin, trahissait l'amour de la symétrie, de l'ordre, d'une nature soigneusement domestiquée par l'homme.

Les Delmann étaient médecins. Lui était cardiologue, elle spécialiste des maladies organiques et ophtalmologiste. Socialement, ils occupaient une position importante, car, en plus d'exercer leur profession, ils avaient fondé deux dispensaires pour enfants, l'un dans les quartiers est de Los Angeles et l'autre au sud, qu'ils continuaient à superviser.

Les Delmann avaient perdu leur fille de dix-huit ans dans l'accident du 747. Angela revenait de New York où elle avait suivi un stage d'aquarelle de six semaines dans une université, en préparation de sa première année aux Beaux-Arts de San Francisco. C'était une jeune peintre talentueuse, à l'avenir prometteur.

Georgine Delmann lui ouvrit la porte. Joe la reconnut d'après une photo parue dans le *Post*. Elle approchait la cinquantaine, était grande et mince, avec une peau mate et veloutée, une masse de boucles brunes, et des yeux expressifs d'un noir profond tirant sur le violet. Elle avait une beauté sauvage, qu'elle tentait assidûment de tempérer avec des lunettes à monture d'acier, un pantalon gris et une chemise d'homme blanche.

104

Quand Joe se présenta, il eut à peine le temps de préciser que des membres de sa famille se trouvaient dans l'avion qu'elle s'exclama :

– Mon Dieu, justement nous parlions de vous !

– De moi ? s'étonna-t-il, éberlué.

Elle le prit par la main, l'attira dans le grand vestibule au sol de marbre et referma la porte d'un coup de hanche, sans le quitter des yeux.

– Lisa nous parlait de votre femme et de vos filles, et comment vous aviez disparu de la circulation en laissant tout tomber. Et vous voilà, c'est incroyable.

– Lisa ? s'enquit-il.

Ce soir, la tenue stricte et les sévères lunettes à monture d'acier ne parvenaient pas à atténuer la flamboyante exubérance de Georgine Delmann. Elle prit Joe dans ses bras et l'embrassa si fort qu'il vacilla sur ses jambes. Puis, campée en face de lui et cherchant son regard, elle lui dit avec enthousiasme :

– Elle est allée vous voir aussi, non ?

– Lisa ?

– Mais non, pas Lisa. Rose.

Joe sentit un espoir insensé jaillir de son cœur et ricocher comme un galet lancé par un enfant sur les eaux noires d'un lac.

– Oui. Mais...

– Venez, venez avec moi.

Le prenant encore par la main, elle lui fit traverser le hall d'entrée et l'entraîna dans un long couloir qui partait vers l'arrière de la maison.

– Nous sommes dans la cuisine, Charlie, Lisa et moi.

Aux réunions du Cercle de compassion, Joe n'avait jamais perçu une telle effervescence chez l'un des membres présents. Et jamais on ne lui en avait parlé. Des parents qui ont perdu leur enfant passent au moins cinq ou six ans à lutter pour se défaire de la conviction intime que c'est eux qui auraient dû mourir à sa place, que lui survivre est un péché, une preuve d'égoïsme, une monstruosité. Des gens qui perdent des enfants plus âgés, comme les Delmann, éprouvent le même sentiment. La perte est si cruelle, si contre nature, que l'âge ne fait rien à l'affaire. Même lorsqu'on arrive enfin à accepter cette disparition et à regagner une certaine sérénité, la joie reste exclue à jamais du registre de vos sentiments, le puits où elle coulait autrefois, abondante et fraîche, s'est à jamais tari.

Et pourtant c'est une Georgine Delmann empourprée, excitée comme une petite fille, qui mena Joe à l'autre bout du couloir et lui fit passer une porte battante. En l'espace d'un an, elle semblait s'être complètement remise de la mort de sa fille ; mieux encore, elle semblait avoir réussi à la transcender.

Le bref espoir de Joe s'évanouit. Georgine Delmann avait dû perdre l'esprit, ou alors elle était incroyablement superficielle. En tout cas, cette joie si manifeste le choquait.

Dans la cuisine, les lumières étaient tamisées. Malgré ses vastes dimensions, l'endroit était chaleureux avec son plancher et ses meubles de cuisine en érable, ses plans de travail en granit brun. Accrochés sur des étagères, dans la lumière douce et chaleureuse des lampes, des casseroles et des poêlons en cuivre pendaient comme des guirlandes de cloches attendant de sonner les vêpres.

Ils traversèrent la cuisine jusqu'à une table placée dans une alcôve vitrée.

— Charlie, Lisa, regardez qui voilà ! Ça tient du miracle, non ? s'exclama Georgine.

Les vitres biseautées donnaient sur un jardin et une piscine, qui apparaissaient comme un décor de conte de fées sous les lumières scintillantes de l'éclairage extérieur. Sur la table ovale placée sous la fenêtre se trouvaient trois lampes à pétrole allumées ; autour d'elle étaient assis un homme aux cheveux argentés, le Dr Charles Delmann, et une femme dont la blondeur prenait des reflets dorés à la lueur des lampes.

— Charlie, dit Georgine en s'approchant, c'est Joe Carpenter, tu te rends compte ?

Fixant Joe d'un air stupéfait, Charlie Delmann s'avança et lui serra vigoureusement la main. C'était un homme grand, d'allure sympathique.

— Qu'est-ce qui nous arrive, à ton avis, fiston ?

— J'aimerais le savoir, dit Joe.

— Quelque chose d'étrange et merveilleux, dit Delmann, qui semblait aussi transporté que son épouse.

La femme se leva à son tour. Elle avait la quarantaine, le visage lisse d'une collégienne et des yeux d'un bleu délavé qui semblaient avoir vu tous les malheurs du monde.

Joe la connaissait bien. Lisa Peccatone. Elle travaillait pour le *Post*. C'était une ancienne collègue spécialisée dans les enquêtes criminelles, ce qui la mettait en rapport avec de drôles de personnages, tueurs en série, infanticides, violeurs qui mutilaient leurs victimes. Joe n'avait jamais très bien compris l'espèce d'obsession qui la poussait à s'aventurer ainsi dans les antres les plus sombres du cœur humain, à s'immerger dans des histoires de sang et de folie, à chercher un sens aux actes les plus insensés de la sauvagerie humaine. Son intuition lui soufflait qu'elle avait dû subir autrefois une indicible épreuve et qu'elle était sortie de l'enfance chargée d'un terrible fardeau, un souvenir aux relents de soufre dont elle ne pouvait s'absoudre qu'en luttant pour comprendre ce qui échappe à l'entendement du commun des mortels. C'était une personne adorable, passionnée, coléreuse, à la fois très brillante et comme hantée, intrépide et douée d'un tel talent que sa prose savait charmer le cœur des anges et frapper les démons de terreur. Joe l'admirait sans réserve. C'était l'une de ses meilleures amies, pourtant il l'avait laissée tomber comme tous les autres, pour suivre les siens dans un funèbre exil.

— Joe, espèce d'enfant de salaud, qu'est-ce que tu fiches ici ? Tu as repris le collier ou tu es seulement là en tant qu'acteur du drame ?

— Un peu des deux. Mais ce n'est pas en vue d'un article. Je ne crois plus guère au pouvoir des mots.

— Moi, c'est la seule chose en laquelle je crois encore.

— Et toi, qu'est-ce que tu fais là ?

— C'est nous qui l'avons appelée tout à l'heure pour lui demander de venir nous voir, dit Georgine.

— Ne le prenez pas mal, dit Charlie en posant une main sur l'épaule de Joe, mais parmi les journalistes que nous connaissons, Lisa est la seule en qui nous ayons toute confiance.

— Il y a dix ans ou presque, elle faisait huit heures de bénévolat par semaine dans l'un des dispensaires que nous avons ouverts pour les enfants défavorisés, continua Georgine.

Joe ne s'en était jamais douté.

— Eh oui, Joe, dit Lisa avec un petit sourire gêné, je suis une vraie Mère Teresa. Mais, surtout, ne va pas ruiner ma réputation en le racontant aux gens du *Post*.

— J'ai envie d'un verre de vin. Pas vous ? Un bon chardonnay, dit Charlie, avec l'exaltation joyeuse qui avait tant intrigué Joe chez sa femme. Comme s'ils s'étaient réunis non pas pour pleurer, mais pour célébrer l'accident d'avion.

– Non merci, dit Joe, de plus en plus désorienté.

– Volontiers, dit Lisa.

– Moi aussi, dit Georgine. Je vais chercher les verres.

– Non, chérie, reste avec Joe et Lisa, je m'occupe de tout.

Tandis que Joe et les femmes prenaient place autour de la table, Charlie alla à l'autre bout de la cuisine.

– C'est incroyable, vraiment incroyable. Rose est allée le voir lui aussi, Lisa, dit Georgine, la figure tout enluminée à la lueur des lampes à pétrole, tandis que l'éclairage découpait le visage de Lisa Peccatone en deux demi-faces, l'une claire, l'autre obscure.

– Quand ça, Joe ?

– Aujourd'hui, au cimetière. Elle prenait des photographies des tombes de Michelle et des filles. Elle a dit qu'elle n'était pas encore prête à me parler... et elle s'est enfuie.

Joe décida de taire le reste de son histoire tant qu'il n'aurait pas entendu les leurs, à la fois pour découvrir au plus vite les révélations qu'ils avaient à lui faire et s'assurer que leur récit ne risquait pas d'être influencé par sa propre aventure.

– C'est impossible, dit Lisa. Rose est morte dans l'accident.

– Selon la version officielle.

– Décris-la-moi.

Joe la décrivit en détail et prit beaucoup de temps à essayer de restituer le magnétisme qui émanait d'elle, cet ascendant irrésistible qui forçait l'admiration et le respect.

– Rosie a toujours eu du charisme, même au collège, dit Lisa.

Joe vit dans son regard qu'elle était violemment émue.

– Tu la connais ? demanda-t-il, surpris.

– On était ensemble à l'université de Los Angeles, il y a de ça une éternité. On partageait la même chambre. Et on est restées assez proches au fil des années.

– C'est pourquoi Charlie et moi avons décidé d'appeler Lisa tout à l'heure, dit Georgine. Nous savions qu'une de ses amies était à bord de l'avion. Mais ce n'est qu'au beau milieu de la nuit, des heures après le départ de Rose, que Charlie s'en est souvenu : l'amie de Lisa s'appelait Rose elle aussi. Nous nous sommes doutés qu'il devait s'agir de la même personne, et il nous a fallu toute la journée pour décider si nous devions ou non prévenir Lisa.

– Quand Rose vous a-t-elle rendu visite ? demanda Joe.

– Hier au soir, dit Georgine. Elle a débarqué juste au moment où nous allions sortir pour dîner. Elle nous a fait promettre de ne répéter à personne ce qu'elle nous révélerait... tant qu'elle n'aurait pas vu les autres familles de la région. Mais Lisa avait été si déprimée toute l'année dernière à cause de l'accident, Rose et elle étaient si proches... Quel mal y avait-il à la mettre au courant ?

– Je ne suis pas là en tant que journaliste, lui précisa Lisa.

– Quand on l'est, on le reste.

– Rose nous a donné ça, dit Georgine.

Elle sortit de la poche de sa chemise une photographie qu'elle posa sur la table. C'était un cliché de la tombe d'Angela Delmann.

– Que voyez-vous là, Joe ? dit Georgine, les yeux brillants d'excitation.

– C'est plutôt à vous de me le dire.

De l'autre côté de la cuisine, Charlie Delmann fouillait dans les tiroirs, sans doute à la recherche d'un tire-bouchon.

– Nous en avons déjà parlé à Lisa, dit Georgine en jetant un coup d'œil vers l'autre bout de la pièce. J'attends que Charlie revienne pour vous raconter.

– C'est tellement bizarre que je ne sais quoi en penser, Joe. Mais ce qui est sûr, c'est que ça me fiche la frousse.

– La frousse ? s'étonna Georgine. Mais pourquoi, Lisa ?

Joe s'aperçut alors que Lisa, malgré une force de caractère peu commune, tremblait comme une feuille.

– Tu vas comprendre, lui répondit Lisa. Mais je te préviens, Joe, Charlie et Georgine sont parmi les gens les plus équilibrés que je connaisse. Ne l'oublie pas.

Georgine prit le cliché Polaroïd et le fixa avec une telle intensité que Joe eut l'impression qu'elle ne voulait pas seulement l'imprimer dans sa mémoire, mais absorber l'image jusqu'à ce qu'elle fasse partie d'elle et que le support redevienne vierge.

– Moi aussi, j'ai un drôle de morceau à ajouter au puzzle, Joe, lança Lisa avec un sourire. Il y a un an ce soir, j'étais à LAX [1] et j'attendais que l'avion de Rose atterrisse.

– Tu ne nous l'as pas dit, s'étonna Georgine en quittant la photo des yeux.

---

1. Aéroport de Los Angeles. (N.d.T.)

– J'allais le faire quand Joe a sonné à la porte.

À l'autre bout de la cuisine, un bouchon rétif fit un « pop » en sortant de son goulot et Charlie Delmann grogna de satisfaction.

– Ce soir-là, je ne t'ai pas vue à l'aéroport, Lisa, dit Joe.

– Je n'en menais pas large. J'étais assommée par la nouvelle de l'accident, mais aussi... complètement terrifiée.

– Tu étais venue la chercher ?

– Rosie m'avait appelée de New York pour me demander de venir la chercher à LAX avec Bill Hannett.

Hannett était le photographe dont les images étaient exposées sur les murs de la salle d'accueil du *Post*.

– Rosie avait absolument besoin de parler à un journaliste, et j'étais la seule en qui elle ait vraiment confiance, poursuivit Lisa.

– Charlie, lança Georgine, il faut que tu viennes écouter ça.

– J'arrive. J'en ai pour une minute, le temps de nous servir un verre à chacun.

– Rosie me donna le nom de six autres personnes dont elle souhaitait également la présence, dit Lisa. Des amis de longue date. J'ai réussi à en contacter cinq dans les plus brefs délais et à les amener avec moi ce soir-là. Ils devaient servir de témoins.

– Pour témoigner de quoi ? s'enquit Joe.

– Je ne sais pas. Elle était très réservée. Très excitée aussi, mais elle avait peur, ça se sentait. Elle m'a dit qu'elle descendrait de cet avion avec quelque chose qui bouleverserait notre vie à tous et changerait la face du monde.

– Changer la face du monde ? N'importe quel politicien ou star de ciné s'en croit capable, de nos jours.

– Oui, mais il se trouve qu'en l'occurrence Rose avait raison, dit Georgine, qui contenait avec peine des larmes de joie en lui montrant une fois de plus la photo de la tombe. C'est merveilleux.

S'il était tombé dans le terrier du Lapin Blanc [1], Joe ne s'en serait pas étonné tant l'univers dans lequel il venait de pénétrer devenait de minute en minute plus surréaliste.

Les flammes des lampes à huile se ravivèrent soudain et vacillèrent dans leurs hauts tuyaux de verre, sous l'effet d'un courant d'air que Joe ne sentit pas sur sa peau. Un jeu d'ombre et de

---

1. Allusion aux aventures d'*Alice au pays des merveilles*. *(N.d.T.)*

lumière fit courir des salamandres sur la joue de Lisa, dont les yeux paraissaient aussi jaunes que deux lunes basses sur l'horizon.

– Bien sûr, tout ça fait un peu grandiloquent. Mais Rose n'est pas une baratineuse. Et, depuis six ou sept ans, je sais qu'elle travaillait sur un sujet d'une extrême importance. Je l'ai crue.

Ils entendirent le bruit bien reconnaissable de la porte battante. Charlie Delmann venait de quitter la pièce sans prévenir.

– Charlie ? appela Georgine en se levant de sa chaise. Où est-il passé ? Il faut qu'il entende ça.

– Quand je l'ai eue au téléphone quelques heures avant son départ, reprit Lisa en s'adressant à Joe, Rose m'a dit que des hommes la recherchaient. Selon elle, ils ne s'attendraient pas à ce qu'elle débarque à L.A. Mais au cas où ils découvriraient son vol et sa destination et où ils l'attendraient à l'aéroport, Rosie voulait que nous soyons présents pour l'encadrer à la minute où elle descendrait de l'avion et les empêcher de la réduire au silence. Elle comptait me sortir toute l'histoire à ce moment-là, à la porte de débarquement.

– Et qui sont ces « ils » ? demanda Joe.

Georgine se leva pour aller voir où était passé Charlie, mais sa curiosité fut la plus forte et elle retourna s'asseoir.

– Les gens pour lesquels Rosie travaille.

– Teknologik.

– Tu n'as pas perdu ta journée, Joe.

– J'ai essayé de comprendre, dit-il avec la sensation de patauger dans un bourbier de possibilités plus sinistres les unes que les autres.

– Toi, Rose et moi... tous les trois dans le même bateau. Le monde est petit, hein ?

– Lisa, ne me dis pas que cet accident a été provoqué sciemment parce que Rose Tucker se trouvait à bord de l'avion, dit Joe, écœuré à l'idée qu'on puisse sans scrupules supprimer plus de trois cents personnes pour atteindre une cible.

Lisa regarda au loin, vers les reflets scintillants de la piscine.

– Cette nuit-là, j'en étais convaincue, dit-elle après un temps de réflexion. Mais, ensuite... l'enquête n'a relevé aucun indice prouvant qu'une bombe se trouvait à bord de l'appareil, ni retenu aucune hypothèse évoquant une intention criminelle. La version officielle a penché pour une combinaison malheureuse entre une défaillance mécanique mineure et une erreur humaine commise par l'un des pilotes.

— Mais rien ne prouve qu'on ne nous ait pas caché la vérité.

— J'ai passé pas mal de temps à examiner les dossiers du National Transportation Safety Board. Pas uniquement celui qui concernait le crash, mais leurs activités en général. Leur travail est irréprochable, Joe. Ce sont des gens bien. Pas de corruption ni de trafic d'influence. Ils sont au-dessus de tout soupçon.

— Mais Rose se croit responsable de ce qui est arrivé. Elle est convaincue que c'est sa présence à bord de l'avion qui a tout entraîné, affirma Georgine.

— Si vraiment elle est responsable de la mort de votre fille, même indirectement, alors comment pouvez-vous la trouver si merveilleuse ? s'enquit Joe.

Georgine lui fit un sourire aussi désarmant que celui avec lequel elle l'avait accueilli. De plus en plus perdu, Joe trouvait cette expression aussi déconcertante que le sourire d'un clown rencontré dans une ruelle brumeuse après minuit, angoissante aussi, parce que complètement déplacée. « Vous voulez savoir pourquoi, Joe ? Parce que c'est la fin du monde tel que nous le connaissons », semblait dire Georgine.

— Qui est Rose Tucker, et que fait-elle pour Teknologik ? demanda Joe en se tournant vers Lisa, exaspéré.

— C'est une généticienne, très douée.

— Spécialisée dans la recherche sur l'ADN et sa recombinatoire, ajouta Georgine en montrant le Polaroïd, comme si Joe était censé saisir le rapport immédiat qui existait entre la photo d'une tombe et la recherche génétique.

— Je n'ai jamais su exactement ce qu'elle faisait pour Teknologik, poursuivit Lisa. Elle s'apprêtait à me le révéler quand elle a atterri à LAX, il y a un an ce soir. Mais grâce à Georgine et Charlie qui m'ont rapporté ce qu'elle leur a dit hier... j'en ai une meilleure idée. Seulement, je n'ose y croire.

Oser y croire, Joe trouva cette tournure étrange.

— Et cette boîte, Teknologik, qu'est-elle en réalité ? demanda-t-il.

— Tu as du nez, Joe. Cette année sabbatique n'a pas émoussé ton instinct. D'après les vagues allusions que Rosie a pu me faire au fil des années, j'ai bien l'impression qu'il s'agit d'un oiseau rare, dans la jungle impitoyable du capitalisme : une société qui ne peut pas faire faillite.

– Comment ça ? demanda Georgine.

– Parce qu'elle est soutenue en secret par un généreux mécène, très prodigue et prêt à couvrir toutes ses pertes.

– L'armée ? demanda Joe.

– Oui, ou une branche quelconque dépendant du gouvernement. Une organisation aux poches bien remplies. D'après ce que m'en a dit Rosie, j'ai cru comprendre que le financement de ce projet ne se chiffrait pas en centaines de millions, mais en milliards, et que des capitaux énormes étaient en jeu.

Ils entendirent soudain le claquement d'une détonation. Un coup de feu. Même assourdi par les murs, on ne pouvait se tromper sur la nature du son.

– Charlie ? dit Georgine tandis qu'ils se levaient d'un bond.

Peut-être à cause de la scène qu'il avait vécue avec Bob et Clarisse, Joe pensa immédiatement à Nora Vadance assise sur la chaise de jardin, nue et tenant à deux mains un couteau de boucher pointé vers son abdomen.

Après le coup de feu, le silence qui s'abattit sur la maison sembla aussi funèbre qu'une pluie radioactive invisible tombant dans le calme sépulcral qui suit une explosion nucléaire.

– Charlie ! s'écria Georgine avec angoisse en se ruant vers la porte.

Mais Joe la retint.

– Non, attendez, je vais y aller. Appelle le 911 [1], dit-il à Lisa d'un ton péremptoire.

Il espérait se tromper, que tout ça n'avait rien à voir avec la fin de Nora Vadance. Mais, dans le cas contraire, il ne fallait pas que Georgine arrive la première sur les lieux.

– Appelle le 911, répéta Joe en traversant la cuisine et en poussant la porte battante pour pénétrer dans le couloir.

Dans le vestibule, la lumière du grand lustre ne cessait d'aller et venir, comme dans ces films policiers où l'on voit la lumière des ampoules électriques faiblir, puis remonter, signe que la grâce du gouverneur est arrivée trop tard et que le condamné est passé sur la chaise électrique.

Joe courut jusqu'au pied de l'escalier, puis ralentit soudain, terrifié à l'idée de ce qui l'attendait peut-être au premier étage.

Une épidémie de suicides semblait une idée aussi loufoque que celles qui fermentaient dans les cerveaux dérangés de ceux

---

1. Numéro d'urgence, équivalent à police-secours. (N.d.T.)

pour qui le maire était un robot et leurs voisins de palier des extraterrestres venus les espionner. Mais Joe n'arrivait pas à comprendre comment Charlie Delmann avait pu passer de l'euphorie au désespoir en l'espace de deux minutes, de même que Nora Vadance s'était ouvert le ventre sans même laisser un mot d'explication alors qu'une minute avant elle prenait son petit déjeuner en lisant des bandes dessinées.

Pourtant, même si Joe avait raison, il y avait une petite chance que le docteur soit encore en vie et qu'on puisse le sauver. Cette perspective lui redonna courage et il monta l'escalier quatre à quatre.

Arrivé au premier, il passa vite devant des pièces sombres et des portes fermées. Au bout du couloir, par une porte entrouverte, filtrait une lumière rougeâtre.

On accédait à la chambre principale par une petite entrée privée. Le mobilier contemporain était dans les tons ivoire, des poteries vert pâle de la dynastie Song étaient disposées sur des étagères en verre, le tout donnait une impression de sérénité.

Le Dr Charles Delmann était affalé sur une banquette chinoise. À côté de lui se trouvait un fusil à pompe, un Mossberg calibre 12. Le canon court lui avait permis de mettre la gueule du fusil dans sa bouche tout en gardant le doigt sur la détente. Même dans la semi-pénombre, Joe vit qu'il n'y avait plus aucun espoir.

L'unique lumière provenait d'une lampe céladon posée sur l'une des tables de nuit et le sang qui avait éclaboussé l'abat-jour expliquait la lumière rougeâtre.

Un samedi soir, dix mois plus tôt, Joe avait dû visiter une morgue municipale pour les besoins d'un reportage. Des cadavres attendaient le bon vouloir de médecins légistes débordés ; certains étaient enfermés dans des sacs, d'autres nus, posés sur les tables d'autopsie. Tout à coup, Joe avait eu la certitude qu'il s'agissait des corps de Michelle et des filles. C'était une conviction irrationnelle, violente, qui transformait la réalité en un film de science-fiction peuplé de clones. Des frigos en acier où la plupart des cadavres reposaient entre deux destinations, s'étaient alors élevées les voix étouffées de Michelle, de Chrissie, de la petite Nina, l'implorant de les faire revenir du monde des morts dans celui des vivants. À côté de lui, l'assistant de l'officier de police judiciaire avait ouvert un sac, découvrant le visage livide d'une morte dont la bouche fardée ressortait comme une tache de sang sur de la neige. Joe avait cru voir en elle Michelle, Chrissie et Nina, les yeux bleus de la femme le regardaient en aveugle, lui offrant les reflets de sa propre folie. Il était sorti de la morgue et avait remis sa démission à Caesar Santos, son rédacteur en chef.

Il se détourna du corps avant qu'un visage aimé ne se superpose à celui du médecin mort.

Il perçut alors une sorte de souffle bizarre et crut un instant que Delmann respirait encore, malgré l'état de son visage. Puis il se rendit compte que ce son sortait de sa propre bouche, tant sa respiration était oppressée.

Sur la table de nuit la plus proche de lui, les chiffres lumineux d'un réveil numérique remontaient le temps à une vitesse frénétique.

Une balle perdue avait sans doute frappé le réveil qui s'était déréglé, mais une folle idée traversa l'esprit de Joe : tout ce qui s'était produit allait se défaire par magie, Delmann reviendrait à la vie à mesure que les plombs rentreraient dans le canon et que la chair meurtrie se reconstituerait, et lui-même se retrouverait une fois de plus sur la plage de Santa Monica, puis dans son studio une nuit de pleine lune, parlant avec Beth au téléphone, puis encore plus loin en arrière, avant le crash de l'avion.

D'en bas monta un hurlement, aussitôt suivi d'un autre. La chimère se dissipa instantanément.

Il avait quitté la cuisine pendant une minute tout au plus. Qu'avait-il pu arriver en si peu de temps ?

Il tendit la main dans l'intention d'enlever le fusil des mains du mort, puis se ravisa. C'est un suicide, se dit-il. Si tu prends l'arme et la change de place, ça aura l'air d'un meurtre. Avec toi comme suspect.

Il se rua hors de la chambre ensanglantée, prit le couloir où des ombres veillaient comme de lugubres sentinelles et croisa la cascade cristalline de l'énorme lustre en cristal qui pendait au-dessus de la cage d'escalier.

À quoi bon un fusil ? Il serait incapable de tirer sur quiconque. Et à part Georgine et Lisa, qui pouvait se trouver dans la maison ? Personne.

Il dévala l'escalier en s'agrippant à la rampe pour garder l'équilibre. Sa main était si moite qu'elle glissait sur l'acajou.

Il traversa le hall d'entrée en courant comme un fou et entendit une sorte de cliquetis. En poussant la porte battante, il vit que les casseroles en cuivre accrochées au mur s'entrechoquaient doucement.

Dans la cuisine régnait le même éclairage tamisé que lorsqu'il l'avait quittée. Les suspensions halogènes étaient réglées au minimum.

À l'autre bout de la pièce, devant la lueur tremblotante des trois lampes à huile, Lisa, debout, pressait ses poings contre ses tempes, comme pour contenir une pression terrible qui lui fracassait le crâne. Elle sanglotait, gémissait, balbutiait des mots sans suite.

Georgine était invisible.

La musique dissonante des casseroles qui tintaient comme dans un rêve peuplé de lutins et de trolls s'atténua. Joe se précipita vers Lisa. Il aperçut en passant la bouteille de vin que Charlie avait laissée sur le comptoir. À côté de la bouteille, il y avait trois verres de chardonnay où le vin miroitait avec des reflets rubis. Joe pensa un court instant que quelque chose avait peut-être été versé dans le vin, poison, produit chimique, drogue...

Quand Lisa aperçut Joe, elle baissa les mains. Joe vit ses doigts s'ouvrir comme des pétales roses et humides de rosée. D'elle sortaient des petits cris perçants de bête blessée qui vous serraient le cœur plus qu'aucune parole n'aurait pu le faire.

Par terre aux pieds de Lisa, Georgine Delmann était couchée sur le flanc. Ses deux mains agrippaient le manche du couteau avec lequel elle s'était ouvert le ventre. De ses yeux morts sourdaient encore des larmes.

La puanteur immonde des boyaux et des intestins que le ventre de Georgine vomissait prit Joe à la gorge. Il reconnut les premiers symptômes de la crise d'angoisse : l'impression de tomber d'une grande hauteur. S'il y succombait, il ne pourrait plus aider personne, ni Lisa ni lui-même.

Il se força à détourner les yeux de ce qui gisait sur le sol et lutta contre la vague de panique qui le submergeait.

Il se tourna vers Lisa pour la prendre dans ses bras, la rassurer et l'entraîner loin de ce cauchemar. À présent, elle lui tournait le dos.

Il y eut un bruit de verre brisé. Joe tressaillit en imaginant un tueur fracturant une fenêtre pour s'introduire dans la cuisine.

Mais c'étaient les hauts verres des lampes à pétrole qui s'étaient brisés quand Lisa les avait frappées l'une contre l'autre. Sous le choc, du pétrole avait jailli et éclaboussé la table. Des flammèches se mirent à courir et la flaque de pétrole s'embrasa d'un seul coup.

Joe attrapa Lisa par le bras et essaya de l'éloigner du brasier, mais, sans un mot, elle se dégagea et s'empara de la troisième lampe.

– Lisa !

Le Polaroïd de la tombe d'Angela Delmann s'enflamma et se recroquevilla sur la table comme une feuille morte.

Lisa inclina la lampe et versa du pétrole sur tout le devant de sa robe. Mais la mèche enflammée glissa sur le corsage et alla s'éteindre dans les plis de la jupe. Sur la table, les nappes de flammes s'étendirent et débordèrent sur le sol, tandis que des langues de feu fusaient dans toutes les directions en grésillant.

Comme Joe cherchait de nouveau à l'atteindre, Lisa mit ses mains en coupe et recueillit des flammes dont elle s'aspergea la poitrine. Les vêtements imbibés de pétrole s'enflammèrent d'un seul coup. Joe dut retirer sa main.

Sans un cri, Lisa leva les bras et se tint un instant telle la déesse Diane, une boule de feu dans chaque main, puis elle les porta à son visage, à ses cheveux.

Joe recula en titubant, fuyant la torche humaine qui brûlait sans un cri, la chose puante au ventre ouvert qui gisait sur le sol, l'insondable et terrifiant mystère qui venait de tuer son espoir renaissant.

Il vit alors Lisa se tourner vers lui avec un calme effrayant, tandis que son image se reflétait dans chaque angle de la grande baie vitrée. On aurait dit qu'elle cherchait à l'apercevoir à travers la fumée fétide qui l'entourait. Dieu merci, il ne vit pas son visage.

Pétrifié, il eut la certitude qu'il allait mourir, pas à cause des flammes qui se rapprochaient dangereusement, mais parce que lui aussi succomberait à cette épidémie de suicides. Elle le toucherait à l'instant même où Lisa tomberait et ne serait plus qu'une masse carbonisée sur le sol. Pourtant, il était incapable de bouger.

L'alarme à incendie de la cuisine perça soudain le silence, ce qui lui mit les nerfs à vif, mais eut le mérite de le faire sortir de sa transe.

Escorté d'ombres et de lumières qui rampaient sur les murs comme autant de goules et de fantômes, il se rua hors de cet enfer, passa devant les casseroles en cuivre qui brillaient comme à la lueur d'une forge, devant les trois verres de chardonnay qui semblaient flamber comme de l'eau-de-vie.

Joe franchit la porte battante et remonta le couloir jusqu'au vestibule en courant comme un fou, sentant derrière lui une présence hostile qui le talonnait. Un tueur qui avait tout observé d'un coin sombre de la cuisine sans qu'on le voie et le rattraperait à l'instant où il poserait la main sur la poignée de la porte d'entrée.

Ce ne fut pas une main qui le prit au collet, ni une bourrasque de feu, mais un froid cinglant qui s'infiltra par sa nuque et pénétra dans son épine dorsale. Dans la panique, il ne se rendit pas compte qu'il avait ouvert la porte et quitté la maison. Il se retrouva sous le porche, hors d'atteinte du froid mortel qui l'avait saisi.

Il fila le long du mur de briques, entre les haies de buis. Quand il passa entre les deux magnolias qui encadraient le portail et dont les grosses fleurs blanches semblaient l'épier à travers le feuillage, il regarda en arrière. Personne ne le poursuivait.

À part le bruit étouffé de l'alarme qui venait de la maison des Delmann, la rue était silencieuse. Pas de circulation, pas de passant sorti dans la nuit tiède pour une promenade nocturne, pas de voisins intrigués par un bruit suspect, personne. Les propriétés étaient si vastes et les maisons si imposantes que les cris n'avaient pas dû leur parvenir, et même l'unique détonation avait pu être prise pour un simple claquement de portière ou les ratés d'un moteur.

Il envisagea d'attendre l'arrivée des pompiers et de la police, mais comment raconter de façon convaincante ce qui était advenu dans cette maison en un laps de temps si bref? À lui qui les avait vécus, ces événements semblaient hallucinants, depuis le coup de feu jusqu'à l'instant où Lisa s'était enveloppée de flammes, il les voyait comme des fragments du long et douloureux cauchemar qu'était devenue sa vie.

Le feu détruirait pratiquement tous les indices prouvant qu'il s'agissait de suicides et la police risquait de l'accuser de meurtre. Ils verraient en lui un homme profondément perturbé par la perte tragique des siens, qui avait perdu la tête, n'avait plus de boulot, vivait dans un studio minable au-dessus d'un garage – un être décharné, hagard, qui trimbalait vingt mille dollars en liquide dans le coffre de sa voiture, cachés dans la roue de secours. Même si sa version des faits avait été moins délirante, sa situation et son profil psychologique n'auraient guère joué en sa faveur.

Avant que Joe puisse retrouver la liberté, Teknologik et ses sbires l'auraient coincé. Ils avaient essayé de le descendre simplement parce que Rose risquait de lui avoir dévoilé une chose qu'il ne fallait pas divulguer, et à présent, même si le mystère restait entier, il en savait plus qu'alors. Étant donné les relations supposées de Teknologik avec les réseaux politiques et militaires, Joe serait très vraisemblablement tué en prison durant une altercation soigneusement planifiée, qui l'opposerait à d'autres détenus. Et en admettant qu'il sorte de prison vivant, on le suivrait pour l'éliminer à la première occasion.

En se retenant de courir comme un fou et d'attirer ainsi l'attention sur lui, il traversa la rue pour rejoindre la Honda.

Chez les Delmann, les fenêtres de la cuisine explosèrent. Le hurlement strident de l'alarme anti-incendie monta dans la nuit.

Joe lança un coup d'œil en arrière et vit que des flammes s'échappaient de l'arrière de la maison. Dans l'encadrement de la porte d'entrée qu'il avait laissée ouverte, il aperçut des langues de feu lécher les murs du rez-de-chaussée.

Il entra dans la voiture, claqua la portière. Vit du sang sur sa main droite, venant d'un autre que lui.

En frissonnant, il ouvrit le petit coffre qui se trouvait entre les sièges et en tira des mouchoirs en papier avec lesquels il s'essuya la main.

Il fourra les mouchoirs sales dans le sac qui avait contenu les hamburgers en songeant que c'était là un indice compromettant. Pourtant, il n'était coupable d'aucun crime.

Le monde avait basculé. Le mensonge était devenu vérité, la fiction réalité, l'impossible possible, l'innocence un péché.

Il fouilla dans ses poches pour prendre ses clefs de voiture et démarra.

Par la vitre cassée du siège arrière lui parvenaient les sons stridents des alarmes antifeu, car plusieurs autres s'étaient déclenchées, mais aussi les cris des voisins qui résonnaient dans la nuit d'été.

Joe alluma les phares, en espérant que l'attention des voisins était accaparée par l'incendie et que son départ passerait inaperçu. La Honda s'engagea dans la rue.

La charmante maison de style anglais était devenue la demeure des dragons : ils projetaient leur souffle enflammé de pièce en pièce. Les morts gisaient dans leur linceul de feu et les sirènes résonnaient comme autant de lamentations funèbres.

Joe s'enfonça dans cette nuit de démence qui échappait à toute compréhension, dans ce monde qui ne ressemblait plus en rien à celui dans lequel il était né.

POINT ZÉRO

1.

En plein mois d'août, la lueur orangée des feux de camp brûlant sur la plage évoquait Halloween et les différents groupes assemblés quelque tribu en pleine cérémonie païenne.

Dix feux s'élevaient en crépitant le long de la bande de sable où ils étaient autorisés ; autour, des familles nombreuses, des bandes d'adolescents ou d'étudiants étaient réunies.

C'était la plage où Joe préférait se promener la nuit lors de ses échappées thérapeutiques au bord de l'océan, même si d'habitude il restait à bonne distance des feux de camp.

L'atmosphère changeait d'un groupe à l'autre. Ici, une bande de jeunes excités dansait pieds nus sur de vieux tubes des Beach Boys. Là, une assemblée captivée écoutait dans le plus grand silence un petit bonhomme trapu au ventre rond et aux cheveux blancs raconter une histoire de revenants d'une voix bien timbrée.

Les événements de la journée avaient altéré la perception que Joe avait de la réalité. Il avait l'impression d'observer le monde à travers une paire de lunettes qu'il aurait gagnée dans une mystérieuse fête foraine ; des lunettes dont les verres ne déformaient pas votre vision du monde, mais en révélaient une autre dimension, froide et terrifiante.

Les danseurs n'avaient gardé que leur maillot de bain et, à la lueur des flammes, leurs corps cuivrés s'agitaient en tous sens, roulaient des hanches, secouaient les épaules, souples et comme désarticulés. Il s'agissait de gens bien réels, d'individus tous uniques, et pourtant ils apparaissaient à Joe comme des pantins qu'un maître dirigeait à l'aide de fils invisibles. Leur danse endiablée n'avait plus aucune spontanéité à ses yeux, elle n'était qu'une pantomime orchestrée et eux des marionnettes à la joie feinte, aux sourires peints, aux yeux de verre, à qui un ventriloque prêtait sa voix pour faire croire à Joe que le monde qui l'entourait était joyeux et bienveillant.

Il croisa un groupe d'une dizaine de jeunes gens en slips de bain. Leurs combinaisons de plongée noires et luisantes gisaient sur la plage comme les dépouilles d'animaux marins. Leurs planches de surf se dressaient en projetant sur le sable des ombres en forme de menhirs. La sensualité qui se dégageait d'eux était si forte, si vivace, que l'air en était tout imprégné. Elle atteignait un tel degré qu'ils ne chahutaient même plus, mais se déplaçaient lentement en murmurant tels des somnambules.

Les danseurs, le conteur et son public, les surfeurs... tous regardaient Joe d'un air méfiant. Il sentait sur lui leurs coups d'œil furtifs. Ce n'était pas seulement un effet de son imagination.

Il n'aurait pas été surpris d'apprendre que tous travaillaient pour Teknologik et ses véritables dirigeants.

D'un autre côté, il avait beau nager en pleine paranoïa, il était encore assez lucide pour se rendre compte qu'il portait en lui les horreurs indicibles dont il avait été témoin chez les Delmann, et que ces horreurs devaient transparaître dans l'anxiété qui creusait ses traits, le voile de désolation qui éteignait son regard, sa démarche heurtée, ses gestes saccadés. Il devait sembler suspect à ces citadins avertis, pour qui tout esprit torturé était un danger potentiel.

Plus loin, autour du dernier feu de camp, l'ambiance était bien différente. Une vingtaine de jeunes gens et jeunes filles aux crânes rasés étaient réunis dans un silence religieux. Chacun portait une robe bleu saphir, des tennis blanches et un anneau d'or à l'oreille gauche. Les hommes étaient imberbes, les femmes sans maquillage et la plupart d'une beauté si frappante et d'une telle élégance qu'il les identifia immédiatement comme faisant partie des Enfants de Beverly Hills.

Il resta parmi eux quelques minutes, les observant tandis qu'ils contemplaient le feu dans un silence méditatif. Quand ils lui prêtèrent enfin attention, il ne sentit de leur part aucune peur, aucun rejet. Leurs yeux reflétaient une eau calme et profonde où il ne lut que bienveillance, humilité et acceptation, peut-être parce qu'il en avait si grand besoin.

Il avait emporté avec lui le sac McDonald's qui contenait l'emballage des hamburgers, une canette de Coca vide et les mouchoirs en papier dont il s'était servi pour nettoyer sa main ensanglantée. Il jeta le sac dans le feu et vit les jeunes adeptes regarder le sac s'enflammer, noircir et s'évanouir en fumée.

En s'éloignant, il se demanda un court instant comment ils imaginaient sa vie et le but qu'il poursuivait. Dans la spirale infernale du monde moderne, ces fidèles en robe bleue lui donnaient l'impression d'avoir atteint un état d'illumination qui conférait un sens à leur existence. Mais il ne chercha pas à leur parler de peur d'être déçu en retrouvant chez eux une autre version du manque aigu et de la soif d'illusions sur lesquelles tant d'autres fondaient leurs espérances.

Une centaine de mètres plus loin, là où régnait l'obscurité, il s'accroupit et se lava les mains dans l'eau salée en se frottant avec du sable mouillé pour débarrasser le dessous de ses ongles et les plis de sa peau de toute trace de sang.

Puis il s'avança dans l'eau noire sans prendre la peine d'ôter ses Nike ni de remonter son jean et s'arrêta quand il eut de l'eau au-dessus des genoux, avant la limite où le ressac devient plus fort.

Les vagues qui lui léchaient les jambes étaient douces, ourlées d'un mince filet d'écume phosphorescente. Malgré la clarté de la lune, à moins de cent mètres la mer se confondait avec la nuit, noire et invisible, et lui refusait le spectacle apaisant qu'il était venu chercher au bord de son rivage. Pourtant, Joe trouva un peu de réconfort dans l'eau caressante et dans le doux roulis des vagues. Le moteur de l'immense machinerie océane ronronnait, avec ses rythmes éternels, ses mouvements sans fin ni but, et la paix froide de l'indifférence.

Il s'efforça de ne pas penser à ce qui était arrivé chez les Delmann, sachant qu'y réfléchir ne lui servirait à rien. Mais il constatait avec trouble que la mort des Delmann et de Lisa ne lui causait aucun chagrin. Aux réunions du Cercle de compassion, il avait appris qu'après la perte d'un enfant les parents souffrent souvent d'une incapacité émotive qui les empêche de se sentir concernés par les malheurs d'autrui. À la télévision peuvent passer les actualités les plus sinistres – accidents de la route, incendies, faits divers horribles –, ils restent l'œil et le cœur secs. La musique qui les émouvait autrefois jusqu'aux larmes, un tableau

125

qui jadis avait touché leur âme ne leur font plus aucun effet. Certains sortent de cet état d'insensibilité un ou deux ans plus tard, d'autres mettent cinq ou dix ans, d'autres encore n'en reviennent jamais.

Les Delmann avaient l'air de braves gens, mais il les avait à peine connus.

Lisa était une amie. Et maintenant elle était morte. Et puis après ? Tout le monde est condamné à mourir un jour ou l'autre. Vos petites filles chéries. L'amour de votre vie. Tout le monde.

Cette dureté de cœur l'effrayait. Il se trouvait odieux, détestable. Mais il ne pouvait se forcer à ressentir de la souffrance pour autrui. La sienne prenait toute la place.

Il venait puiser dans l'océan cette indifférence qui le rendait si insensible au malheur des autres et dont il espérait qu'elle apaiserait sa peine.

Mais il se demandait quelle sorte d'homme ou de bête il deviendrait le jour où même les morts de Michelle, Chrissie et Nina ne compteraient plus pour lui. Pour la première fois, cette complète indifférence ne lui apparaissait plus comme la promesse d'une paix intérieure, mais comme un mal absolu.

La station-service et sa boutique ouverte vingt-quatre heures sur vingt-quatre étaient à trois rues de son hôtel. Il y avait deux cabines téléphoniques dehors, à côté des toilettes.

Quelques gros papillons de nuit, blancs comme des flocons de neige, tournaient autour des réverbères accrochés aux avant-toits du bâtiment, et les ombres démesurément agrandies de leurs ailes traversaient le mur de plâtre blanc.

Joe n'avait jamais pris la peine d'annuler sa carte de crédit téléphonique. Grâce à elle, il passa plusieurs appels longue distance qu'il n'osait pas donner de sa chambre d'hôtel par souci de sécurité.

Il voulait parler à Barbara Christman, la chargée d'enquête nommée sur l'affaire du vol 353. Ici, sur la côte Ouest, il était onze heures du soir, à Washington D.C., il était deux heures du matin un dimanche. Bien sûr, elle ne serait pas à son bureau, et même si Joe tombait par chance sur un employé de permanence au National Transportation Safety Board, celui-ci ne lui donnerait jamais le numéro personnel de Barbara Christman.

Néanmoins, il obtint le numéro général du NTSB par les

renseignements. Le nouveau système téléphonique automatique du Safety Board lui offrit plusieurs options, dont la possibilité de laisser un message vocal à n'importe lequel de ses membres, quel que soit son niveau hiérarchique, en composant l'initiale du prénom et les quatre premières lettres du nom de famille de son destinataire. Il eut beau composer soigneusement B-C-H-R-I, il n'eut pas accès à la boîte vocale de Barbara Christman, mais tomba sur un message enregistré l'informant qu'il n'existait aucun poste correspondant à ce code. Il réessaya, sans résultat.

Ou Barbara Christman ne travaillait plus pour le NTSB, ou bien leur système de courrier vocal fonctionnait mal.

Même si tous les chargés d'enquête œuvraient depuis les quartiers généraux du NTSB à Washington, des membres de l'équipe qui leur était attachée et des spécialistes recrutés par le Bureau pouvaient opérer depuis des antennes situées à travers tout le pays : Anchorage, Miami, Kansas City, New York et Seattle. Grâce aux ordinateurs du *Post*, Joe avait obtenu une liste de presque tous les membres de l'équipe, mais il ignorait où ils étaient basés.

Parce que le lieu de l'accident était situé à un peu plus de cent cinquante kilomètres au sud de Denver, il supposa qu'au moins quelques-uns des membres de cette équipe appartenaient à l'antenne de Denver. Il parcourut sa liste, onze noms en tout, et demanda leurs coordonnées téléphoniques au service de renseignements de Denver.

Il obtint trois réponses. Les numéros des huit autres personnes n'étaient pas enregistrés ou bien elles ne résidaient pas dans les environs de la ville.

L'incessant ballet des papillons de nuit et leurs ombres géantes sur le mur de la station-service attiraient son regard. Ils lui rappelaient quelque chose, quelque chose d'important. Mais comme toujours dans ces cas-là le souvenir lui échappait. Pendant un instant, il fixa intensément les ombres qui changeaient aussi vite que les formes mouvantes dessinées par la lave en fusion, mais il ne parvint pas à faire le lien.

À Denver, il était plus de minuit ; Joe passa quand même ses trois appels. Le premier numéro était celui du météorologiste qui avait participé à l'enquête pour établir l'influence éventuelle des facteurs climatiques sur l'accident d'avion. Il tomba sur un répondeur et ne laissa pas de message. Le deuxième était le numéro du responsable de la section qui avait passé au crible tous les débris métalliques de l'appareil, à la recherche d'indices. Il était revêche et se montra peu coopératif; peut-être avait-il été réveillé par le téléphone. Le troisième appel lui fournit enfin le chaînon intermédiaire dont Joe avait besoin pour joindre Barbara Christman.

Son interlocuteur s'appelait Mario Oliveri. Il était à la tête de la section chargée d'enquêter sur les éventuelles erreurs humaines imputables à l'équipage ou aux contrôleurs aériens.

Malgré l'heure tardive et le côté indiscret de l'appel, Oliveri fut cordial, il se présenta comme un noctambule qui ne se couchait jamais avant une heure du matin.

— Cela dit, monsieur Carpenter, je suis sûr que vous comprendrez que je ne parle pas aux journalistes des activités du Bureau, ni des détails d'une enquête, quelle qu'elle soit. De toute façon, tout cela figure dans le rapport officiel.

— Ce n'est pas pour ça que je vous ai appelé, monsieur Oliveri. J'ai du mal à joindre la femme qui a été chargée de l'enquête, et j'ai besoin de lui parler de toute urgence. J'espérais que vous pourriez me donner ses coordonnées. J'ai appelé les bureaux de Washington; apparemment, sa boîte vocale ne fonctionne pas.

— Aucun de nos chargés d'enquête n'est une femme. Ils sont six et ce sont tous des hommes.

— Barbara Christman.

— Ah, en effet. Elle s'est mise en retraite anticipée il y a plusieurs mois.

— Avez-vous son numéro de téléphone?

— Non, je le crains, dit Oliveri après une hésitation.

— Vous savez peut-être si elle vit à Washington D.C. ou dans les environs. Dans ce cas, je pourrais retrouver son numéro...

— J'ai entendu dire qu'elle était retournée vivre dans le Colorado. Elle a débuté sa carrière à l'antenne de Denver il y a de ça des années, puis elle a été mutée à Washington, où elle a grimpé les échelons jusqu'à devenir chargée d'enquête.

— Alors elle vit à Denver maintenant?

Oliveri resta silencieux, comme si la référence à Barbara Christman le gênait.

— Je crois qu'elle habite à Colorado Springs. À environ cent kilomètres de Denver.

Et à moins de soixante kilomètres de la prairie où le 747 s'était écrasé.

— Colorado Springs, répéta Joe. Mais si elle est mariée, le numéro risque d'être au nom de son mari.

— Elle est divorcée depuis des années. Monsieur Carpenter... je me demande si...

— Oui? lança Joe, attendant vainement qu'Oliveri termine sa phrase.

— Cela est-il en rapport avec le vol 353?

— Oui. Cela fait un an ce soir que c'est arrivé.

Oliveri resta encore silencieux.

— Y a-t-il quelque chose, disons... d'inhabituel dans cette affaire? demanda Joe.

— Toutes les conclusions de l'enquête figurent dans le rapport officiel, je vous l'ai déjà dit.

— Ce n'est pas à ça que je pensais.

Un tel silence s'installa sur la ligne que Joe eut l'impression de converser avec un habitant de la face cachée de la lune.

— Monsieur Oliveri?

— Je n'ai rien à ajouter, monsieur Carpenter. Mais si par hasard quelque chose me revenait, y a-t-il un numéro où je puisse vous joindre?

Plutôt que de se lancer dans une explication embrouillée sur sa situation présente, Joe préféra attaquer de front.

— Écoutez, monsieur Oliveri, en admettant que vous soyez de bonne foi, vous prendriez de gros risques en cherchant à m'appeler. Je connais des gens peu recommandables qui s'intéresseraient à vous de très près s'ils savaient que nous sommes entrés en contact.

— Quels gens?

— Si vous avez quelque chose en tête ou sur la conscience, poursuivit Joe, ignorant la question, prenez le temps d'y réfléchir. Je vous rappellerai dans un jour ou deux.

Et il raccrocha.

Les papillons de nuit se cognaient contre les projecteurs. Papillons se brûlant les ailes à la lumière, un cliché si ressassé. La chose dont il essayait de se souvenir continuait à le fuir.

Il appela les renseignements de Colorado Springs. L'opérateur lui donna le numéro de Barbara Christman.

Elle répondit à la deuxième sonnerie et sa voix n'était pas du tout celle de quelqu'un qu'on réveille.

Peut-être n'était-ce pas si facile de s'endormir lorsqu'on errait depuis des années parmi d'aussi macabres décors.

Joe se présenta. Il prétendit être toujours journaliste au *Post*.

Le silence qui suivit était tout aussi froid et lunaire que celui d'Oliveri.

— Où êtes-vous ? dit-elle.

— Pardon ?

— D'où appelez-vous ? de Colorado Springs ?

— Non. De Los Angeles.

— Oh ! dit-elle avec une légère nuance de regret, sembla-t-il à Joe.

— Madame Christman, j'aimerais vous poser quelques questions à propos du vol 353. Est-ce que...

— Je regrette, le coupa-t-elle. Je sais combien vous avez dû souffrir, monsieur Carpenter, et l'angoisse indicible que vous devez encore éprouver aujourd'hui. Mais tout ce que je pourrais dire ne vous serait d'aucun secours et ne vous aiderait en aucune manière à accepter la chose...

— Ce n'est pas ce que je cherche, madame Christman. J'essaie de découvrir ce qui s'est vraiment passé.

— Les gens qui sont dans la même situation cherchent souvent refuge dans des théories du complot, monsieur Carpenter. C'est un phénomène assez commun, car la perte de leurs proches semble insensée, inexplicable. Certains pensent que nous couvrons l'incompétence de la compagnie d'aviation, ou que l'association des pilotes de ligne a acheté notre silence et que nous avons escamoté les indices prouvant que l'équipage était saoul ou drogué. Mais ce fut un accident, monsieur Carpenter. Et même si je passais un long moment au téléphone à essayer de vous en convaincre, je n'y parviendrais pas. Vous avez toute ma sympathie, soyez-en sûr, mais c'est avec un psychothérapeute qu'il vous faudrait parler, pas avec moi.

Avant que Joe puisse répondre, elle avait raccroché.

Il rappela, laissa passer quarante sonneries ; elle ne répondit pas.

Il regagna la Honda, mais s'arrêta à mi-chemin, se retourna et contempla une dernière fois le mur blanc de la station-service que les ombres démesurées des papillons de nuit traversaient comme des fantômes surgis d'un rêve brumeux.

Les papillons qui se brûlent les ailes à une flamme. Trois flammes dans trois lampes à huile. Les hauts tuyaux de verre.

Il revit les trois flammes se raviver dans les verres. La lumière jaune éclairer le visage de Lisa et les ombres papillonner sur les murs de la cuisine.

Sur le moment, Joe avait pensé qu'un simple courant d'air avait ravivé les flammes, même s'il n'avait senti aucun souffle sur sa peau. Mais, rétrospectivement, les flammes qui avaient brusquement monté de plusieurs centimètres ne lui semblaient plus aussi anodines.

Ce détail avait un sens.

Il regarda encore les papillons de nuit et le mur de la station-service en tentant de leur substituer les mèches enflammées des lampes à pétrole et la cuisine des Delmann, avec ses meubles de rangement en érable et ses plans de travail en granit brun.

Malgré tous ses efforts, aucune illumination ne lui vint et le sens caché de ce détail continua à lui échapper.

Dans l'état d'épuisement où il se trouvait, il n'était plus bon à rien. Tant qu'il ne se serait pas reposé, il ne pourrait se fier ni à son bon sens ni à ses intuitions.

Allongé sur le lit du motel, la tête posée sur un oreiller d'écume, le cœur cognant contre les récifs rocheux de sa mémoire, Joe grignotait une tablette de chocolat qu'il avait achetée à la station-service, sans en sentir la saveur. Il croqua le dernier carré et un goût de sang lui emplit la bouche, comme s'il s'était mordu la langue.

Ce goût amer n'était pas celui du sang, mais de la culpabilité qui l'étreignait une fois de plus. Encore un jour écoulé et il était toujours en vie. Ce n'était pas juste.

À part la lumière de la lune qui filtrait par la porte ouverte sur le balcon et les chiffres verts du réveil à affichage numérique, la pièce était plongée dans l'obscurité. Joe fixait le lustre qu'un rayon de lune éclairait faiblement et qui semblait flotter au-dessus de lui comme un corps ectoplasmique.

Il songea au chardonnay qui rutilait dans les trois verres posés sur le comptoir de la cuisine des Delmann. Mais il n'y avait rien à chercher de ce côté-là. Même si Charlie avait goûté le vin, Georgine et Lisa n'avaient pas touché leurs verres.

Ses pensées voletaient comme des papillons de nuit dans sa tête, cherchant la lumière.

Il avait envie d'appeler Beth et Henry. Mais leur ligne risquait d'être sur table d'écoute, ce qui permettrait à ses poursuivants de localiser son appel et de le retrouver. De plus, il craignait de mettre Beth et Henry en péril en leur racontant ce qui lui était arrivé depuis l'épisode de la plage, quand il s'était rendu compte qu'on le surveillait.

Bercé par le rythme doux et maternel des vagues, fourbu et se demandant pourquoi il avait échappé à l'épidémie de suicides qui avait frappé Lisa et les Delmann, il glissa dans un sommeil tourmenté.

Un peu plus tard, il ouvrit les yeux et se retrouva dans l'obscurité, couché sur le flanc, face au réveil posé sur la table de nuit. Les chiffres d'un vert phosphorescent lui rappelèrent le réveil qui se trouvait dans la chambre ensanglantée de Charles Delmann et le temps qui filait à rebours, par séquences de dix minutes.

Joe avait supposé qu'un plomb de fusil perdu avait frappé le réveil et déréglé le mécanisme. À présent, dans les limbes du sommeil, il pressentait que l'explication était toute différente, beaucoup plus étrange.

Un réveil, des lampes à pétrole.

Des chiffres qui clignotent, des flammes qui se ravivent.

Tout cela avait un lien, une signification.

Il replongea dans le sommeil un court moment, mais la sonnerie du réveil le réveilla bien avant l'aube. Il avait dormi moins de quatre heures. Après un an d'insomnie chronique, c'était assez pour qu'il se sente revigoré.

Après une douche rapide, il fixa le réveil à affichage numérique tout en s'habillant. Mais la révélation demeura aussi insaisissable que lorsqu'il l'avait pressentie, tout engourdi de sommeil.

Joe roula jusqu'à l'aéroport de Los Angeles tandis que l'aube tardait à se lever sur la côte.

Il acheta un billet aller et retour dans la journée pour Denver. Le vol du retour le ramènerait à Los Angeles à temps pour son rendez-vous de six heures avec Demi, la femme à la voix sexy, au café de Westwood.

Comme il se dirigeait vers la porte d'embarquement, il aperçut deux jeunes hommes en robes bleues au bureau d'enregistrement d'un vol à destination de Houston. À leurs crânes rasés, à l'anneau d'or qu'ils portaient à l'oreille gauche et à leurs tennis blanches, il les reconnut comme faisant partie du même culte que le groupe qu'il avait rencontré autour du feu de camp sur la plage, quelques heures plus tôt.

L'un était noir, l'autre blanc, et chacun avait son ordinateur portable. Le Noir regarda l'heure à sa montre, une Rolex en or. Manifestement, leur foi ne les avait pas amenés à faire vœu de pauvreté et ils n'avaient pas grand-chose en commun avec les Hare Krisna.

C'était la première fois que Joe montait à bord d'un avion depuis qu'il avait appris la nouvelle un an plus tôt, mais il resta calme durant tout le trajet. Au début, il craignit d'avoir une crise qui lui ferait revivre la chute du vol 353 telle qu'il l'avait si souvent imaginée, mais, après quelques minutes d'angoisse, il sut que le voyage se passerait bien.

Il ne redoutait pas de mourir dans un accident d'avion. Au contraire, il accepterait de bon cœur d'avoir la même fin que sa femme et ses filles ; la boucle serait bouclée et cela lui semblerait même un juste retour des choses, la preuve qu'il y avait un certain équilibre dans l'univers, une raison d'être dans les coups funestes du destin.

Ce qu'il apprendrait peut-être de la bouche de Barbara Christman le préoccupait davantage.

Il était convaincu qu'elle se méfiait des conversations téléphoniques, mais accepterait de lui parler face à face. Il ne croyait pas avoir imaginé son désappointement quand elle avait appris qu'il ne l'appelait pas de Colorado Springs. Et sa sortie sur le danger de céder à des théories du complot et sur la nécessité pour lui de suivre une thérapie du deuil avait beau être convaincante, elle semblait plus destinée à des oreilles indiscrètes qu'à lui-même.

Si Barbara Christman souhaitait alléger sa conscience, alors la solution de l'énigme du vol 353 se trouvait peut-être à portée de main.

Joe voulait savoir toute la vérité ; il en avait besoin, tout en la redoutant. La paix de l'indifférence lui serait à jamais refusée s'il apprenait que des hommes, et non pas la fatalité, étaient responsables de la mort des siens. Et le voyage qui le menait vers cette vérité n'était pas une ascension glorieuse vers la lumière, mais une descente aux enfers.

Il avait apporté les photocopies des quatre articles parus dans le *Post* sur Teknologik. Le style en était si rébarbatif et sa faculté d'attention s'épuisait si vite après moins de quatre heures de sommeil qu'il fut incapable de se concentrer.

Il sommeilla par intermittence tandis que l'avion survolait le désert Mojave et les Rocheuses : deux heures et quart de rêves diffus et frustrants où perçait la vague lueur de lampes à pétrole et de chiffres phosphorescents comme une révélation toute proche, mais s'éteignant toujours avant qu'il puisse la saisir.

À Denver, il faisait très humide et le ciel était couvert. Vers l'ouest, les montagnes disparaissaient sous d'épaisses nappes de brumes matinales.

En plus de son permis de conduire, il lui fallut présenter une carte de crédit comme pièce d'identité pour louer une voiture. Il laissa une caution en liquide au lieu de se servir de la carte, pour éviter que ses poursuivants ne retrouvent sa trace.

Personne à bord de l'avion ni au terminal ne lui avait prêté attention, mais Joe gara la Ford qu'il avait louée devant un centre commercial situé non loin de l'aéroport et la fouilla entièrement, intérieur, coffre, capot, carosserie, en quête d'un mouchard semblable à celui qu'il avait trouvé sur sa Honda. Il ne trouva rien de suspect.

Du centre commercial, il s'engagea dans un dédale de rues en vérifiant dans son rétroviseur qu'il n'était pas suivi. Rassuré, il finit par prendre la nationale 25 et roula vers le sud.

Au fil des kilomètres, Joe accéléra sans se soucier de la limitation de vitesse, de plus en plus convaincu que s'il n'arrivait pas à temps chez Barbara Christman, celle-ci aurait déjà mis fin à ses jours et qu'il risquait de la retrouver en piteux état, le ventre ouvert ou la tête fracassée par l'impact d'une balle.

2.

À Colorado Springs, Joe trouva l'adresse de Barbara Christman dans l'annuaire. Elle vivait dans un petit bijou victorien inspiré du début du dix-huitième, très ornementé.

Quand elle vint lui ouvrir, elle ne laissa pas à Joe le temps de se présenter.

— Vous arrivez encore plus tôt que je ne pensais.

— Vous êtes Barbara Christman ?

— Ne restons pas ici, l'endroit est mal choisi.

— Je ne crois pas que vous me connaissiez...

— Bien sûr que je vous connais. Mais allons ailleurs.

— Où ça ?

— C'est votre voiture ? demanda-t-elle en montrant la Ford garée le long du trottoir. Allez la garer à deux rues d'ici. Attendez-moi là-bas, je passerai vous prendre, lui ordonna-t-elle.

Et elle referma aussitôt la porte.

Joe resta sur le porche un moment, déconcerté. Il faillit sonner à nouveau, craignant qu'elle en profite pour disparaître, puis se ravisa et décida de lui faire confiance.

Il alla donc se garer à deux rues au sud de la maison de Barbara Christman, à côté d'un terrain de jeux pour enfants. Balançoires, tape-culs, portiques, tous les jeux étaient vides et immobiles, en ce dimanche matin. Sinon, Joe aurait fui le rire argenté des enfants pour se garer ailleurs.

Il sortit de la voiture et scruta la rue qui partait vers la maison de Barbara Christman. Personne en vue.

Joe regarda l'heure à sa montre. Dans dix minutes il serait dix heures, heure du Pacifique, et onze heures ici.

Dans huit heures, il lui faudrait être rentré à Westwood pour son rendez-vous avec Demi... et Rose.

Le long des rues endormies soufflait un vent félin qui agitait doucement les branches des pins comme pour en déloger les oiseaux qui s'y cachaient et faisait bruire les feuilles de bouleaux aussi blancs que des surplis d'enfants de chœur.

Sous un ciel gris clair où la brume diminuait à l'ouest tandis que de gros nuages vert-de-gris menaçaient à l'est, le jour semblait de sinistre présage. Joe sentit des frissons lui parcourir la nuque, avec l'impression d'être aussi exposé que le centre d'une cible sur un stand de tir.

Quand une Chevy approcha du sud, avec trois hommes à l'intérieur, Joe se glissa sur le siège du passager pour se couvrir au cas où ils lui tireraient dessus. Mais ils passèrent sans même jeter un coup d'œil dans sa direction.

Une minute plus tard, Barbara Christman arriva dans une Ford Explorer vert émeraude. Elle sentait un peu l'eau de Javel et le savon, et il supposa qu'elle était en train de laver du linge quand il avait sonné à sa porte.

— Madame Christman, comment avez-vous fait pour me reconnaître sans m'avoir jamais vu ? D'après une photographie ? demanda Joe comme ils quittaient les abords du terrain de jeux pour filer vers le sud.

— Non, répondit-elle. Appelez-moi donc Barbara.

— Alors Barbara... Comment avez-vous deviné qui j'étais ?

— Il est rare qu'un inconnu sonne à ma porte. Et la nuit dernière, quand vous avez rappelé et que je n'ai pas répondu, vous avez laissé sonner plus de trente fois.

— Quarante exactement.

— Même un homme obstiné aurait abandonné après vingt sonneries. Quand elles ont continué, j'ai su que vous n'étiez pas seulement têtu comme un âne, mais obsédé, et que vous ne tarderiez pas à arriver.

Elle avait la cinquantaine et portait un jean délavé avec une chemise en batiste bleu pervenche. Ses épais cheveux blancs étaient coupés sans recherche. Bien bronzée, avec un visage large et aussi chaleureux qu'un champ de blé du Kansas, elle avait un air franc et un regard direct qui inspiraient confiance. L'assurance, l'efficacité qui se dégageaient d'elle ainsi que sa brusquerie plurent aussitôt à Joe.

136

— De qui avez-vous peur, Barbara ?

— Je ne sais pas au juste.

— Je finirai par trouver la réponse, la prévint-il.

— Je vous dis la vérité, Joe. J'ignore qui ils sont. Je ne l'ai jamais su. Mais ils tirent des ficelles inimaginables.

— Assez pour contrôler les résultats d'une enquête menée par le Bureau de sécurité ?

— L'intégrité du Bureau n'est pas en cause. Mais ces gens... ont réussi à faire disparaître certains indices.

— Lesquels ?

Elle s'arrêta à un feu rouge et se tourna vers lui.

— Joe, qu'est-ce qui a fini par éveiller vos soupçons, après tout ce temps ?

— Rien... Et je n'en aurais jamais eu, si je n'avais rencontré la seule survivante.

Elle le fixa d'un air ébahi, comme s'il venait de dire quelque chose d'incompréhensible.

— Rose Tucker, dit-il.

— Qui est-ce ? demanda-t-elle ingénument, et il ne lut aucune malignité dans ses yeux noisette.

— Elle était à bord de l'avion. Je l'ai rencontrée hier au cimetière, alors que je me rendais sur les tombes de ma femme et de mes filles.

— Impossible. Personne n'a survécu. Personne n'aurait pu survivre.

— Elle était sur le manifeste passager, précisa Joe tandis que Barbara le fixait, interdite. Et maintenant, elle est poursuivie par des individus extrêmement dangereux, qui m'ont pris en chasse moi aussi. Peut-être s'agit-il de ceux qui ont fait disparaître les preuves.

Ils entendirent un coup de klaxon. Le feu était passé au vert.

Barbara tendit la main vers le tableau de bord et baissa la climatisation, comme si elle avait froid tout à coup.

— C'est impossible, personne ne peut avoir survécu, insista-t-elle. Dans les accidents d'avion les plus courants, l'appareil vient heurter le sol et rebondit. Il arrive qu'il y ait des survivants. Tout dépend de l'angle de l'impact, entre autres. Mais dans celui-ci, l'appareil a piqué du nez et a percuté le sol pratiquement à la verticale.

— À la verticale ? J'ai toujours cru qu'il s'était renversé et qu'il avait été réduit en pièces.

— Vous n'avez donc jamais lu les comptes rendus des journaux ?

— J'en étais incapable, dit-il en hochant la tête. Je n'ai fait que l'imaginer...

— Il n'a pas juste heurté le sol et rebondi, répéta-t-elle. Il est tombé tout droit, la tête la première. Un peu comme dans le crash de Hopewell, en septembre 1994. Un 737 de USAir est tombé sur la commune de Hopewell alors qu'il faisait route vers Pittsburgh et il a été pulvérisé. Je suis désolée, Joe, mais, dans ce genre de crash, l'avion éclate comme s'il se trouvait en plein cœur d'une bombe explosive.

— Ils ont quand même trouvé des restes, même s'ils n'ont jamais pu les identifier.

— Si peu. Ce fut épouvantable, Joe. Et bien pire que tout ce que vous pouvez imaginer, croyez-moi.

Il se rappela les petits cercueils contenant les restes de sa famille, et, sous la pression du souvenir, son cœur se serra jusqu'à n'être plus qu'une petite pierre dure.

— Parmi les passagers, certains ont effectivement disparu, comme volatilisés, reprit-il quand il fut enfin en mesure de parler. D'eux, on n'a retrouvé aucuns restes.

— Ce fut la grande majorité, dit-elle en prenant la nationale 115, filant vers le sud sous un ciel de plomb.

— Peut-être que, sous le choc, cette Rose Tucker ne s'est pas... désintégrée comme les autres. Peut-être qu'elle a disparu parce qu'elle en est sortie indemne.

— Indemne ?

— La femme que j'ai rencontrée n'était ni défigurée ni estropiée. Elle avait l'air de s'en être sortie sans une égratignure.

— Elle vous a trompé, Joe, dit Barbara d'un ton inflexible. Elle a menti. Elle n'était pas à bord de cet avion. À mon avis, elle joue un drôle de jeu, un jeu pervers.

— Je la crois.

— Pourquoi ?

— À cause de certaines choses que j'ai vues.

— Quelles choses ?

— Il vaut mieux que vous n'en sachiez rien. Vous vous retrouveriez dans le même pétrin que moi et je n'ai pas envie de vous mettre en danger. Ma venue ici risque déjà de vous attirer des ennuis.

– Pour croire en l'existence d'une survivante, vous devez vraiment avoir vu quelque chose d'extraordinaire, dit-elle après un silence.

– Plus que vous ne pouvez l'imaginer.

– N'empêche... je n'y crois pas, dit-elle.

– Tant mieux pour vous.

Ils étaient sortis de Colorado Springs et avaient traversé les faubourgs de la ville pour s'enfoncer dans un paysage de plus en plus rural parsemé de fermes. Vers l'est, les hautes plaines se transformaient en plateaux arides. Vers l'ouest, le relief s'élevait doucement à travers des champs et des bois jusqu'à des collines à moitié cachées par la brume.

– Vous ne roulez pas au hasard, n'est-ce pas ? dit-il.

– Pour bien saisir ce que je vais vous expliquer, il faut que vous puissiez le voir de vos yeux, lui dit-elle en lui lançant un regard empreint d'une réelle sollicitude. En serez-vous capable, Joe ?

– Alors... c'est bien là-bas que nous allons.

– Oui. Si vous vous en sentez la force.

Joe ferma les yeux et lutta pour réprimer une montée d'angoisse. Sa tête s'emplissait déjà du hurlement des réacteurs.

Le lieu de l'accident se trouvait au sud-ouest de Colorado Springs, à une cinquantaine de kilomètres.

Barbara Christman le conduisait à la prairie où le 747 s'était pulvérisé comme un vaisseau de verre.

– Seulement si vous vous en sentez capable, dit-elle doucement.

Joe sentit son cœur se comprimer encore dans sa poitrine, jusqu'à n'être plus qu'un trou noir.

L'Explorer ralentit. Barbara se gara sur le bas-côté de la route.

Joe ouvrit les yeux. Même à travers les gros nuages vert-de-gris, la lumière du soleil restait aveuglante. Il se força à fermer son esprit pour ne plus entendre le rugissement des réacteurs de l'avion.

– Non, continuez. Ça ira. De toute façon, je n'ai plus rien à perdre.

Ils quittèrent la nationale pour une route gravillonnée, puis assez vite pour un mauvais chemin qui partait vers l'ouest à travers de hauts peupliers dont les branches verticales traversaient le ciel comme de longues flammes vertes. Les peupliers cédèrent la place à des mélèzes et à des bouleaux, puis à des pins blancs tandis que les bois devenaient plus fournis et le chemin plus étroit. Troué d'ornières, il se fit de plus en plus mauvais et serpenta entre les arbres jusqu'à se couvrir enfin de mauvaises herbes et se perdre sous des frondaisons de chênes verts.

— On va laisser la voiture ici et continuer à pied, dit Barbara en coupant le moteur. Ce n'est qu'à huit cents mètres et les fourrés ne sont pas trop épais.

La forêt n'était pas aussi dense et primitive que les vastes taillis de pins, de sapins et d'épicéas qui couvraient les flancs des montagnes enrobées de brume plus à l'ouest, mais l'endroit était si sauvage et si calme qu'il évoquait une immense cathédrale de verdure. Ce silence religieux que seuls rompaient le craquement des brindilles et le doux crissement des aiguilles de pin sous leurs pieds était pour Joe aussi oppressant que le rugissement imaginaire des réacteurs d'avion qui précédait chez lui une crise d'angoisse. Il l'emplissait d'un sentiment d'attente sinistre, inquiétant.

Il suivit Barbara sous les voûtes d'arbres immenses qui créaient, même en cette fin de matinée, une pénombre aussi profonde que l'intérieur d'un cloître.

L'air était empli de la senteur vivifiante des pins et de l'odeur de moisi que dégageait l'humus.

À mesure qu'il avançait, il fut gagné par un tremblement qui faisait perler une sueur froide à son front, dans ses cheveux, le long de sa nuque, de son dos. Malgré la chaleur, il frissonnait des pieds et à la tête.

À travers les rangées d'arbres, au-delà des derniers pins blancs, il entrevit enfin un espace découvert. Il appréhendait maintenant de quitter la forêt qui lui avait pourtant semblé si oppressante pour aller au-devant de ce qui l'attendait.

Il suivit Barbara et s'avança dans une prairie qui s'élevait en pente douce. La clairière avait trois cents mètres de large du nord au sud et deux fois plus d'est en ouest, là où se profilait la crête boisée.

De l'avion, il ne restait plus aucun vestige, mais la prairie semblait comme hantée.

La neige fondue de l'hiver précédent et les lourdes pluies de printemps avaient fait pousser des herbes vertes qui s'étendaient comme un cataplasme sur la terre déchirée, brûlée. Cependant l'herbe haute parsemée de fleurs sauvages ne parvenait pas à cacher la blessure la plus terrible : un cratère ovale aux bords déchiquetés, d'environ quatre-vingt-dix mètres sur soixante.

– Le point d'impact, dit Barbara Christman.

Ils avancèrent côte à côte vers le lieu même où l'engin de quatre cents tonnes avait surgi en hurlant du ciel nocturne pour se fracasser contre la terre, mais Joe se fit vite distancer et s'arrêta soudain. Son âme ressemblait à cette terre arrachée, meurtrie, labourée par le chagrin.

Barbara se retourna vers lui ; sans un mot, elle glissa sa main dans la sienne. Il la serra fort et ils se remirent en marche.

Tandis qu'ils approchaient du point d'impact, Joe reconnut les arbres noircis par le feu qui bordaient le périmètre nord de la forêt et avaient servi de toile de fond à la photographie parue dans le *Post*. Des pins dépouillés de leurs aiguilles, des trembles calcinés imprimaient sur le ciel leur triste géométrie.

Ils s'arrêtèrent au bord érodé du cratère. En dessous d'eux, le sol était inégal ; par endroits, dans les creux les plus profonds, une maison de deux étages aurait pu y tenir de toute sa hauteur. L'herbe avait repoussé par plaques le long des pentes, mais pas au fond du cratère ; là, des blocs de pierre grise émergeaient d'une fine couche de poussière et de feuilles mortes déposées par le vent.

– La force de l'impact a perforé des sédiments accumulés durant des milliers d'années, elle a même fracturé le soubassement rocheux.

Plus choqué encore qu'il ne s'y attendait par la violence extrême qui se dégageait des lieux, Joe leva les yeux vers le ciel, se forçant à retrouver une respiration à peu près régulière.

Un aigle surgit des brumes montagneuses, volant d'ouest en est suivant un tracé aussi rectiligne que celui d'un parallèle sur une carte. Contre le ciel plombé, il paraissait presque aussi noir que le corbeau d'Edgar Poe, mais lorsqu'il traversa la zone orageuse teintée de bleu-noir, il sembla devenir aussi pâle et évanescent qu'un esprit.

Joe se tourna pour voir l'oiseau passer au-dessus de lui et s'éloigner.

– Le vol 353 suivait fidèlement son cap et n'avait encore

aucun problème quand il croisa la balise de navigation de Goodland, à cent soixante-dix miles à l'est de Colorado Springs, dit
Barbara. Quand il a fini ici, il avait dévié de vingt-huit miles.

À mesure qu'ils suivaient le pourtour du cratère, Barbara
Christman récapitula pour lui tout ce qu'elle savait du dernier
vol du 747, depuis son décollage jusqu'à sa fin brutale.

Parti de New York, de l'aéroport international John F.
Kennedy, le vol 353 à destination de Los Angeles ne prit pas son
couloir aérien habituel, en ce soir du mois d'août, mais un autre,
situé plus au nord.

Étant donné les tempêtes qui traversaient tout le sud du
pays et les tornades qui menaçaient le bas du Midwest, on lui
attribua un autre trajet qui aurait l'avantage d'offrir une
moindre résistance, les vents contraires du couloir nord étant
moins forts que ceux du couloir sud ; la durée de vol et la
consommation de carburant en seraient considérablement
réduites. Le responsable du plan de vol de Nationwide attribua
donc à l'avion la route aérienne 146.

Quittant JFK avec quatre minutes de retard, le vol sans
escale jusqu'à LAX passa au-dessus du nord de la Pennsylvannie
et de Cleveland, croisa la courbe sud du lac Érié et le sud du
Michigan. Après avoir survolé Chicago, l'avion passa de l'Illinois
à l'Iowa en traversant le Mississippi. Au-dessus du Nebraska,
passé la balise de Lincoln, le vol 353 mit cap vers le sud-ouest en
direction de la balise de Goodland, située à l'extrémité nord-
ouest du Kansas.

La boîte noire de l'avion récupérée parmi les décombres,
bien que très endommagée, finit par révéler que le pilote avait
bien orienté son vol à partir de Goodland vers la prochaine
balise de Blue Mesa, dans le Colorado. Mais à environ cent dix
miles de Goodland, quelque chose avait mal tourné. N'accusant
pourtant aucune perte d'altitude ni de vitesse, le 747 s'était mis à
dévier de la trajectoire qui lui avait été assignée pour voler ouest-
sud-ouest, ce qui représentait une déviation de sept degrés par
rapport à la route 146, initialement prévue.

Pendant deux minutes, il ne se passa rien de plus, puis
l'avion opéra un brusque changement de cap de trois degrés,
piquant à droite, comme si le pilote s'était enfin aperçu qu'il
avait dévié de sa trajectoire de vol. Cependant trois secondes

142

plus tard, il opérait un changement de direction tout aussi soudain de quatre degrés vers la gauche.

L'analyse des trente paramètres enregistrés par l'appareil électronique sembla confirmer que les changements de cap étaient dus à la déviation de l'appareil, ou bien qu'ils l'avaient eux-mêmes provoquée. La queue avait penché à gauche, à bâbord, tandis que le nez avait pointé à droite, à tribord, puis la queue avait penché à droite et le nez à gauche, et l'avion avait glissé dans l'air un peu comme une voiture fait un tête-à-queue sur une route verglacée.

D'après l'analyse des données qui avait suivi l'accident, on pouvait également supposer que le pilote s'était servi du gouvernail pour opérer ces brusques changements de cap, mais cela n'avait aucun sens. Pratiquement tous les mouvements latéraux viennent du gouvernail, c'est-à-dire du panneau vertical situé sur la queue de l'appareil, mais les pilotes de jets commerciaux évitent de s'en servir par considération pour leurs passagers. Un lacet important engendre une accélération latérale pouvant jeter à terre des passagers qui seraient debout, renverser la nourriture et les boissons et provoquer une panique collective.

Le capitaine Delroy Blane et Victor Santorelli, son second, étaient des pilotes chevronnés ; à tous les deux, ils avaient quarante-deux ans de métier à leur actif. Pour n'importe quel changement de cap, ils auraient utilisé les ailerons, des panneaux pivotants fixés sur le bord de fuite de chaque aile et qui permettent d'effectuer en douceur les virages sur l'aile. Ils n'auraient recouru au gouvernail qu'en cas de panne de moteur au décollage ou durant un atterrissage par un fort vent contraire.

La boîte noire avait montré que huit secondes après la première déviation imprévue, le cap du vol 353 avait de nouveau viré brusquement de trois degrés vers la gauche, suivi deux secondes plus tard par un deuxième glissement encore plus radical de sept degrés vers la gauche. Les deux réacteurs fonctionnaient à merveille et on ne pouvait leur imputer aucune incidence sur le changement de cap ni sur le désastre qui avait suivi.

Quand l'avant de l'avion avait penché brusquement à bâbord, l'aile tribord avait fendu l'air plus vite et gagné rapidement en portance. Lorsque l'aile tribord s'était levée, elle avait forcé l'aile bâbord à s'abaisser. Durant les vingt-deux secondes fatidiques qui avaient suivi, l'angle du virage sur l'aile était monté à cent quarante-six degrés, tandis que l'avion piquait du nez selon un angle de quatre-vingt-quatre degrés.

Durant ce laps de temps incroyablement court, le 747 était passé d'un vol parallèle à la terre à un renversement mortel, se retrouvant pratiquement à la verticale.

Des pilotes ayant l'expérience de Blane et de Santorelli étaient tout à fait capables de rectifier le lacet avant qu'il ne se transforme en tonneau. Et même, alors, de redresser l'appareil avant que le tonneau n'entraîne l'appareil dans un plongeon inévitable. Dans n'importe quel scénario concevable par les experts en ressources humaines, le capitaine aurait incliné la manette des commandes vers la droite et se serait servi des ailerons pour ramener le 747 à l'horizontale.

Au lieu de ça, peut-être à cause d'une panne du système hydraulique qui aurait fait échouer les efforts des pilotes, le vol Nationwide 353 avait basculé en piqué. Avec ses deux réacteurs pleins gaz, il avait percuté la prairie, faisant jaillir des sédiments millénaires comme si c'était de l'eau et perforant jusqu'au soubassement rocheux. L'impact avait été assez puissant pour fissurer les aubes d'acier du bloc moteur Pratt & Whitney comme si elles étaient faites de balsa, et assez sonore pour faire s'envoler toute la gent ailée vivant à des lieux à la ronde, jusqu'à mi-pente du lointain pic Pikes.

À mi-chemin de leur ronde autour du cratère, Barbara et Joe s'arrêtèrent face à l'est et aux lourds nuages qui s'amoncelaient. La tempête qui menaçait ne les inquiétait pas, tant leurs esprits étaient emplis de la foudre qui était tombée là, un an plus tôt.

Trois heures après l'accident, l'équipe d'investigation nommée par le siège central du National Transportation Safety Board quittait l'aéroport de Washington dans un jet Gulfstream appartenant à la Federal Aviation Administration.

Durant la nuit, les officiers de police et pompiers du comté de Pueblo avaient vite établi qu'il n'y avait pas de survivants. Ils s'étaient retirés après avoir délimité un périmètre de sécurité, pour ne pas risquer de dénaturer des indices qui pourraient aider le NTSB à comprendre la cause de la catastrophe.

L'équipe arriva à l'aube à Pueblo, une ville qui était plus

proche des lieux que Colorado Springs. Elle fut reçue par les représentants régionaux de la direction générale de l'Aviation civile, déjà en possession des deux enregistreurs, celui des données du vol et celui contenant la bande sonore où étaient enregistrées les voix des pilotes. Les deux appareils émettaient des signaux grâce auxquels on avait pu les retrouver assez rapidement parmi les décombres, malgré l'obscurité et l'isolement relatif du lieu.

– Les enregistreurs sont partis sur le Gulfstream pour les laboratoires du Bureau central de Washington, expliqua Barbara. Les boîtes en acier qui les protégeaient étaient gravement endommagées, fissurées même, mais nous avions bon espoir de récupérer l'essentiel des informations qu'elles contenaient.

Une longue caravane de véhicules tout-terrain conduits par la brigade d'intervention du comté emmena l'équipe d'investigation sur les lieux pour sa première inspection. Le périmètre de sécurité s'étendait jusqu'à la route gravillonnée qui croisait la nationale 115. Des files de véhicules bordaient les deux côtés de la grande route, camions de pompiers, voitures de police, ambulances, berlines grises des bureaux fédéraux ou nationaux et fourgonnettes mortuaires, ainsi que les voitures de curieux et de vampires en tout genre.

– C'est toujours le chaos, dans ces cas-là, dit Barbara. Des tas de camions télé munis d'antennes satellites. Cent cinquante journalistes qui se ruent sur nous quand ils nous voient arriver. Mais nous n'avions encore rien à leur dire et nous nous sommes rendus directement sur les lieux.

Sa voix s'éteignit. Elle glissa les mains dans les poches de son jean.

Il n'y avait pas de vent. Aucune abeille ne voletait parmi les fleurs sauvages. Les sous-bois environnants étaient silencieux. Un calme étrange régnait, dont on sentait qu'il serait suivi du grand frémissement de l'orage sur le point d'éclater.

Joe quitta des yeux les nuages bleu-noir et revint au cratère où le 747 n'était plus qu'un souvenir enfoui au plus profond de la roche fracturée.

– Ça ira, assura-t-il à Barbara d'une voix rauque qui démentait ses paroles. Continuez. J'ai besoin de savoir.

Il y eut encore trentes secondes de silence, le temps pour Barbara de rassembler ses idées et de choisir ce qu'elle allait lui dire.

— Quand on arrive avec l'équipe, c'est d'abord l'odeur qui vous frappe. On ne l'oublie jamais et, chaque fois, on la retrouve. Ça pue le kérosène, le vinyl, le plastique (même les nouvelles qualités de thermoplastiques et de plastiques phénoliques n'y résistent pas), les matériaux d'isolation calorifuge, le caoutchouc... Et puis la puanteur des eaux sales des fosses septiques qui ont éclaté et celle des cadavres, de la chair calcinée...

Joe s'obligea à regarder dans la crevasse. Il quitterait cet endroit animé d'une force nouvelle, de la volonté farouche de réclamer justice, quelle que soit la puissance de ses adversaires.

— Habituellement, reprit Barbara, même dans les accidents les plus terribles, il reste des morceaux de carlingue assez grands pour vous permettre d'imaginer l'avion tel qu'il fut. Une aile. L'empennage. Un long morceau de fuselage. Selon l'angle de l'impact, il arrive même qu'on retrouve le nez et le cockpit presque intacts.

— Et dans le cas du vol 353?

— Les débris étaient si petits, si tordus, si compressés qu'à première vue il était impossible d'y reconnaître les vestiges d'un avion. Nous avons même cru qu'il en manquait une grande partie. Mais tout était là, dans la prairie et alentour, éparpillé dans les arbres, en haut de la colline, à l'ouest, au nord. Tout était là... mais rien ne dépassait la taille d'une portière de voiture. Les seuls éléments que j'ai réussi à identifier à première vue, c'est un morceau de réacteur et un module de trois sièges passagers.

— De tous les accidents que vous avez connus, c'est le pire? demanda Joe.

— Le pire, oui, avec le crash de Hopewell, Pennsylvannie, en 1994, le vol USAir 427 à destination de Pittsburgh. Celui dont je vous ai parlé tout à l'heure. Je n'étais pas chargée de l'enquête, mais je suis allée sur les lieux.

— Les cadavres... Dans quel état les avez-vous trouvés quand vous êtes arrivés?

— Joe...

— Vous avez dit que personne n'avait pu y survivre. Pourquoi en êtes-vous si sûre?

— Mieux vaut l'ignorer.

Quand il croisa son regard, elle détourna les yeux.

— Ces images-là vous hantent, Joe. Elles vous rongent l'âme, troublent toutes vos nuits.

– Alors? insista-t-il.

Des deux mains, elle rejeta ses cheveux blancs en arrière, secoua la tête et remit les mains dans ses poches.

Joe prit une profonde inspiration, expira longuement en frissonnant et répéta sa question.

– Dites-le-moi. Il faut tout me dire, chaque détail peut compter. Et, s'il ne compte pas, du moins servira-t-il à nourrir ma colère. À partir de maintenant, j'en aurai besoin, Barbara. Pour continuer.

– Aucun n'était intact.

– Aucun?

– Aucun, même à peu près.

– Sur les trois cent trente passagers, combien les médecins légistes ont-ils pu en identifier... d'après des dents, des membres, des tissus?

– Un peu plus de cent, je crois, murmura Barbara d'un ton volontairement plat.

– Des corps déchirés, mutilés, dit-il en martelant les mots, comme pour s'endurcir.

– Bien pire que ça. Toute cette formidable énergie lâchée comme une bombe explosive... Les restes n'avaient plus rien d'humain. Il y avait un fort risque d'infection et de contagion à cause du sang et des tissus. Nous avons dû nous retirer et revenir en combinaisons de sécurité. Chaque débris de l'appareil devait être emporté et examiné par des ingénieurs en construction aéronautique. Pour les protéger, nous avons dû monter quatre stations de décontamination le long de la route sablonneuse. Il a fallu traiter presque tous les débris ici avant de les transporter dans un hangar, à l'aéroport de Pueblo.

– Comme s'ils étaient passés à la moulinette, dit Joe brutalement, pour se prouver à lui-même que son angoisse ne prendrait plus jamais le pas sur sa colère tant que sa quête ne serait pas accomplie.

– Ça suffit, Joe. Inutile d'aller plus loin dans les détails. Ça ne vous aiderait pas, croyez-moi.

La prairie était plongée dans un silence tel qu'on aurait pu croire que de là était sortie toute la Création pour s'étendre en un flux d'énergie divine jusqu'au fin fond de l'univers et ne laisser ici qu'un vide d'où toute vie était absente.

Quelques rares abeilles abruties par une canicule qui n'empêchait en rien Joe de frissonner volaient de fleur en fleur à travers la prairie. D'un air somnambule, plongées dans une torpeur collective, elles continuaient comme dans un rêve à butiner paresseusement. Joe les voyait faire, mais n'entendait dans l'air aucun bourdonnement.

– Revenons à la cause de l'accident. Ce qui s'est passé avec le gouvernail, ce lacet qui s'est transformé en tonneau... Cela serait donc dû à un défaut du contrôle hydraulique ? demanda-t-il.

– Vous n'avez vraiment rien lu à ce sujet, n'est-ce pas ?

– J'en étais incapable.

– Bombe, temps anormal, tourbillon créé par le passage d'un autre avion, toutes ces éventualités ont été assez vite écartées. Les ingénieurs en construction, vingt-neuf spécialistes, ont étudié les débris dans le hangar de Pueblo pendant huit mois sans parvenir à établir une cause probable. Ils se sont perdus en conjectures variées : dysfonctionnement des amortisseurs de vol ou des inverseurs de poussée, défaut dans la porte électronique, dans le support du moteur... Mais ils ont éliminé chaque hypothèse, et aucune cause probable officielle n'a été retenue.

– Est-ce que c'est chose courante ?

– Non, c'est rare, mais ça arrive, comme dans le cas d'Hopewell, en 1994. Ainsi que dans celui d'un autre 737 qui est tombé durant son approche de Colorado Springs en 1991, tuant tous ses passagers. Là non plus aucune cause n'a pu être établie avec certitude.

« Aucune cause probable officielle », avait-elle précisé pour le vol 353. Joe trouvait l'emploi de cet adjectif curieux. Il se rappela soudain un autre fait tout aussi troublant.

– Vous avez quitté le NTSB pour vous mettre en retraite anticipée il y a environ sept mois. C'est ce que m'a dit Mario Oliveri.

– Mario. Un type bien. Il dirigeait le groupe qui enquêtait sur les facteurs humains. Oui, cela fera bientôt neuf mois que j'ai pris ma retraite.

– Le groupe d'ingénieurs spécialisés en construction aéronautique passait encore au crible les débris de l'avion huit mois après le crash... C'est donc que vous n'êtes pas restée pour superviser l'enquête dans sa totalité, comme l'exigeait votre fonction.

– Disons qu'on m'a mise au placard. Quand ça a commencé à sentir mauvais, que des preuves ont disparu et que j'ai commencé à ruer dans les brancards... on a fait pression sur moi. Au début j'ai essayé de tenir, mais je ne supportais pas d'être complice de cette imposture. Et comme je ne pouvais pas non plus faire mon devoir en lâchant le morceau, je me suis tirée. Je n'en suis pas fière. Mais la vie de mon fils en dépendait, Joe.

– Votre fils ?

– Denny. Il a vingt-trois ans, ce n'est plus un bébé, mais à l'idée de le perdre...

Barbara n'eut pas besoin de finir sa phrase pour que Joe comprenne. Elle fixait le cratère sans plus y voir la catastrophe qui avait coûté la vie à plus de trois cents personnes, mais le drame personnel qu'elle avait vécu.

– Ils ont menacé de s'en prendre à lui ?

– Deux semaines après le crash. J'étais à San Francisco, là où avait vécu Delroy Blane, le capitaine du vol 353, et je menais une enquête très approfondie sur sa vie privée. Je tentais de découvrir les signes d'éventuels problèmes psychologiques.

– Vous avez trouvé quelque chose ?

– Non. C'était un gars très équilibré, solide comme un roc. Mais, à ce moment-là, je savais qu'on avait escamoté une certaine preuve essentielle à l'enquête et je faisais tout ce que je pouvais pour que la chose soit rendue publique. J'étais à l'hôtel. Je suis une bonne dormeuse. À deux heures et demie du matin, quelqu'un a allumé ma lampe de chevet et je me suis réveillée avec un pistolet pointé sur la tempe.

Après des années où l'on pouvait à tout moment l'appeler d'urgence, Barbara savait se lever l'esprit aux aguets, en pleine possession de ses moyens. Elle se réveilla donc au déclic du commutateur et au brusque jet de lumière comme elle se serait réveillée en entendant sonner le téléphone : instantanément et la tête claire.

À la vue de l'intrus, elle aurait dû crier, mais, sous le choc, elle resta sans voix, la respiration coupée.

L'homme qui tenait le revolver avait la quarantaine, de grands yeux tristes de chien battu, un nez couperosé par la lente usure de l'alcool et une bouche sensuelle dont les lèvres charnues restaient toujours entrouvertes, comme pour jouir des petits plaisirs en tout genre qu'on ne saurait se refuser.

D'une voix de croque-mort, l'onctuosité en moins, il lui précisa que le pistolet était muni d'un silencieux et que si elle essayait d'appeler à l'aide, il lui ferait sauter la cervelle sans hésitation.

Elle tenta de lui demander qui il était, ce qu'il voulait, mais il la fit taire et s'assit sur le bord du lit.

Il n'avait rien contre elle personnellement, lui déclara-t-il, et cela le chagrinerait d'avoir à la tuer. D'autant que si la chargée d'enquête nommée sur le vol 353 était retrouvée assassinée, il s'ensuivrait une foule de questions pour le moins gênantes. Et la chose déplairait fortement à ses employeurs.

Barbara s'aperçut qu'en plus du jouisseur il y avait un autre homme dans la pièce. Il se tenait dans un renfoncement de l'autre côté du lit, près de la porte de la salle de bains.

Il avait bien dix ans de moins que le premier. Un visage lisse et rose et des yeux d'enfant de chœur qui donnaient une impression d'innocence, vite démentie par sa drôle de façon de sourire, hésitante et mécanique comme les coups de langue d'un serpent.

Le plus vieux tira les couvertures et les draps en invitant poliment Barbara à se lever. Ils avaient certaines choses à lui expliquer. Ils voulaient être sûrs de bien se faire comprendre d'elle et qu'elle les croirait, car des vies en dépendaient.

En pyjama, elle se leva docilement tandis que le plus jeune s'approchait du bureau, tirait le fauteuil et le plaçait au pied du lit. Elle s'y assit comme on le lui ordonnait.

Elle s'était demandé comment ils étaient entrés, alors qu'elle avait verrouillé sa porte et mis la chaîne de sécurité. Elle voyait maintenant que les deux portes qui séparaient sa chambre de la suivante, destinées à faire communiquer les deux pièces pour former une suite le cas échéant, étaient ouvertes. Le mystère demeurait pourtant, car elle était certaine que, de son côté, la porte était bien verrouillée quand elle était allée se coucher.

Sur l'ordre du plus âgé, le plus jeune sortit un rouleau de ruban adhésif et une paire de ciseaux. Il fixa les poignets de Barbara aux bras du fauteuil en enroulant le ruban adhésif plusieurs fois.

Paniquée, Barbara se soumit néanmoins parce qu'elle était convaincue que l'homme aux yeux tristes tiendrait parole et qu'il lui tirerait une balle dans la tête si elle résistait. Elle avait vu la manière dont sa bouche sensuelle avait savouré les mots comme une friandise, lorsqu'il l'avait menacée de lui faire sauter la cervelle.

Quand l'autre coupa un morceau de ruban de quinze centimètres et le lui colla sur la bouche, puis le fixa en enroulant deux fois le ruban adhésif autour de sa tête, elle s'affola un instant, mais réussit à garder son sang-froid. Ils n'avaient pas l'intention de la faire mourir étouffée. S'ils étaient venus pour la tuer, elle serait déjà morte.

Comme le jeune homme se retirait dans l'ombre avec force sourires, le jouisseur vint s'asseoir au pied du lit, face à Barbara. Leurs genoux se touchaient presque.

Il posa le pistolet sur les draps chiffonnés et sortit un couteau de la poche de sa veste. Un couteau à cran d'arrêt, dont il fit jaillir la lame en un déclic.

Barbara sentit la peur l'envahir. Elle ne réussit plus à respirer que par petites saccades qui la faisaient siffler du nez, ce qui amusa beaucoup l'homme assis en face d'elle.

D'une autre poche de son veston, il sortit une portion de gouda, comme celles que l'on trouve dans les self-services. Avec le couteau, il enleva l'enveloppe de cellophane, puis ôta la cire rouge qui protégeait le fromage.

Tout en en dégustant de minces lamelles, coupées au tranchant effilé du couteau, il expliqua à Barbara qu'il savait où habitait son fils Denny, et où il travaillait. Il lui récita les adresses.

Il savait aussi que Denny était marié à Rebecca depuis treize mois, neuf jours et... quinze heures, ajouta-t-il après avoir regardé sa montre. Il savait que Rebecca était enceinte de son premier enfant, une petite fille qu'ils comptaient appeler Felicia.

Pour empêcher qu'il ne leur arrive malheur, Barbara devait accepter la version officielle de ce qui était arrivé à la bande enregistrée dans le cockpit – une version des faits dont elle avait discuté avec ses collègues et qu'elle avait réfutée. Elle devait également oublier ce qu'elle avait entendu sur cette bande, après qu'on en eut amplifié le son.

Si elle s'entêtait à rechercher la vérité et à faire part de ses inquiétudes à la presse ou au public, Denny et Rebecca disparaîtraient. Dans le caveau insonorisé d'une redoute, équipés de tous les instruments nécessaires à des interrogatoires longs et difficiles, le jouisseur et ses acolytes enchaîneraient Denny. Puis ils lui scotcheraient les paupières pour le forcer à regarder tandis qu'ils tueraient Rebecca et l'enfant qu'elle portait sous ses yeux.

Ensuite, ils lui couperaient un doigt tous les jours en prévenant toute hémorragie, choc ou infection. Ils le maintiendraient en vie, et conscient, même si de jour en jour moins entier. Les onzième et douzième jours, ils lui couperaient les oreilles.

Ils disposaient ainsi d'un mois de planning chirurgical très étudié.

Chaque jour, à chaque nouvelle ablation, ils diraient à Denny qu'ils le rendraient à sa mère si seulement elle voulait accepter de coopérer, de servir cette conspiration du silence d'intérêt national – des questions de défense absolument primordiales étant en jeu dans cette affaire.

Cela ne serait pas l'exacte vérité. Ce qui touchait à l'intérêt national était vrai, du moins de leur point de vue, même s'ils ne pouvaient en aucune manière lui expliquer pourquoi les informations qu'elle détenait constituaient une menace pour son pays. Ce qui avait trait au marché, à savoir que Denny serait libéré si elle voulait bien coopérer, n'était pas tout à fait exact, car dès qu'elle enfreindrait son serment, il n'y aurait pas de deuxième chance : elle perdrait son fils pour toujours. Ils ne tromperaient Denny sur ce point que pour s'assurer qu'il passerait le dernier mois de sa vie en se demandant désespérément pourquoi sa mère l'avait condamné à de telles souffrances jusqu'à n'avoir plus figure humaine. À la fin, la folie le gagnant, dans la misère spirituelle où il se trouverait, il la maudirait de toute son âme.

Tout en continuant à découper le petit rond de gouda et à manger de la pointe de son couteau, le jouisseur assura à Barbara que personne, ni la police, ni le FBI, ni la puissante armée des États-Unis ne pourraient protéger Denny et Rebecca. Il prétendit être à la solde d'une organisation si puissante qu'elle pouvait compromettre ou corrompre toute institution ou agence dépendant des instances fédérales ou nationales.

Il lui demanda de hocher la tête pour montrer qu'elle le croyait.

Elle le croyait. Sans réserves. Aveuglément. Il semblait savourer chacune des hideuses menaces qu'il proférait avec la tranquille suffisance d'un mégalomane protégé par une autorité toute-puissante et payé grassement, en avantages et en nature.

Était-elle prête à coopérer ?

Malheureuse, humiliée, honteuse, mais avec une totale sincérité, elle hocha de nouveau la tête. Oui. Elle coopérerait. Oui.

Étudiant la rondelle de fromage translucide fichée à la pointe de son couteau, il lui dit qu'il voulait l'impressionner fortement, de façon qu'elle n'enfreigne jamais sa promesse. Par conséquent, en sortant de l'hôtel, lui et son collègue tueraient de trois balles, deux dans la poitrine, une dans la tête, la première personne qui croiserait leur chemin.

Effarée, Barbara tenta de protester sous son bâillon. Mais le ruban adhésif était si serré, ses lèvres si bien collées qu'elle ne put émettre qu'une plainte étouffée. Elle ne voulait pas être responsable de la mort de quelqu'un. Elle allait coopérer. Ils n'avaient aucune raison de lui prouver leur sérieux, puisqu'elle les croyait déjà.

Sans la quitter du regard, sans rien ajouter, le jouisseur finit lentement son fromage. Ce regard fixe avait beau la vider de son énergie, elle ne pouvait s'en détacher.

Quand il eut avalé la dernière bouchée, il essuya la lame de son couteau sur les draps, puis il le plia et le remit dans sa poche.

Il se pourlécha les lèvres, prit la cellophane et les pelures de cire rouge, se leva du lit et alla les déposer dans la corbeille à papiers, à côté du bureau.

Le plus jeune sortit de l'ombre. Son sourire ne flottait plus, il était fixe, comme le regard de l'autre.

Comme Barbara se tortillait toujours pour protester contre le meurtre d'un innocent, le plus vieux s'approcha d'elle et la frappa sur la veine jugulaire du tranchant de la main droite.

Un voile scintillant obscurcit son champ de vision. Barbara s'affala en avant. Le fauteuil bascula sous elle. Avant même que sa tête heurte le tapis, elle avait perdu connaissance.

Pendant une vingtaine de minutes, elle rêva de doigts coupés enveloppés de cire rouge. Dans des visages rose layette, des sourires fragiles se brisaient comme des colliers de perles et les dents brillantes roulaient sur le sol, mais dans le croissant noir qu'on apercevait entre les lèvres roses, de nouvelles perles se formaient, sous le clin d'œil bleu d'un enfant de chœur. Elle vit aussi des yeux de chien battu, noirs et brillants comme des sangsues, où elle n'apercevait pas son reflet, mais celui du visage de Denny mutilé, hurlant.

Quand elle reprit conscience, elle était affalée sur le fauteuil que le jouisseur ou son compagnon aux dents de lait avaient pris la peine de redresser.

Ses poignets étaient attachés aux bras du fauteuil de telle manière qu'au prix de quelques efforts elle puisse se détacher. Il lui fallut à peine dix minutes pour libérer sa main droite et beaucoup moins pour desserrer les liens de sa main gauche.

Elle se servit de ses ciseaux à ongles pour entailler le ruban adhésif enroulé autour de sa tête. Quand elle le décolla délicatement de ses lèvres, il lui arracha plus de peau qu'elle n'aurait cru.

Aussitôt libérée et en mesure de parler, elle prit le téléphone. Mais elle raccrocha, faute de savoir qui appeler.

Il était inutile de chercher à prévenir le gérant qui travaillait de nuit que l'un de ses employés ou clients était en danger de mort. Si le tueur avait tenu sa promesse, c'était chose faite. Lui et son compagnon avaient dû quitter l'hôtel depuis déjà une demi-heure.

En grimaçant de douleur, elle alla à la porte qui reliait sa chambre à celle voisine. Elle l'ouvrit et vérifia la face intérieure. De son côté, le loquet s'appuyait sur une plaque de cuivre amovible fixée par des vis, ce qui permettait d'accéder au mécanisme depuis l'autre côté de la porte. Sur l'autre porte, le verrou était différent et n'offrait pas cette possibilité.

Le cuivre brillant semblait neuf. Elle était certaine que le verrou avait été installé peu avant qu'elle ne s'inscrive à l'hôtel, soit par le tueur et son comparse agissant clandestinement, soit avec la complicité d'un employé de l'hôtel. Un des réceptionnistes avait dû aussi lui donner cette chambre plutôt qu'une autre, contraint et forcé comme elle, ou bien soudoyé.

Barbara n'était pas particulièrement portée sur l'alcool, mais elle ouvrit le mini bar et prit deux mignonnettes de vodka plus une bouteille de jus d'orange. Ses mains tremblaient si fort qu'elle put à peine verser les ingrédients dans un verre. Elle but la vodka-orange cul sec, ouvrit une autre mignonnette, se prépara un deuxième verre, en avala une gorgée, puis se précipita dans la salle de bains et vomit.

Elle se sentait comme souillée. Juste avant l'aube, elle prit une longue douche et se frotta si fort sous l'eau brûlante que sa peau devint toute rouge et commença à la cuire douloureusement.

Elle avait beau savoir qu'il était inutile de changer d'hôtel et qu'ils la retrouveraient n'importe où, elle ne pouvait y demeurer plus longtemps. Elle fit ses bagages et une heure après les premières lueurs de l'aube, descendit à la réception pour régler sa note.

Le hall était plein de policiers, en civil et en uniforme.

Encore ébahi, le réceptionniste lui apprit que, peu après trois heures du matin, un jeune garçon d'étage avait été tué dans un couloir de service près de la cuisine. Deux balles dans la poitrine, une dans la tête.

Le corps n'avait pas été découvert tout de suite. Personne n'avait entendu de coups de feu.

Talonnée par la peur, elle régla sa note et prit un taxi pour se rendre dans un autre hôtel.

C'était une belle journée. Le brouillard urbain se retirait déjà de la baie de San Francisco derrière la ligne de falaises abruptes qui dominent le Golden Gate, qu'elle apercevait de la fenêtre de sa nouvelle chambre.

Elle était ingénieur en aéronautique. Pilote. Elle avait une maîtrise en gestion obtenue à Columbia University. Elle avait travaillé dur pour devenir la seule femme chargée d'enquête travaillant pour le National Transportation Safety Board sur les accidents d'avion. Quand son mari l'avait quittée dix-sept ans plus tôt, elle avait élevé Denny toute seule, et l'avait bien élevé. Et tout ce qu'elle avait accompli s'était retrouvé aux mains du jouisseur aux yeux tristes, avec la cellophane et les pelures de cire rouge, avant de finir à la poubelle.

Après avoir annulé tous ses rendez-vous de la journée, Barbara accrocha à sa porte la pancarte « Ne pas déranger », tira les rideaux et se roula en boule sur son nouveau lit.

La peur qui la faisait trembler se mua en chagrin. Elle pleura, pleura longtemps sans pouvoir s'arrêter, sur le garçon d'étage dont elle ignorait le nom, sur Denny, Rebecca et Felicia dont les vies semblaient ne tenir qu'à un fil, sur la perte de son innocence et du respect qu'elle avait pour elle-même, sur les trois cent trente passagers du vol 353, tout espoir de justice étant à jamais perdu.

Un vent soudain traversa la prairie en jouant avec les feuilles mortes comme un diable qui compte ses âmes.

– Je ne peux pas accepter, dit Joe. Si vous me révélez ce qu'il y avait sur cette bande, votre fils et sa femme risquent d'écoper.

– Ce n'est pas à vous d'en décider, Joe.

– Bien sûr que si.

– Quand vous avez appelé de Los Angeles, j'ai fait l'idiote parce que mon téléphone est peut-être sur écoute, même si je ne le crois pas, au fond. Ils savent qu'ils n'en ont pas besoin : ils m'ont cloué le bec pour de bon.

– Mais il y a un risque...

– Je suis sûre que personne ne m'épie et que ma maison n'est pas surveillée. Je m'en serais rendu compte, depuis le temps. Quand j'ai abandonné l'enquête en prenant une retraite anticipée, que j'ai vendu la maison de Bethesda et que je suis revenue à Colorado Springs, ils m'ont rayée de leur liste. J'étais brisée, Joe, et ils le savaient.

– Vous n'en avez pas l'air.

Elle lui fit une petite tape amicale sur l'épaule, pour le remercier.

– Disons que je me suis un peu rétablie. En tout cas, à moins que vous ayez été suivi...

– Non. Je les ai semés hier. Personne n'a pu me suivre à LAX ce matin.

– Alors personne ne sait où nous sommes ni ce que je suis en train de vous raconter. Tout ce que je vous demande, c'est de ne jamais dire que vous le tenez de moi.

– Vous pouvez y compter. N'empêche, vous prenez un sacré risque.

– J'y ai réfléchi pendant des mois... Ils doivent croire que j'en ai touché un mot à Denny pour qu'il se tienne sur ses gardes.

– Et vous lui en avez parlé ?

– Non. Quelle vie mèneraient-ils, s'ils étaient au courant ?

– Pas une vie normale.

– Tant que la vérité ne sera pas dévoilée, Denny, Rebecca, Felicia et moi sommes à leur merci, et nos vies suspendues à un fil. Notre seul espoir, c'est que quelqu'un fasse éclater la vérité au grand jour. Alors le peu de chose que je sais ne comptera plus.

Comme une armada de vaisseaux intergalactiques dans un

film de science-fiction, les nuages noirs s'amassaient au-dessus d'eux.

— Autrement, d'ici un an ou deux, même si j'ai tenu ma langue, ils décideront de me régler mon compte une fois pour toutes, histoire de ne rien laisser au hasard, poursuivit Barbara. Le vol 353 sera passé aux oubliettes et personne ne fera le rapprochement avec ma mort, celle de Denny ou celle d'autres personnes détenant des informations compromettantes. Ils maquilleront leurs crimes en accident de voiture, suicide, incendie, cambriolage... Personne ne se doutera de rien.

Le cauchemar éveillé qu'il avait vécu chez les Delmann lui revint. Joe revit Lisa transformée en torche vivante, Georgine gisant sur le sol de la cuisine, Charlie dans la chambre ensanglantée. Il ne trouva aucun contre-argument au raisonnement de Barbara. Elle avait dû mûrement y réfléchir.

Dans un ciel près d'éclater, les nuages semblaient grimacer de colère, étouffer de rage.

— L'enregistreur des données du vol et l'enregistreur vocal du cockpit arrivèrent aux labos de Washington à trois heures, heure de la côte Est, le lendemain du crash, commença Barbara.

— Vous veniez juste de commencer vos recherches ici.

— Exactement. Minh Tran, un ingénieur en électronique qui travaillait pour le Bureau, a ouvert l'enregistreur Fairchild en compagnie de quelques collègues. Dans son caisson d'acier inoxydable, le bloc enregistreur fait la taille d'une boîte à chaussures. Ils ont soigneusement découpé le blindage avec une scie spéciale. Mais le bloc avait subi un impact si violent qu'il ne faisait plus que dix centimètres de long. L'acier s'était broyé comme du carton et l'un des coins avait été écrasé, ce qui avait ouvert une petite brèche.

— Il fonctionnait encore?

— Non. L'enregistreur de données était complètement détruit. Par contre, dans le plus grand des deux caissons se trouvait le module de mémoire en acier qui contenait la bande. Lui aussi était fissuré et l'humidité y avait pénétré, mais la bande n'était pas complètement détruite. Il a fallu la sécher, la traiter, mais cela n'a pas pris très longtemps. Minh et quelques autres se sont alors réunis dans une chambre d'écoute insonorisée pour faire défiler la bande depuis le début. En tout, jusqu'au moment du crash, il y avait presque trois heures de conversation entre les deux pilotes...

— Ils n'ont pas fait défiler la bande en accéléré pour arriver aux dernières minutes ?

— Non. Il peut très bien s'être produit quelque chose plus tôt, que les deux pilotes ont négligé sur le moment et qui peut s'avérer un indice important.

Le vent tiède qui s'était levé prenait de la force, assez pour décourager les abeilles dans leur quête somnolente. Abandonnant la prairie à la tempête qui approchait, elles rentrèrent se mettre à l'abri dans le secret des bois.

— Parfois, la bande qui nous parvient est pratiquement inutilisable. Pour une raison ou pour une autre, la qualité de l'enregistrement est nulle. La bande a trop servi. Ou bien le microphone n'a pas bien fonctionné et a produit trop de vibrations. Ou encore la tête d'enregistrement, trop usée, a entraîné une distorsion des sons.

— Pour quelque chose d'aussi important, j'aurais pensé qu'il y avait une maintenance quotidienne et qu'on changeait la bande toutes les semaines.

— Rappelez-vous qu'en pourcentage les accidents d'avion sont très rares. Il faut tenir compte des coûts et de la brièveté des délais entre les vols. L'aviation commerciale est une entreprise humaine, Joe. Comme telle, elle ne fonctionne pas selon des critères idéaux.

— C'est juste.

— Cette fois il y avait du bon et du mauvais, dit-elle. Delroy Blane et Santorelli portaient tous deux des casques à écouteurs munis d'une petite perche et d'un micro placé juste devant leur bouche, ce qui donne un son bien meilleur qu'un micro à main. Avec le micro situé au plafond de la cabine, cela nous faisait trois canaux différents à étudier. En revanche, la bande n'était pas neuve. Elle avait servi bien des fois et était en assez mauvais état. Pire, l'humidité qui avait pénétré le caisson avait attaqué par endroits la surface d'enregistrement.

De la poche arrière de son jean, elle sortit des feuilles de papier pliées en quatre, mais ne les tendit pas tout de suite à Joe.

— Quand Minh Tran et les autres l'ont écoutée, ils ont découvert que certaines parties de la bande étaient clairement audibles et d'autres si brouillées qu'on ne pouvait distinguer qu'un mot sur quatre ou cinq.

– Et la dernière minute ?

– C'était l'une des parties les plus abîmées. Ils décidèrent alors que la bande devait être nettoyée et restaurée. Puis on amplifierait au maximum l'enregistrement. Bruce Laceroth, qui dirige le service des grandes enquêtes, était présent à la première écoute et il m'a appelée à Pueblo à sept heures et quart du soir, heure de la côte Est, pour m'informer de l'état de l'enregistrement. Ils comptaient se remettre au travail dès le lendemain matin. C'était assez décourageant.

Au-dessus d'eux, l'aigle réapparut, venant de l'est, et traversa le ciel en droite ligne, ses ailes pâles se détachant contre le bleu-noir des nuages.

– La journée n'avait pas été particulièrement drôle, dit Barbara. Nous avions fait venir des camions réfrigérés de Denver pour recueillir tous les restes humains ; ce n'est qu'ensuite que nous pourrions recueillir et étudier les morceaux de l'avion. Il y avait eu l'habituelle réunion organisationnelle, toujours éprouvante, car de nombreux groupes d'intérêt sont impliqués, et chacun veut infléchir la conduite et les rapports de l'enquête : la compagnie d'aviation, le fabricant de l'appareil, le fournisseur des groupes moteurs, l'association des pilotes de ligne... Cela ne montre pas la nature humaine sous son meilleur jour. Il faut être ferme tout en restant diplomate, pour que la procédure reste vraiment impartiale.

– Sans compter les médias, dit-il, accusant sa propre corporation avant qu'elle ne le fasse.

– Envahissants, comme toujours. Bref, je n'avais dormi que trois heures la nuit précédente avant d'être réveillée par l'appel d'urgence, et je n'avais pas pu somnoler un seul instant sur le Gulfstream, pendant le trajet de Washington à Pueblo. Quand je me suis couchée un peu avant minuit, j'étais une vraie zombie, mais là-bas, à Washington, Minh Tran travaillait toujours.

– L'ingénieur en électronique qui avait ouvert le caisson contenant l'enregistreur ?

Barbara baissa les yeux et fixa les feuilles de papier pliées qu'elle avait sorties de sa poche, les tournant et les retournant.

– Il faut que vous compreniez, pour Minh. Sa famille était d'origine vietnamienne. Des *boat people* qui avaient survécu aux communistes après la chute de Saigon, puis aux pirates, et même à un typhon. Il avait dix ans à l'époque. Il a su très tôt que la vie était un combat et qu'on ne pouvait s'élever qu'à la force du poignet.

— J'ai des amis... j'ai eu des amis immigrants vietnamiens, dit Joe. Une culture fascinante. Et de vrais bourreaux de travail.

— Exactement. Quand tous les autres ont quitté le labo, ce soir-là, à sept heures et quart, ils avaient une longue journée derrière eux. Les gens du Bureau sont très dévoués... mais Minh plus encore. Il a improvisé un dîner avec ce qu'il a pu trouver aux distributeurs et il est resté pour nettoyer la bande : numériser le son, le charger dans l'ordinateur, essayer d'isoler les bruits parasitaires des voix des pilotes et des sons réels à bord de l'avion. La fréquence des parasites s'avéra si précise et délimitée que l'ordinateur put les supprimer assez rapidement. Grâce aux micros des pilotes, qui avaient émis des signaux forts au moment de l'enregistrement, Minh put nettoyer les voix jusqu'à obtenir un son clair et net. Et ce qu'il entendit alors le stupéfia. C'était incroyablement bizarre.

Elle tendit la liasse de papier à Joe. Il la prit, mais ne déplia pas les feuilles. Il appréhendait de découvrir ce qu'elles contenaient.

— À quatre heures moins dix du matin, heure de Washington, ce qui fait deux heures moins dix à Pueblo, Minh m'a appelée, reprit Barbara. J'avais dit à la standardiste de l'hôtel de filtrer tous les appels, j'avais besoin de récupérer, mais Minh a réussi à passer le barrage. Il m'a fait écouter la bande... et nous en avons discuté. J'emporte toujours un magnétophone avec moi, j'aime bien enregistrer toutes les réunions et faire mes propres transcriptions. Aussi ai-je pris mon magnéto et l'ai-je placé tout près de l'écouteur pour faire une copie de l'enregistrement. Je ne voulais pas attendre que Minh me fasse parvenir une cassette par courrier. Après qu'il eut raccroché, je me suis installée au bureau et j'ai écouté au moins dix fois de suite les derniers mots échangés entre les pilotes. Puis j'en ai fait une transcription manuscrite. Parfois les propos prennent un sens différent selon qu'on les lit ou qu'on les écoute. Il arrive que l'œil saisisse des nuances que l'oreille ne perçoit pas.

Joe savait maintenant ce qu'il tenait en main.

— Minh m'avait appelée en premier. Il avait l'intention de téléphoner à Bruce Laceroth, puis à la présidente et au vice-président du Bureau, sinon aux cinq membres, pour que chacun puisse entendre la bande. Ce n'était pas la procédure habituelle, mais la situation sortait de l'ordinaire. Je suis sûre que Minh a dû contacter au moins l'une de ces personnes, même si toutes l'ont nié. Nous ne le saurons jamais : les labos ont été incendiés peu après six heures, ce matin-là, et Minh Tran est mort dans l'incendie, deux heures après m'avoir appelée à Pueblo.

– Mon Dieu.

– Le feu a pris avec une incroyable violence. Il a tout détruit.

Joe scruta les sous-bois alentour, s'attendant à y découvrir des guetteurs cachés dans l'ombre. Quand lui et Barbara étaient arrivés, le site lui avait semblé écarté, mais à présent Joe se sentait aussi exposé et vulnérable que s'il s'était retrouvé debout en plein milieu d'un carrefour de Los Angeles.

– La bande originale enregistrée dans le cockpit a donc été détruite dans l'incendie ?

– Évidemment, dit Barbara.

– Et l'ordinateur qui traitait la version numérisée ?

– Un rebut carbonisé. Rien de récupérable.

– Mais vous avez toujours votre copie.

Elle secoua la tête.

– J'avais une réunion très tôt le matin et j'ai laissé la cassette dans ma chambre d'hôtel. Le contenu de cette bande était si explosif que je n'avais pas l'intention d'en informer l'équipe tout de suite. Il fallait prendre le temps de la réflexion, agir avec prudence avant de décider à quel moment et de quelle manière nous allions divulguer ces informations.

– Pourquoi ?

– Le pilote était mort, mais sa réputation était en jeu. Si jamais il était mis en cause, ce serait un vrai désastre pour sa famille. Nous devions être absolument sûrs de nous. Si la responsabilité incombait bien au capitaine Blane, alors des centaines de millions de dollars d'indemnités devraient être versées aux familles des victimes. Il fallait donc agir avec la plus grande circonspection. J'avais décidé de ramener Mario avec moi après la réunion pour lui faire écouter la bande dans ma chambre, et que cela resterait entre lui et moi.

– Mario Oliveri, devina Joe.

– Oui. Il dirigeait le groupe enquêtant sur les facteurs humains, son avis m'importait donc plus à ce moment-là que celui de n'importe qui d'autre. La réunion finissait juste quand on nous a appris l'incendie des labos et ce qui était arrivé au pauvre Minh. Le temps de monter à ma chambre avec Mario, la copie que j'avais faite par téléphone avait été effacée.

– Effacée ?

– Oui. Minh avait dû dire à quelqu'un que j'avais dupliqué la bande à distance.

– Vous avez dû comprendre, à ce moment-là.

– Oui. J'ai compris qu'il se passait quelque chose d'anormal et que tout ça sentait mauvais. Très mauvais.

Malgré sa masse de cheveux blancs, elle avait semblé jeune jusqu'à présent, moins de cinquante ans. Soudain, elle accusait son âge.

– Quelque chose clochait, mais vous n'arriviez pas à y croire, dit-il.

– Cette boîte, le Safety Board, c'était ma vie. J'étais fière d'en faire partie. Je le suis toujours, Joe. Ce sont des gens bien, je vous assure.

– Avez-vous dit à Mario ce qui se trouvait sur la bande ?

– Oui.

– Quelle a été sa réaction ?

– La stupéfaction. L'incrédulité, je pense.

– Lui avez-vous montré la transcription que vous en aviez faite ?

Elle resta silencieuse un instant.

– Non.

– Pourquoi ?

– J'avais peur.

– Vous n'aviez plus confiance en personne.

– Un feu si terrible... on avait dû employer une matière inflammable.

– Un incendie criminel.

– Oui, mais à part moi, personne n'a jamais envisagé cette hypothèse. Je ne crois pas en l'intégrité de l'enquête qui a été menée sur cet incendie. Pas du tout.

– Et l'autopsie, a-t-elle révélé si Minh avait été tué avant l'incendie ?

– Avec ce qui restait de lui, c'était impossible. Comme s'il était passé au crématorium... Vous savez, Joe, c'était vraiment un type adorable. Il était doux, gentil. Il aimait son boulot, il pensait que ce qu'il faisait aiderait à sauver des vies, à prévenir d'autres accidents. J'ignore qui ils sont, mais je hais ces gens.

Dans les pins blancs, en contrebas, quelque chose bougea : une ombre brune glissant à travers des ombres plus denses.

Joe retint son souffle, mais il ne parvint pas à identifier ce qu'il avait aperçu.

— À mon avis, c'était juste un daim, dit Barbara.

— Et sinon ?

— Nous sommes morts, que nous finissions ou non cette conversation, dit-elle d'un ton prosaïque qui révélait l'univers hostile et paranoïde dans lequel elle vivait depuis la catastrophe.

— Le fait que votre cassette ait été effacée n'a pas éveillé les soupçons ?

— De l'avis général, mon état de fatigue en était la cause. Trois heures de sommeil la nuit de l'accident, puis seulement quelques heures la nuit suivante, avant que Minh m'appelle. Pauvre Barbara ! Selon eux, après avoir écouté et réécouté la bande, j'étais dans un tel état d'épuisement que j'ai dû l'effacer sans même m'en rendre compte... Vous voyez le genre.

— Il y a une chance que ça se soit passé comme ça ?

— Aucune.

Joe déplia les feuilles de papier, sans en commencer pour autant la lecture.

— Pourquoi ne vous ont-ils pas crue quand vous leur avez révélé ce que vous aviez entendu sur la bande ? C'étaient vos collègues. Ils vous connaissaient pour quelqu'un de sensé, de responsable.

— Peut-être que certains n'ont pas voulu y croire. D'autres l'ont vraiment mis sur le compte de ma fatigue. J'avais une infection à l'oreille depuis des semaines et ça m'avait mise à plat, même avant Pueblo. Je ne sais pas. Et puis un ou deux d'entre eux ne m'aimaient pas, tout simplement. On ne peut pas être aimé de tout le monde. Pas moi, en tout cas. J'ai une trop grande gueule et je suis têtue. De toute façon, cela ne tenait pas debout. Sans la bande, il n'y avait aucune preuve de ce que s'étaient dit Blane et Santorelli.

— Quand avez-vous fini par révéler que vous en aviez fait une transcription ?

— Je l'ai gardé pour moi. J'ai jugé qu'il valait mieux attendre que le contexte s'y prête. Par exemple, quand l'investigation aurait trouvé un détail corroborant ce qui se trouvait sur la bande.

— En elle-même, votre transcription ne constitue pas une preuve véritable.

— Exactement. Bien sûr, c'est mieux que rien, mais j'avais besoin d'y donner du poids. C'est alors que les deux affreux m'ont réveillée dans ma chambre d'hôtel de San Francisco, et après ça... Eh bien, je n'ai plus eu le courage de partir en croisade.

De l'est de la forêt, deux daims surgirent en bondissant, un mâle et une femelle. Ils traversèrent la clairière en un éclair et disparurent aussitôt sous les arbres, au nord du périmètre.

Joe sentit des picotements dans sa nuque. C'était sans doute les daims qu'il avait vus bouger plus tôt. Mais leur fuite avait-elle été provoquée par quelque chose, ou quelqu'un ?

Se sentirait-il un jour en sécurité quelque part ? À l'instant même où la question lui avait traversé l'esprit, il en connaissait déjà la réponse.

Nulle part.

Plus jamais.

— Qui suspectez-vous, au sein du Safety Board ? Qui Minh a-t-il appelé après vous ? demanda-t-il. C'est sans doute cette personne qui lui a demandé de ne pas divulguer la nouvelle, puis qui a commandité son assassinat en faisant disparaître les preuves.

— Ça peut être n'importe qui, parmi ceux qu'il comptait appeler. Tous étaient ses supérieurs et il aurait obéi à leurs instructions. Je préfère penser que ça ne peut pas être Bruce Laceroth, parce que j'ai toute confiance en lui. Comme nous tous, il est parti de rien et a fait son chemin tout seul. En revanche, les cinq membres du bureau sont nommés par la présidence, et leur nomination approuvée par le Sénat pour un mandat de cinq ans.

— Des pistonnés...

— En fait, au fil des années, la plupart des membres du bureau ont été des types réglo. Presque tous ont bien servi l'agence et nous ont fait honneur. Quant aux autres, il faut bien faire avec. Sur le tas, il peut y avoir un faux-cul.

– Et la présidente et le vice-président actuels ? Vous avez dit que Minh Tran allait les appeler, en admettant qu'il n'ait pas réussi à joindre d'abord Laceroth.

– Maxine Wulce, la présidente, est une jeune avocate, très ambitieuse politiquement, et qui vise très haut. Un sacré numéro. Pour moi, elle ne vaut pas un clou.

– Et le vice-président ?

– Hunter Parkman. Un pistonné de première. Il est issu d'une vieille famille fortunée, il pourrait très bien vivre de ses rentes, mais il tire vanité de sa position de haut fonctionnaire de l'État et aime à étaler ses connaissances en matière de crash lors de soirées mondaines. Lui non plus ne vaut pas grand-chose.

Joe avait continué à scruter les sous-bois sans y déceler quoi que ce soit de suspect.

Loin vers l'est, un éclair surgit du sombre amas de l'orage.

Il compta les secondes qui s'écoulèrent entre l'éclair et le grondement du tonnerre et convertit le temps en distance ; la pluie devait tomber à sept ou huit kilomètres de là.

– Ce que je vous ai donné n'est qu'une photocopie du manuscrit. J'ai caché l'original. Allez savoir pourquoi, puisque je ne m'en servirai jamais.

Joe était déchiré entre la rage et la crainte de savoir. Les dernières paroles échangées par le capitaine Blane et son second allaient-elles lui révéler une vérité vertigineuse, qui donnerait une nouvelle dimension à la terreur que sa femme et ses filles avaient dû éprouver lors de leurs derniers instants ?

Il finit par se concentrer sur la première page et suivit le texte du doigt pour permettre à Barbara, qui regardait par-dessus son épaule, de savoir où il en était.

On entend Santorelli, le second, revenir des toilettes et retourner à sa place. Ses premiers propos sont captés par le microphone situé au plafond du cockpit avant qu'il mette son casque à micro intégré.

SANTORELLI : Une fois qu'on sera à L.A. (incompréhensible), je vais m'en mettre plein la lampe (incompréhensible), houmos, taboulé, pitas, et une pleine assiette de kebabs. Il est super, ce resto arménien. Tu aimes bien la cuisine orientale ?

(Trois secondes de silence.)

SANTORELLI : Hé, Roy ? Tu dors ou quoi ?

(Deux secondes de silence.)
Santorelli : Qu'est-ce qui se passe ? Qu'est-ce qu'on... Roy, tu n'es plus en pilote automatique ?
Blane : L'un s'appelle le Dr Louis Blom.
Santorelli : Quoi ?
Blane : L'autre le Dr Keith Ramlock.
Santorelli : *(avec une inquiétude perceptible)* Qu'est-ce que je vois sur le McDoo ? Tu t'es mis sur le FMC, Roy ?

Comme Joe lui demandait des précisions, Barbara lui expliqua les termes employés par Santorelli.

— Les 747-400 se servent d'avionique, c'est-à-dire de données et de signaux électroniques numérisés appliqués à l'aviation. En haut du tableau de bord se trouvent six gros tubes cathodiques où s'affichent les données. Le McDoo, c'est le MCDU, l'unité de contrôle et d'affichage multifonctionnelle. Il y en a une à côté du siège de chacun des pilotes et elles sont connectées. Tout ce que peut entrer l'un des pilotes s'inscrit donc sur l'unité de l'autre pilote. Les pilotes y entrent le plan de vol et le coefficient de remplissage en utilisant les claviers du MCDU, et tous les changements opérés en cours de route sont effectués grâce aux McDoo.

— Santorelli revient donc des toilettes et s'aperçoit que Blane a modifié le plan de vol. Est-ce que c'est inhabituel ?

— Tout dépend du temps, de la turbulence, d'un trafic aérien entraînant des manœuvres inattendues à cause de problèmes d'arrivée à l'aéroport de destination...

— Mais en l'occurrence, tout fonctionnait apparemment sans problème. C'était un simple vol d'une côte à l'autre et il en était à la moitié de son parcours, tout cela par beau temps...

Barbara hocha la tête.

— En effet. Santorelli a dû se demander pourquoi ils modifiaient le plan de vol, étant donné les circonstances. Mais à mon avis, son inquiétude vient davantage du manque de réaction de Blane et d'une chose qu'il a vue sur le McDoo, une modification injustifiée.

— Quoi, d'après vous ?

— Comme je vous l'ai dit plus tôt, l'appareil avait dévié de sept degrés par rapport à sa route initiale.

— Santorelli n'aurait rien senti, pendant qu'il était aux toilettes ?

– Ce fut un virage sur l'aile très progressif, qui a dû commencer juste après qu'il eut quitté le poste de pilotage. Il a peut-être senti quelque chose, mais il n'a pas dû comprendre que le changement était aussi important.

– Et ces docteurs, Blom et Ramlock, qui sont-ils ?

– Je n'en ai pas la moindre idée. Mais continuez. Ça devient encore plus bizarre.

BLANE : Ils me font du mal.
SANTORELLI : Capitaine, qu'est-ce qui ne va pas ?
BLANE : Ils sont méchants avec moi.
SANTORELLI : Hé, vous rêvez ou quoi ?
BLANE : Arrêtez-les.

– Là, Blane change de voix, commenta Barbara. Il a une drôle de voix tout du long, mais quand il dit : « Arrêtez-les », on sent sa détresse. Il y a un tremblement, une fragilité dans sa voix, comme s'il souffrait. Une souffrance non pas physique, mais émotionnelle.

SANTORELLI : Capitaine... Roy, je prends le relais à partir de maintenant.
BLANE : On est enregistrés ?
SANTORELLI : Quoi ?
BLANE : Empêchez-les de me faire du mal. Arrêtez-les.
SANTORELLI : Ça va aller...
BLANE : On est enregistrés ?
SANTORELLI : Ça va aller maintenant...
(Un bruit fort, ressemblant à un coup de poing. Un grognement, San-torelli apparemment. Un autre coup. On n'entend plus Santorelli.)
BLANE : On est enregistrés ?

Le tonnerre éclata à l'est, comme un coup de cymbales marquant l'ouverture d'un opéra.

– Il a cogné son copilote sans prévenir, dit Joe.

– Ou bien il l'a frappé avec un objet contondant, qu'il avait peut-être sorti de son sac et caché derrière son siège pendant que Santorelli était aux toilettes.

– Un acte qui serait donc prémédité. Mais pourquoi, bon sang ?

– Il a dû le frapper au visage, parce que Santorelli est tout de suite tombé dans les pommes. Il reste silencieux pendant une dizaine de secondes, puis... on l'entend grogner, ajouta-t-elle en montrant le texte.

– Mon Dieu.

– Sur la bande, la voix de Blane ne révèle plus cette détresse, cette fragilité. Mais une amertume qui vous fiche la chair de poule.

Blane : Arrêtez-les, sinon... à la première occasion, je tue tout le monde. Tout le monde, ma parole. Et avec grand plaisir.

Les feuilles se mirent à trembler entre les mains de Joe.

Il pensait aux passagers du 353 en train de somnoler, lire, travailler sur leurs portables, feuilleter des magazines, regarder un film, boire un verre et faire des projets, sans se douter une seconde des événements terrifiants qui se tramaient dans la cabine de pilotage.

Nina adorait être à côté du hublot. Peut-être regardait-elle les étoiles au-dessus ou le toit des nuages en dessous. Michelle et Chrissie devaient jouer à la bataille navale ; elles emportaient toujours des jeux de société avec elles.

Joe se torturait à plaisir, pour se punir, comme s'il était en partie responsable de ce qui s'était passé. Il se força à chasser ces idées noires.

– Qu'est-ce qui est arrivé à Blane, bon sang ? Il était drogué, il avait le cerveau ramolli ou quoi ?

– Non. C'est tout à fait exclu.

– Et en vertu de quoi ?

– C'est toujours une priorité de rechercher dans ce qui reste des pilotes les éventuelles traces de drogue ou d'alcool. En l'occurrence, ça nous a pris un certain temps, dit-elle en montrant les pins et les trembles calcinés en haut de la colline, car beaucoup de débris organiques étaient éparpillés cent mètres alentour dans les arbres, à l'ouest et au nord de l'impact.

Le champ de vision de Joe s'obscurcit et se rétrécit soudain, comme s'il regardait le monde à travers un tunnel. Il se mordit la langue jusqu'au sang, prit une profonde inspiration et tenta de cacher à Barbara combien ces détails l'atteignaient.

Elle mit ses mains dans ses poches et, d'un coup de pied, envoya rouler un caillou dans le cratère.

– Vous tenez vraiment à continuer, Joe ?

– Oui.

Elle soupira.

– Nous avons retrouvé un morceau de main. Nous avons su que c'était celle de Blane, à cause d'une alliance à moitié fondue, mais assez reconnaissable, qui s'était amalgamée à l'annulaire. D'autres tissus nous ont également permis de l'identifier...

– Des empreintes digitales ?

– Non, elles avaient brûlé. Mais le père de Blane vit toujours, et le laboratoire d'identification d'ADN de l'armée a pu confirmer que le tissu était bien celui de Blane en le comparant avec un échantillon d'ADN fourni par son père.

– Fiable ?

– À cent pour cent. Puis les restes ont été remis aux toxicologues. L'infime quantité d'éthanol dans les tissus de Blane et de Santorelli était due à la putréfaction. La main de Blane était restée dans ces bois plus de soixante-douze heures avant qu'on la retrouve. Et les restes de Santorelli, quatre jours. Il était donc normal qu'on trouve de l'éthanol, à cause du pourrissement des tissus. Autrement, les tests toxicologiques démontrèrent avec certitude qu'ils étaient tous deux dans un état absolu de sobriété.

Joe tenta d'accorder ce qu'il venait de lire avec les résultats toxicologiques. En vain.

– Quelles sont les autres possibilités ? Une crise cardiaque ?

– Non, d'après ce que j'ai entendu sur la bande, c'est très improbable, dit Barbara. Blane parle clairement, il articule bien. Ce qu'il dit est bizarre, mais reste cohérent : il n'emploie pas un mot pour un autre, il ne s'emmêle pas les pédales.

– Alors quoi ? lança Joe, exaspéré. Une dépression nerveuse, un moment de folie ?

– Mais pourquoi ? s'écria Barbara, tout aussi exaspérée. Il n'y avait pas d'homme plus équilibré que le capitaine Delroy Michael Blane.

– Il faut croire que non.

– Si, je vous assure, insista-t-elle. Il avait passé tous les tests psychologiques sans aucun problème. Un père de famille loyal. Un mari fidèle. Un mormon, membre actif de son église, qui ne buvait pas, ne se droguait pas, ne jouait pas. Dans son entourage, personne ne l'a vu une seule fois se comporter de façon anormale. D'après ce que tout le monde dit, ce n'était pas seulement un type bien, aux nerfs solides, mais quelqu'un d'heureux.

Des éclairs zébrèrent le ciel. Vers l'est, le tonnerre gronda et roula dans un fracas métallique.

Pointant le manuscrit, Barbara montra à Joe où le 747 avait opéré son premier changement de cap de trois degrés vers la droite, provoquant un lacet.

— À cet instant, Santorelli grogne, mais il n'a pas encore repris conscience. Juste avant la manœuvre, le capitaine Blane dit : « C'est marrant. » On entend d'autres bruits sur la bande, comme si la soudaine accélération latérale faisait valser de petits objets dans la cabine.

C'est marrant.

Joe ne pouvait détacher son regard de ces mots.

Barbara tourna la page à sa place.

— Trois secondes plus tard, l'avion opère un nouveau changement de cap, assez brusque, de quatre degrés vers la gauche. En plus des bruits précédents viennent s'ajouter de nouveaux sons provenant de l'avion lui-même, un coup sourd et un bruit de trépidation. Et les rires du capitaine Blane.

— Il rit, alors que l'avion est en train de chuter ! s'exclama Joe sans comprendre.

— Et pas du tout le genre de rire de dément que vous pourriez imaginer. Mais un rire... joyeux, comme s'il s'amusait sincèrement.

C'est marrant.

Huit secondes après le premier lacet, il y eut un autre changement de cap de trois degrés vers la gauche, suivi deux secondes plus tard par un changement marqué de sept degrés vers la droite. Blane rit en exécutant la première manœuvre et à la seconde, il s'exclame : « Super ! »

— C'est là que l'aile tribord se soulève, forçant l'aile bâbord à se baisser, dit Barbara. En vingt-deux secondes, l'appareil fait un virage sur l'aile de cent quarante-six degrés, avec un piqué de quatre-vingt-quatre degrés.

— C'était fichu.

— Pas fichu, mais mal parti. Il y avait encore une chance qu'ils puissent s'en tirer. Souvenez-vous, ils étaient au-dessus de vingt mille pieds. Ils avaient encore la marge nécessaire pour redresser la situation.

Parce qu'il n'avait jamais lu les articles sur le crash ni regardé les reportages télévisés, Joe avait toujours imaginé qu'un feu s'était déclaré à bord de l'appareil et que la fumée avait empli la cabine. Un instant plus tôt, quand il s'était rendu compte qu'au moins cette terreur-là avait été épargnée aux passagers, il avait espéré que la longue chute de l'avion avait été moins terrifiante que le plongeon qu'il avait vécu lors de certaines crises d'angoisse. Maintenant il se demandait ce qui était pire : la fumée suffocante et la panique devant l'imminence de la catastrophe, ou le faux et cruel espoir d'un sauvetage de dernière minute.

La transcription indiquait le moment où les alarmes s'étaient déclenchées dans la cabine de pilotage, avertissant les pilotes de la perte d'altitude. Une voix enregistrée répétait « Trafic ! » parce que l'avion traversait en descendant des couloirs aériens assignés à d'autres appareils.

— À quoi correspond l'alarme qui est décrite ici ? demanda Joe.

— C'est un son continu et effrayant qui ne peut échapper aux pilotes et qui les avertit que l'avion a perdu en portance. Qu'il est en perte de vitesse, qu'il décroche.

Sous le coup d'un destin qui le précipite vers la terre, Victor Santorelli cesse brusquement de marmonner. Il reprend conscience. Peut-être pour découvrir que le 747 traverse la mer de nuages, ou pire, que le panorama fantomatique du Colorado se rapproche de lui à une vitesse vertigineuse, avec ses dégradés de gris et les lumières de Pueblo brillant vers le sud. La cacophonie d'alarmes et les signaux lumineux qui clignotent sur les six écrans du tableau de bord lui apprennent en un instant tout ce qu'il faut savoir.

— Sa voix est mouillée et nasale, précisa Barbara. Peut-être parce que Blane lui a cassé le nez en le frappant.

Rien qu'en lisant la transcription Joe percevait la terreur de Santorelli et sa frénétique envie de vivre.

SANTORELLI : Oh ! mon Dieu. Non, mon Dieu.
BLANE : *(rires)* Super. Nous voilà, docteur Ramlock, docteur Blom, nous voilà.
SANTORELLI : Redresse !
BLANE : *(rires)* Génial. *(Rires.)* On est enregistrés ?

SANTORELLI : Redresse!
Santorelli respire plus vite, une respiration sifflante. Il grogne, comme s'il luttait avec quelque chose, peut-être avec Blane, mais plus vraisemblablement avec les commandes. La respiration de Blane reste égale.
SANTORELLI : Merde, merde!
BLANE : On est enregistrés?

— Pourquoi demande-t-il sans arrêt s'ils sont enregistrés? s'étonna Joe.
— Je l'ignore.
— Il est pilote depuis longtemps?
— Plus de vingt ans.
— Il devrait savoir que l'enregistreur du cockpit est toujours en marche, non?
— Bien sûr. Mais il n'est pas vraiment dans son état normal, non?
Joe lit les dernières paroles échangées entre les deux hommes.

SANTORELLI : Redresse!
BLANE : Sensass.
SANTORELLI : Mon Dieu...
BLANE : Ouais...
SANTORELLI : Non.
BLANE : *(avec un enthousiasme enfantin)* Oh! si.
SANTORELLI : Susan.
BLANE : Maintenant. Regarde.
Santorelli commence à crier.
BLANE : Du calme.
Le cri de Santorelli dure trois secondes et demi, jusqu'à la fin de l'enregistrement, qui se termine au moment de l'impact.

Le vent couchait l'herbe de la prairie. Le ciel s'apprêtait à laver la nature à grande eau.
Joe plia les trois feuilles de papier puis les fourra dans la poche de son veston.
Pendant un moment, il fut incapable de parler.
Éclairs lointains. Tonnerre. Nuages en mouvement.
— Le dernier mot de Santorelli fut un prénom, dit enfin Joe, les yeux fixés sur le cratère.

172

– Susan.

– Qui est-ce ?

– Sa femme.

– Je m'en doutais.

Pour finir, plus de suppliques ni d'appels implorant la misé-
ricorde divine. Mais une résignation fataliste. Un prénom
mumuré avec amour, regret et une terrible nostalgie, peut-être
aussi avec un brin d'espoir. Et, dans l'esprit, non pas l'image terrifiante de la terre et des ténèbres approchant, mais celle d'un
visage aimé.

Joe se tut encore un long moment.

3.

Du cratère produit par l'impact, Barbara Christman et Joe remontèrent la pente douce de la prairie vers le nord, tout près du bouquet sinistre que formaient les trembles carbonisés.

— C'est quelque part par là, si je m'en souviens bien, dit-elle. Mais quelle importance?

Quand Barbara était arrivée à la prairie le lendemain de l'accident, au matin, les débris disséminés du 747 n'évoquaient pas l'épave d'un avion. Seuls deux vestiges avaient été immédiatement reconnaissables : un morceau de réacteur et un module de trois places passagers.

— Trois places, côte à côte? dit-il.

— Oui. Mais quel intérêt?

— Pourriez-vous identifier à quel endroit de l'avion ces sièges étaient situés?

— Joe...

— Le pouvez-vous? insista-t-il patiemment.

— Ils ne pouvaient pas venir de la première classe ni de la classe affaire, car ce sont tous des modules à deux places. Par ailleurs, les rangées centrales de la classe économique ont quatre sièges. Ils devaient donc provenir des rangées bâbord ou tribord de la classe économique.

— Ils étaient endommagés?

— Bien sûr. Mais pas autant qu'on aurait pu s'y attendre.

— Brûlés?

— Pas complètement.

— Un peu ou pas du tout?

— Si je m'en souviens bien... ils étaient juste roussis et recouverts d'un peu de suie.

— Et le revêtement, était-il intact ?

— Joe, personne n'a survécu, dit Barbara dont le visage franc et ouvert s'assombrit.

— Le revêtement était-il intact ? la pressa-t-il.

— Autant que je m'en souvienne... il était un peu déchiré. Rien de grave.

— Y avait-il du sang dessus ?

— Je ne me rappelle pas.

— Des cadavres assis sur les sièges ?

— Non.

— Des restes humains ?

— Non.

— Et les ceintures de sécurité, étaient-elles encore attachées ?

— Je ne m'en souviens pas. Je le suppose.

— Si les ceintures étaient attachées...

— Joe, à quoi bon, ça ne sert à rien...

— Michelle et les filles étaient en classe économique, dit-il.

Barbara se mordilla les lèvres, détourna les yeux et fixa l'orage qui approchait.

— Joe, n'allez pas imaginer que votre famille occupait ces places-là.

— Je sais bien, lui assura-t-il.

Comme il avait envie d'y croire, pourtant. Elle croisa son regard.

— Elles sont mortes, dit-il. Je ne cherche pas à le nier, Barbara.

— Ah ! vous voilà reparti avec cette Rose Tucker.

— Si je peux découvrir quelle place elle occupait dans l'avion et si c'était le côté bâbord ou tribord de la classe économique, cela apportera au moins une petite confirmation.

— À quoi ?

— Au fait qu'elle a survécu à l'accident.

Incrédule, Barbara secoua la tête.

— Vous ne l'avez pas rencontrée, dit-il. Rose n'est pas une toquée. Je ne crois pas qu'elle soit une menteuse. Elle dégage une telle présence, un tel magnétisme.

L'odeur d'ozone qui vient souvent avant que la pluie fasse son entrée arriva de l'est, portée par le vent.

– L'avion a chuté de six mille mètres en piquant du nez, sans même rebondir sur le ventre pour amortir le choc, insista Barbara sur un ton de tendre exaspération, et tout aurait explosé autour de Rose Tucker sans que...

– Je sais tout ça.

– Dieu sait que je n'ai pas envie d'être cruelle, Joe, mais en êtes-vous bien sûr ? Une force explosive démentielle, capable de pulvériser de la roche. Quant aux passagers... Les chairs ont été arrachées, il n'en est plus resté que des os qui eux-mêmes se sont écrasés comme des biscottes et ont été réduits en poudre. Dans la seconde qui a suivi, alors que l'avion venait de se fracasser, une fine brume de kérosène s'est déposée partout. Tout a pris feu. Et cette Rose serait sortie indemne de cet enfer pour s'en aller tranquillement, comme une fleur...

Joe regarda le ciel au-dessus, puis la terre à ses pieds. La terre était la moins sombre des deux.

– On a vu dans des reportages d'actualités une ville frappée par une tornade, où tout est écrasé, comme passé à la moulinette, et, en plein milieu, il reste une maison, pratiquement intacte.

– C'est un phénomène climatique, un caprice du vent. Mais là il s'agit de simple physique, Joe. Les lois de la matière et du mouvement. Il n'y a pas de hasard, en physique. Si la ville en question avait chuté de six mille mètres, la seule maison rescapée aurait elle aussi été réduite en miettes.

– Rose a montré quelque chose aux familles de certaines des victimes, quelque chose qui leur a remonté le moral.

– Quoi donc ?

– Je l'ignore, Barbara. Je voudrais bien le savoir. Je voudrais qu'elle me le montre à moi aussi. Le truc, c'est que... quand elle leur dit qu'elle était à bord de l'avion, eux la croient dur comme fer. C'est plus qu'une simple opinion. C'est une conviction profonde, dit-il en revoyant les yeux brillants de Georgine Delmann.

– Alors c'est une arnaqueuse de première.

Joe se contenta de hausser les épaules.

À quelques kilomètres, la fourche d'un éclair traversa les nuages noirs. À l'est, un lourd rideau de pluie tomba brusquement sur le paysage.

– Je ne sais pourquoi, mais vous ne me faites pas l'effet d'être très porté sur la religion, dit Barbara.

— Je ne le suis pas. Michelle emmenait les filles à l'école du dimanche et à l'église chaque semaine, mais je n'y allais pas. C'est la seule chose que je ne partageais pas avec elle.

— Vous êtes contre ?

— Non. C'est juste un manque d'intérêt. J'ai toujours été aussi indifférent envers Dieu qu'il semble l'être envers moi. Et après le crash... j'ai franchi le dernier pas entre désintérêt et incrédulité. Comment concilier l'idée d'un Dieu bienveillant avec ce qui est arrivé à tous ceux qui se trouvaient dans cet avion... et à ceux d'entre nous qui vont passer le reste de leur vie à les regretter ?

— Si vous êtes un athée endurci, pourquoi vous entêter à croire à ce miracle ?

— Je ne dis pas que la survie de Rose Tucker fut un miracle.

— Je ne vois pas comment l'appeler autrement. À part Dieu en personne et une équipe d'anges secouristes, qui aurait pu la sortir de là en un seul morceau ? remarqua Barbara avec une note sarcastique.

— Je ne crois pas en une intervention divine. Il y a une autre explication, étrange, mais logique.

— Impossible, dit-elle en s'obstinant.

— Impossible ? Et tout ce qui s'est passé dans la cabine de pilotage avec le capitaine Blane, vous ne trouvez pas cela étrange ?

Elle soutint son regard, cherchant en vain une réponse dans les casiers bien ordonnés de son esprit.

— Si vous ne croyez en rien, reprit-elle, alors qu'espérez-vous de Rose ? Selon vous, ce qu'elle a dit aux autres parents des défunts leur a remonté le moral. Et si c'était un réconfort d'ordre spirituel ?

— Pas nécessairement.

— Quoi d'autre alors ?

— Je l'ignore.

— Une chose étrange, mais logique, dit-elle en reprenant les paroles de Joe avec une forte nuance d'exaspération.

Il détourna le regard. Ses yeux se posèrent sur les arbres qui bordaient la prairie. Dans le bouquet de trembles calcinés, un seul arbre avait survécu, et il était revêtu de feuillage. Au lieu d'être pâle et lisse comme ceux des arbres morts, son tronc avait toujours son écorce noire et écailleuse, ce qui ferait un étonnant contraste avec ses feuilles, quand à l'automne elles vireraient au jaune doré.

— Une chose étrange, mais logique, acquiesça-t-il.

Plus proches que jamais, des éclairs strièrent le ciel. Le tonnerre rendit coup pour coup, suivant le même rythme.

— On ferait mieux de rentrer, dit Barbara. Il n'y a plus rien à voir ici.

Joe la suivit tandis qu'ils redescendaient la pente, mais il fit encore une halte au bord du cratère.

Les rares fois où il s'était rendu aux réunions du Cercle de compassion, il avait entendu d'autres parents parler du point zéro. Le point zéro, c'est l'instant qui marque la mort de l'enfant, la date à partir de laquelle découlent tous les événements à venir, le tic-tac remettant à zéro tous vos circuits internes. C'est là que votre pauvre boîte à rêves, autrefois coffre aux trésors débordant d'espoirs et de désirs, bascule et se vide dans un abîme sans fin, ne vous laissant plus que la perte et l'absence. En un clin d'œil, le futur et ses promesses multiples deviennent un lourd fardeau d'obligations diverses n'ayant plus aucun sens, et seul le passé, l'insaisissable passé, vous fait miroiter un endroit hospitalier où il ferait bon vivre.

Il avait vécu retranché du futur comme du passé, accroché au point zéro pendant plus d'un an tandis que le temps le fuyait dans les deux directions. Comme suspendu dans une citerne d'azote liquide, plongé dans un profond sommeil cryogénique.

Maintenant, il se tenait à un autre point zéro : le point physique où sa femme et ses filles avaient péri. Et il désirait si fort qu'elles reviennent que ce désir lui déchirait la poitrine comme les serres d'un aigle. Mais il voulait autre chose aussi : que justice leur soit rendue, une justice qui ne donnerait aucun sens à leur mort, mais en donnerait peut-être un à sa vie.

Il lui faudrait faire tout le chemin, émerger enfin de sa torpeur cryogénique, secouer la glace qui s'était figée dans ses veines, continuer, sans repos, tant qu'il n'aurait pas exhumé la vérité de la tombe où on l'avait enfouie. Pour elles, pour ses filles adorées et sa femme perdue, il brûlerait des palais, abattrait des empires et remuerait ciel et terre. Et tant pis s'il y avait de la casse.

À présent, il comprenait ce qui différencie la justice de la seule vengeance : la vraie justice ne soulagerait pas sa souffrance, elle ne lui apporterait aucun sentiment de triomphe ; elle lui permettrait seulement de sortir du point zéro et, sa tâche accomplie, de mourir en paix.

La lueur des éclairs transperçait la voûte des conifères, si bien qu'une nuée d'oiseaux blancs semblait voleter entre les arbres. Le tonnerre et le souffle du vent résonnaient aux oreilles de Joe comme autant de claquements d'ailes et ces jeux d'ombre et de lumière duveteuses faisaient frissonner toute la forêt, du sol moussu jusqu'à la cime des arbres.

Alors qu'ils arrivaient à la Ford Explorer, là où l'étroit sentier se couvrait d'herbe, la pluie s'abattit sur eux comme une masse rugissante. Ils se précipitèrent à l'intérieur de la voiture, ruisselants. Les grosses gouttes d'eau avaient dessiné des taches sombres couleur prune sur la blouse pervenche de Barbara.

Ils ne virent pas ce qui avait effrayé les daims et les avait fait sortir des fourrés, mais Joe était pratiquement certain maintenant que le fautif n'était autre qu'une bête sauvage. En courant pour échapper à la pluie, il n'avait senti que des animaux tapis dans l'ombre, et non la présence menaçante des hommes.

Pourtant la forêt de conifères semblait former l'architecture idéale pour des assassins, avec ses arches de verdure, ses angles morts, ses repaires secrets où l'on pouvait à loisir s'embusquer.

Tandis que Barbara démarrait et repartait par le même chemin qu'à l'aller, Joe épiait les sous-bois avec nervosité, s'attendant à tout moment qu'on leur tire dessus.

— Les deux hommes dont parle Blane sur la bande... commença-t-il quand ils atteignirent la route gravillonnée.

— Le Dr Blom et le Dr Ramlock.

— Avez-vous lancé une recherche pour essayer de découvrir qui ils sont ?

— Quand j'étais à San Francisco et que je fouillais dans le passé et les antécédents de Delroy Blane en quête d'éventuels problèmes personnels qui auraient pu le fragiliser psychologiquement, j'ai demandé à sa famille et à ses amis si ces noms leur disaient quelque chose. Aucun n'en avait entendu parler.

— Vous avez vérifié les effets personnels de Blane, carnets de rendez-vous et d'adresses, carnet de chèques ?

— Oui. Je n'ai rien trouvé. Et le médecin de famille de Blane dit qu'il n'a jamais orienté son patient vers des spécialistes de ce nom. Aucun généraliste, psychiatre ou psychologue dans toute la région de San Francisco ne s'appelle ainsi. Je n'ai pas poussé mes recherches plus loin : à ce moment-là, j'ai été réveillée par ces salauds dans ma chambre d'hôtel, un pistolet sur la tempe.

Ils arrivèrent enfin sur la route goudronnée où la pluie dansait en éclaboussant le bitume noir de paillettes argentées. Barbara s'était enfermée dans un silence gêné.

Les éclairs et le tonnerre s'étaient calmés ; la tempête défoulait toute son énergie en rafales de vent et de pluie.

Joe écoutait le frottement monotone des essuie-glaces.

Il écoutait aussi les gouttes de pluie tambouriner contre les vitres. D'abord ce crépitement lui avait paru fortuit, dépendant du seul hasard et sans signification, puis, peu à peu, il avait cru y percevoir des thèmes, des motifs récurrents, comme si même le rythme de la pluie dissimulait un savoir caché.

Barbara se rappela soudain un morceau du puzzle qu'elle avait omis.

– Je me souviens d'un truc, mais...

Joe attendit.

– ... je n'ai pas envie d'apporter de l'eau à votre moulin.

– Mon moulin ?

– Cette idée complètement illusoire qu'il ait pu y avoir une survivante, dit-elle en lui jetant un coup d'œil.

– N'hésitez pas. Rien ne m'a vraiment encouragé, ces derniers temps.

Barbara soupira, puis se lança :

– Il y a un ranch non loin d'ici. Son propriétaire dormait déjà quand l'avion s'est écrasé. Les gens qui travaillent la terre se couchent tôt par ici. L'explosion l'a réveillé. Et puis quelqu'un est venu frapper à sa porte.

– Qui ça ?

– Le lendemain, le propriétaire du ranch a appelé le shérif du comté, et le bureau du shérif l'a mis en relation avec le centre de commandement de l'enquête. Mais cela n'a pas semblé très important.

– Qui est venu chez lui en plein milieu de la nuit ?

– Un témoin, dit Barbara.

– De l'accident ?

– Vraisemblablement.

Elle lui jeta un coup d'œil, puis revint vite à la route balayée par la pluie.

Étant donné ce que Joe lui avait appris, ce souvenir semblait troubler de plus en plus Barbara, qui plissait les yeux et serrait les lèvres comme pour retrouver le passé dans toute sa clarté. Mais elle hésitait encore à aller de l'avant.

– Un témoin de l'accident... la pressa Joe.

– Je n'arrive pas à me rappeler pourquoi elle est venue à ce ranch en particulier, ni dans quelle intention.

– Elle ?

– La femme qui prétendait avoir vu l'accident.

– Il y a autre chose, dit Joe.

– Oui... Si je m'en souviens bien, c'était une Noire.

Joe en eut le souffle coupé.

– A-t-elle dit son nom à ce fermier ? finit-il par demander.

– Je ne sais pas.

– Je serais curieux de le savoir.

Au croisement de la route nationale et de l'allée qui menait à la propriété, deux grands poteaux blancs encadraient l'entrée, portant une enseigne où était marqué en lettres vertes sur fond blanc le nom du domaine : LE RANCH DU BON VIEUX TEMPS. Et dessous, en italique et plus petites lettres : *Jeff et Mercy Ealing*. Le portail était ouvert.

L'allée goudronnée était bordée de clôtures en bois blanc qui divisaient les champs en petits pâturages. Ils croisèrent un grand manège d'équitation et de nombreuses écuries peintes en vert.

– Je n'y suis pas venue moi-même l'année dernière, mais l'un de mes collègues m'a fait un rapport et ça me revient maintenant... Ils élèvent et entraînent des chevaux de course. Et des chevaux arabes destinés au cirque et au monde du spectacle, je crois.

On ne voyait aucune bête dans les pâturages couchés par le vent et battus par la pluie. Le manège était également désert.

Le haut de la porte à double vantail de certaines des écuries était ouvert et çà et là, bien à l'abri dans leurs quartiers, des chevaux scrutaient la tempête. Leurs robes allaient du sombre au clair, en passant par le gris pommelé.

Le bâtiment principal était grand et élégant, avec des bardeaux blancs et des volets verts. Encadré de trembles, il avait la véranda la plus imposante que Joe ait jamais vue. Sous la lourde chape de nuages noirs, la lumière jaune qui filtrait par certaines des fenêtres semblait aussi accueillante que celle d'un feu de cheminée.

Barbara se gara dans la grande allée circulaire qui longeait le devant de la maison. Elle et Joe coururent sous la pluie, beaucoup plus froide maintenant qu'au début, jusqu'au porche couvert. La porte grillagée s'ouvrit en grinçant sur ses gonds et son ressort usé, mais ces sons n'avaient rien de désagréable ; ils parlaient du temps qui passe avec douceur et caresse plutôt qu'il ne détruit ce qu'il frôle au passage.

Le mobilier de la véranda était en osier blanc avec des coussins verts et, sur des étagères en fer forgé, des fougères laissaient pendre leurs larges feuilles.

La porte de la maison était ouverte. Un homme d'environ soixante ans, en ciré noir, attendait sur l'un des côtés de la véranda. La peau de son visage était tannée et patinée comme le cuir d'une vieille sacoche qui a beaucoup voyagé. Il avait des yeux bleus, aussi vifs et amicaux que son sourire. Il dut hausser le ton pour se faire entendre par-dessus le vacarme de la pluie tambourinant sur la verrière.

— Bonjour. Quel temps de cochon, hein ?

— Vous êtes monsieur Ealing ? demanda Barbara.

— Non, c'est moi, dit un autre homme en ciré noir, apparaissant sur le pas de la porte.

Il avait quinze centimètres de plus et vingt ans de moins que celui qui les avait accueillis. Mais une vie passée à cheval et au grand air, sous les morsures du froid, du soleil et du vent, avait commencé à éroder les lignes pleines et lisses de son visage, révélant la profonde et sage expérience qu'on acquiert à la campagne.

Barbara se présenta en prétendant qu'elle travaillait pour le Safety Board et que Joe était son collègue.

— Vous en êtes encore là, après toute une année ? demanda Ealing.

— Nous n'avons pas pu statuer sur la cause de l'accident, dit Barbara. Et je n'ai jamais aimé clore un dossier sans savoir au juste ce qui est arrivé. Si nous sommes ici, c'est pour vous questionner sur la femme qui a frappé à votre porte cette nuit-là.

– Bien sûr, je m'en souviens très bien.

– Pourriez-vous la décrire ? demanda Joe.

– Une petite femme. La quarantaine. Jolie.

– Noire ?

– Oui. Mais avec une touche d'autre chose. Mexicaine, peut-être. Ou plutôt chinoise. Vietnamienne.

Joe se souvint des yeux légèrement bridés de Rose Tucker.

– Vous a-t-elle dit son nom ?

– Probablement, mais je ne m'en souviens pas.

– Est-elle arrivée ici longtemps après le crash ? demanda Barbara.

– Non, pas très longtemps.

Ealing portait un cartable en cuir ressemblant à celui d'un médecin, qu'il balançait d'une main à l'autre.

– Le bruit de l'avion qui tombait nous a réveillés Mercy et moi avant qu'il ne s'écrase au sol. C'était bien plus fort que celui des avions qui passent d'habitude. On s'est tout de suite douté de ce que c'était. Je suis sorti du lit et Mercy a allumé la lumière. C'est alors qu'on a entendu l'explosion, comme si quelqu'un faisait sauter une mine ou une carrière de pierre. Même la maison a tremblé.

Le plus vieux se dandinait avec impatience.

– Comment va-t-elle, Ned ? demanda Ealing.

– Pas bien, pas bien du tout, répondit Ned.

– Et Doc Sheely qui n'arrive pas, dit Jeff Ealing en regardant vers la longue allée qui disparaissait sous la pluie. Qu'est-ce qu'il fiche, bon sang.

Il passa une main sur son visage en lame de couteau, qui sembla s'allonger encore.

– Si nous tombons à un mauvais moment... dit Barbara.

– On a une jument malade, mais je peux vous accorder une minute, dit Ealing, qui revint à la nuit du crash. Mercy a appelé les services d'urgence du comté de Pueblo. Je me suis habillé en vitesse et j'ai pris la camionnette. J'ai filé jusqu'à la grand-route, vers le sud, en essayant de trouver où l'avion était tombé, pour voir si je pourrais aider. Il fallait voir le feu dans le ciel, pas les flammes directement, mais la lueur qui montait. Le temps de m'orienter et de me rapprocher, une voiture de police bloquait déjà l'embranchement de la route nationale. Une autre s'est garée juste derrière moi. Ils étaient en train d'installer une barrière en attendant les équipes de secours. Ils m'ont bien fait comprendre que ce n'était pas un job pour un péquenot dans mon genre, même plein de bonne volonté. Alors je suis rentré à la maison.

— En tout, ça vous a pris combien de temps ? demanda Joe.

— Pas plus de quarante-cinq minutes. J'étais à la cuisine avec Mercy depuis une demi-heure environ, je buvais un décaféiné avec une goutte de Bailey's, bien réveillé et écoutant les nouvelles sur la radio en me demandant si ça valait le coup de me recoucher, quand on a entendu frapper à la porte.

— Alors elle est arrivée une heure et quart après l'accident, dit Joe.

— À peu près.

La pluie torrentielle et le vent qui fouettait les trembles avaient couvert le bruit du moteur, et ils ne remarquèrent la voiture qui approchait que lorsqu'elle se gara devant la maison, ses feux transperçant la maille serrée de la pluie comme des lames d'argent. Une Jeep Cherokee.

— Dieu merci ! s'exclama Ned, en remontant la capuche de son ciré avant de s'engouffrer dans la tourmente.

— Voilà Doc Sheely, dit Jeff Ealing. Il faut que j'aille l'aider à soigner la jument. Mais Mercy en sait plus que moi à ce sujet, de toute façon. Entrez donc lui parler.

Mercy Ealing avait relevé ses cheveux blonds striés de gris à l'aide de trois barrettes, mais quelques boucles échappées pendaient en spirales le long de ses joues empourprées.

Manifestement, elle était en train de faire de la pâtisserie. Elle s'essuya les mains sur son tablier pour enlever le plus gros, puis sur un torchon, et insista pour que Barbara et Joe s'assoient à la table de la grande cuisine et boivent une tasse de café. Elle leur proposa une assiette de cookies sortant du four.

La porte de derrière était entrouverte. Le rythme cadencé de la pluie était étouffé ici, comme les tambours d'un cortège funèbre passant sur la grand-route.

L'air était tiède et odorant, il sentait bon la bouillie d'avoine, le chocolat et les noisettes grillées.

Le café était bon, et les cookies encore meilleurs.

Sur le mur il y avait un calendrier illustré, à thème biblique. L'image du mois d'août montrait Jésus sur le rivage, parlant aux deux frères pêcheurs, Pierre et André, qui avaient lâché leurs filets.

Joe avait l'impression d'être tombé dans une trappe temporelle en passant d'une réalité à une autre, du lieu froid et désolé où il vivait depuis un an au monde normal, avec ses petits problèmes quotidiens, ses tâches agréablement routinières, et une foi simple.

Tout en vérifiant la cuisson des cookies dans les deux fours, Mercy se remémorait la nuit du drame.

— Non, pas Rose. Elle s'appelait Rachel Thomas.

Les mêmes initiales, se dit Joe. Survivante, Rose s'était-elle doutée que, dans cet accident, elle était la cible ? Elle devait tenir à ce que ses ennemis la croient morte. Garder les mêmes initiales avait dû l'aider à se rappeler le faux nom qu'elle s'était donné.

— Elle roulait de Colorado Springs à Pueblo quand elle a vu l'avion tomber, dit Mercy. La pauvre, elle a eu si peur qu'elle a pilé et que la voiture a dérapé. Heureusement qu'elle avait sa ceinture de sécurité. La voiture est sortie de la route, elle a descendu un talus et s'est retournée.

— Et Rachel, était-elle blessée ? dit Barbara.

— Non, pas une égratignure, dit Mercy en déposant des cuillerées de pâte épaisse sur les plaques de four huilées. Elle était juste un peu secouée. Ce n'était qu'un petit talus de rien du tout. Elle avait bien un peu de boue et d'herbes collées sur ses vêtements, mais c'est tout. Par contre, elle tremblait comme une feuille. Elle était très délicate, j'étais désolée pour elle.

— À ce moment-là, elle prétendait avoir été témoin de l'accident, dit Barbara en lançant à Joe un regard plein de sous-entendus.

— Oh ! je ne crois pas qu'elle l'ait inventé. Elle avait tout vu, c'est sûr. Et ça l'avait vraiment bouleversée.

Un minuteur sonna. Mercy glissa une main dans un gant de cuisine matelassé et alla retirer du four une plaque couverte de cookies bruns et odorants.

— Elle est venue chez vous pour demander de l'aide ? demanda Barbara.

— Elle voulait appeler une station de taxis de Pueblo, mais je l'ai prévenue qu'ils ne feraient jamais la route jusqu'ici, dit Mercy en mettant le plateau d'aluminium brûlant à refroidir sur une étagère en fer.

— Elle n'a pas pensé à appeler une dépanneuse pour sa voiture ? demanda Joe.

— Pas la peine d'y compter, à cette heure de la nuit. Elle pensait revenir le lendemain avec un dépanneur.

— Qu'a-t-elle fait quand vous lui avez dit qu'il n'y avait pas moyen de faire venir un taxi jusqu'ici ?

— Je l'ai emmenée moi-même à Pueblo, dit Mercy en glissant une nouvelle plaque de biscuits dans le four.

— Ça fait un sacré bout de chemin ! remarqua Barbara.

— Jeff devait se lever plus tôt que moi. Et Rachel ne voulait pas passer la nuit ici. Il ne faut pas plus d'une heure pour arriver là-bas, en forçant un peu l'allure, dit Mercy en refermant la porte du four.

— C'était très gentil de votre part, dit Joe.

— Vous trouvez ? C'est tout naturel, il me semble. Il faut bien aider son prochain quand il est dans l'ennui. Et c'était vraiment une dame adorable. Pendant tout le trajet jusqu'à Pueblo, elle n'a pas cessé de se torturer à propos des pauvres gens qui étaient dans l'avion. Elle en était toute retournée. Presque comme si c'était sa faute, tout ça parce qu'elle avait vu l'avion quelques secondes avant qu'il ne s'écrase. Et puis aller à Pueblo, ce n'est pas la mer à boire... Par contre, le voyage du retour fut infernal, une vraie cohue. Voitures de police, ambulances, camions de pompiers... Et pas mal de curieux, aussi. Des gens qui attendaient sur le bord de la route, à côté de leurs voitures. Espérant voir du sang, je parie. Ça me dégoûte. C'est drôle comme ce genre de tragédie peut faire sortir le pire et le meilleur, chez l'homme.

— Durant le trajet jusqu'à Pueblo, est-ce qu'elle vous a montré où sa voiture avait quitté la grand-route ? demanda Joe.

— Elle était trop secouée pour reconnaître l'endroit exact dans le noir. Et on ne pouvait pas s'arrêter tous les cent mètres pour voir si c'était le bon talus, sinon la pauvre n'aurait pas été près de se coucher.

Un autre minuteur bourdonna.

— Elle était si vannée que ses yeux se fermaient, reprit Mercy en remettant le gant de cuisine pour ouvrir la porte du deuxième four. Elle n'avait qu'une envie : se retrouver au chaud dans son lit.

Joe était sûr qu'il n'y avait pas de voiture. Rose avait fui la

186

prairie en flammes pour se réfugier dans les bois. Il la voyait courir à l'aveuglette avec une seule idée en tête : disparaître avant que quelqu'un découvre qu'elle était en vie. Horrifiée, en état de choc, elle avait préféré se perdre dans les bois au risque de mourir de faim et de froid plutôt que d'être retrouvée par une équipe de secours et de tomber aux mains de ses ennemis, dont elle venait de découvrir l'immense et terrifiant pouvoir. Par chance, elle avait atteint une crête et, de là, elle avait aperçu à travers les arbres les lumières lointaines du ranch du Bon Vieux Temps.

— Mercy, dit Barbara en poussant sa tasse de café vide, où l'avez-vous déposée, à Pueblo ? Vous souvenez-vous de l'adresse ?

— Elle ne m'a jamais donné d'adresse, elle m'a juste guidée de rue en rue jusqu'à ce qu'on arrive à la maison, répondit Mercy en tirant à demi la plaque du four pour vérifier la cuisson des cookies.

Rose l'avait sans doute choisie au hasard ; il était peu probable qu'elle connaisse quelqu'un à Pueblo.

— Vous l'avez vue rentrer ? demanda Joe.

— J'ai voulu attendre qu'elle soit dans la maison, mais elle m'a remerciée et m'a dit qu'il fallait me dépêcher de rentrer.

— Pourriez-vous retrouver l'endroit ? demanda Barbara.

Estimant que les cookies n'étaient pas assez dorés, Mercy repoussa la plaque dans le four et enleva son gant.

— Bien sûr. Une grande et belle maison dans un très joli quartier. Ce n'était pas celle de Rachel, mais celle de son associé, celui qui partageait un cabinet avec elle. Vous ai-je dit qu'elle était médecin et exerçait à Pueblo ?

— Mais vous ne l'avez pas vraiment vue entrer dans cette maison ? demanda Joe.

Rose avait dû attendre que Mercy disparaisse, puis elle s'était éloignée et avait trouvé un moyen de transport pour quitter Pueblo.

Le visage de Mercy était rouge et moite à cause de la chaleur du four. Elle tira une ou deux feuilles du rouleau de papier absorbant et s'essuya le front.

— Non. Comme je vous l'ai dit, je les ai déposées devant la maison et elles ont remonté l'allée.

— Comment ça, elles ont ?

— Rachel et la petite. Pauvre gosse. Elle dormait debout. C'était la fille de son associé.

Sidérée, Barbara jeta un coup d'œil à Joe, puis se pencha vers Mercy.

— Il y avait une petite fille?

— Un petit ange, elle avait sommeil, mais elle ne ronchonnait pas du tout.

— Vous voulez dire que Rose... que Rachel avait un enfant avec elle?

— Je l'ai dit, il y a un an, quand le type de votre service est venu, dit Mercy, déconcertée. Je lui ai tout dit sur Rachel et la petite fille.

— Je ne me souvenais pas qu'il y avait un enfant, dit Barbara en se tournant vers Joe. C'est déjà une chance de m'être rappelée de cet endroit.

Le cœur de Joe se mit à rouler d'avant en arrière, par à-coups, comme une roue longtemps immobilisée tournant sur un essieu rouillé.

Sans se rendre compte de l'effet que sa révélation avait produit sur Joe, Mercy ouvrit une nouvelle fois la porte du four.

— Quel âge avait la petite? demanda-t-il.

— Oh! dans les quatre ou cinq ans, dit Mercy.

Un lourd pressentiment s'abattit sur Joe. Quand il ferma les yeux, le noir fourmilla de possibilités qu'il n'osait envisager.

— Pouvez-vous... pouvez-vous la décrire?

— Une petite poupée, jolie comme un cœur. Mais ils sont tous mignons à cet âge-là, non?

Quand Joe ouvrit les yeux, il s'aperçut que Barbara le fixait avec une immense compassion.

— Doucement, Joe, dit-elle. N'en espérez pas trop.

Mercy posa la deuxième plaque de cookies sur une autre étagère en fer.

— De quelle couleur étaient ses cheveux? dit Joe.

— C'était une blondinette.

Il avait fait le tour de la table avant même de se rendre compte qu'il s'était levé. Avec une spatule, Mercy soulevait les cookies pour les mettre à refroidir sur un grand plat. Joe se plaça face à elle.

— Et ses yeux, Mercy, de quelle couleur étaient-ils?

— Je ne m'en souviens pas exactement.

— Essayez.

— Bleus, je suppose, dit-elle en glissant la spatule sous un autre biscuit.

188

— Pourquoi?

— Eh bien, parce qu'elle était blonde.

Sans prévenir, il lui ôta la spatule des mains et la posa sur le comptoir.

— Regardez-moi, Mercy. C'est important.

— Du calme, Joe, du calme, l'avertit Barbara.

Il savait qu'il aurait dû l'écouter. L'indifférence était sa seule défense. Son amie et sa consolation. L'espoir est un oiseau qui vous échappe, une lumière qui peut s'éteindre à tout moment, une pierre friable qui tombe et se brise quand on n'a pas la force de la porter. Pourtant, animé d'une audace qui l'effrayait, il se voyait en train de soulever cette pierre, de faire un pas dans la lumière, de tendre les mains vers les ailes blanches qui battaient au loin.

— Mercy, les blondes n'ont pas toutes les yeux bleus, n'est-ce pas?

— Eh bien, je suppose que non, répondit Mercy Ealing, frappée par son exaltation.

— Certaines ont les yeux verts, non?

— Oui.

— En réfléchissant bien, vous avez même dû voir des blondes aux yeux marron.

— Pas beaucoup.

— Mais quelques-unes.

Son cœur trépignait comme un cheval qui frappe de ses sabots ferrés d'acier les bords de sa stalle.

— Cette petite fille, êtes-vous certaine qu'elle avait les yeux bleus? dit-il.

— Non. Pas sûre du tout.

— Pouvaient-ils être gris?

— Je ne sais pas.

— Réfléchissez. Essayez de vous souvenir.

Les yeux de Mercy devinrent vagues, comme si elle fixait maintenant l'horizon lointain de sa mémoire, mais, au bout d'un moment, elle secoua la tête.

— Je ne peux pas certifier non plus qu'ils étaient gris.

— Regardez mes yeux, Mercy. Ils sont gris.

— Oui.

— Un drôle de gris, pas très courant.

— Oui.

– Qui tire un peu sur le violet.

– Je vois, dit-elle.

– Cette petite fille... Mercy. Est-ce que ses yeux ressemblaient aux miens?

Elle avait deviné la réponse qu'il voulait entendre, même sans en comprendre la raison. Et comme elle avait bon cœur, elle était tentée de lui faire plaisir. Pourtant, incapable de tricher, elle finit par lui avouer qu'elle n'en savait rien.

– Je ne peux rien affirmer, comprenez-vous?

Joe eut l'impression de tomber dans un abîme vertigineux, mais son cœur continuait de cogner, cogner.

– Décrivez-moi son visage, reprit-il, s'efforçant de maîtriser sa voix. Fermez les yeux et essayez de la revoir, ajouta-t-il en posant les mains sur les épaules de Mercy.

Elle ferma les yeux.

– Sur sa joue gauche, dit Joe. À côté du lobe de l'oreille. Une petite tache de naissance.

Les paupières de Mercy frémirent tandis qu'elle s'efforçait de rafraîchir sa mémoire.

– C'est plus un grain de beauté qu'une tache, dit Joe. Il n'a pas de relief, il est plat, un peu la forme d'un croissant de lune.

– C'est possible, mais je ne m'en souviens pas, dit-elle après avoir longuement hésité.

– Et son sourire. Un sourire en coin, qui remonte un peu vers la gauche.

– Elle ne souriait pas. Elle avait tellement sommeil... elle était un peu abrutie et pas très expansive.

Joe ne trouva pas d'autre trait distinctif susceptible de raviver la mémoire de Mercy Ealing. Il aurait pu la régaler pendant des heures d'histoires vantant la grâce et l'intelligence de sa fille, son charme, son humour, la qualité musicale de son rire. Il aurait pu lui parler à loisir de sa beauté, de la courbe lisse de son front, de l'or cuivré de ses sourcils et de ses cils, de l'impertinence de son nez, de ses oreilles roses et nacrées, du mélange de force et de fragilité qui émanait de son visage, de cette volonté qu'il lisait dans ses traits bien dessinés et qui lui remuait le cœur quand il la regardait dormir, de sa curiosité d'esprit, de la vivacité de ses expressions. Mais c'étaient là des impressions subjectives et, aussi détaillées soient-elles, elles ne conduiraient pas Mercy à lui donner les réponses qu'il espérait.

Il ôta les mains de ses épaules.

Elle ouvrit les yeux.

— Je regrette, dit-elle.

— Ce n'est pas grave. J'espérais... J'ai cru que... Je ne sais pas.

L'aveuglement n'était pas un costume taillé pour lui, et alors même qu'il mentait à Mercy Ealing, il se sentait comme nu, tous ses espoirs gisant à terre autour de lui comme de pauvres hardes. Il avait encore cédé à sa névrose. Cette mystérieuse petite fille ayant le même âge et la même couleur de cheveux que la sienne, il ne lui en avait pas fallu davantage pour se lancer encore une fois tête baissée à la poursuite d'une chimère.

— Je regrette, dit Mercy, qui l'avait vu s'exalter et le sentait maintenant dégringoler d'une hauteur vertigineuse. Ses yeux, la tache de naissance, le sourire... tout ça ne m'évoque rien. Mais je me rappelle de son prénom. Rachel l'appelait Nina.

Derrière Joe, à la table, Barbara se leva d'un bond, faisant culbuter sa chaise.

4.

Au coin de la véranda située à l'arrière de la maison, l'eau coulait le long de la gouttière dans un gargouillis de voix querelleuses, de questions avides crachées dans une langue incompréhensible.

Joe avait les jambes en coton. Il s'appuya des deux mains sur la rambarde mouillée. La pluie passait sous les avant-toits et lui éclaboussait le visage.

En réponse à sa question, Barbara leva la main vers le sud-ouest, désignant les bois et les collines basses.

— C'est par là, dit-elle en parlant du lieu de l'accident.

— À combien d'ici ?

— Huit cents mètres à vol d'oiseau, dit Mercy qui se tenait sur le seuil de la cuisine. Peut-être un peu plus.

Ainsi Rose avait quitté la prairie dévastée pour la forêt où le feu n'avait pas gagné, car il avait beaucoup plu cet été-là. Elle s'était enfoncée dans la pénombre des sous-bois en se frayant un passage à travers les broussailles, ses yeux s'adaptant tant bien que mal à l'obscurité, suivant une piste ouverte par le passage d'un daim, ou bien coupant à travers une autre prairie pour arriver jusqu'au sommet de la colline, d'où elle avait repéré les lumières du ranch. Et tout ce temps, Rose avait dû traîner ou porter la petite. Huit cents mètres à vol d'oiseau, mais deux ou trois fois plus à pied, compte tenu des reliefs du terrain et des détours dus à la végétation.

— À pied, ça doit faire deux kilomètres, dit Joe.

— Impossible, dit Barbara.

— Mais si. C'est faisable.

— Je ne parle pas de la virée à travers bois, précisa Barbara, avant de se tourner vers Mercy. Vous nous avez apporté une aide considérable, madame Ealing, et je vous en remercie, mais si vous pouviez nous laisser une minute ou deux... Nous avons besoin de discuter d'une affaire assez confidentielle.

— Bien sûr, c'est tout naturel. Prenez votre temps, dit Mercy qui mourait de curiosité, mais était bien trop polie pour s'imposer.

Elle rentra dans la cuisine et ferma la porte.

— Seulement deux kilomètres, répéta Joe.

— À l'horizontale, dit Barbara en se rapprochant de lui, posant une main sur son épaule. Mais à la verticale, Joe ? Plus de six mille mètres à pic, du ciel à la terre. Je ne peux pas admettre ça.

Joe l'admettait tout aussi difficilement. Pour croire que des gens avaient pu survivre à une telle chute, il aurait fallu avoir la foi, et donc estimer que la souffrance qui était le lot de l'humanité était un mal nécessaire, qu'elle avait un sens. Or lui n'en voyait aucun, il n'avait pas la foi ; chez lui, ce choix était renforcé par l'expérience. D'un autre côté, pour croire que ce miracle pouvait résulter des recherches scientifiques dans lesquelles Rose était engagée, il aurait fallu croire en l'humanité, considérer qu'elle pouvait atteindre à un pouvoir divin. Ce qui supposait également qu'il ait foi en son esprit transcendant. Sa bonté. Son génie bienfaisant. Après quatorze ans de journalisme criminel, il en avait trop vu pour s'agenouiller devant l'autel de la Divine Humanité. Ah ! quand il s'agissait de précipiter leur propre damnation, les hommes avaient du génie. Mais quand à se sauver eux-mêmes... À part quelques êtres d'exception, aucun n'en était capable.

La main toujours posée sur l'épaule de Joe, Barbara lui asséna ses arguments sans cruauté, mais avec une franchise sévère, comme une grande sœur sermonnant son cadet.

— Vous avez d'abord voulu que je croie à l'existence d'une survivante, et maintenant, à deux. N'oubliez pas que je me suis trouvée au beau milieu des décombres encore tout fumants de cet holocauste. Il y a une chance sur un milliard que quelqu'un en soit sorti indemne.

— Je vous l'accorde.

— Non... Encore moins que ça.

— D'accord.

— Et il n'y a en a aucune pour que deux personnes s'en soient sorties. Pas même une chance infinitésimale.

— Dans votre intérêt, je ne vous ai pas tout raconté de ce que je sais, Barbara. Mais laissez-moi vous dire une chose : cette Rose Tucker est une scientifique qui a travaillé ces dernières années à une recherche d'un intérêt primordial, financée en sous-main par un organisme dépendant de l'État ou de l'armée. Un gros truc, ultrasecret.

— Mais quoi ?

— Je l'ignore. Mais avant de monter à bord de l'avion, à New York, elle a appelé un journaliste à Los Angeles, ainsi que quelques amis devant lui servir de témoins, et elle leur a donné rendez-vous à LAX, devant la porte d'arrivée. Elle a dit que ce qu'elle apporterait avec elle changerait la face du monde.

Barbara lui lança un coup d'œil ironique et dubitatif, que Joe ne comprit que trop bien. C'était une femme de logique et de raison, sensible aux faits et aux détails, à qui l'expérience avait montré que les solutions ne se trouvent pas en claquant du doigt, mais en progressant à petits pas de fourmis. Pendant des années, elle s'était escrimée à reconstituer des puzzles qui lui arrivaient éclatés en millions de petits morceaux, bien plus complexes qu'aucune des affaires criminelles dont peut hériter un inspecteur de police, à élucider grâce à un travail lent, ingrat et fastidieux des mystères où se combinaient facteurs humains et défaillances mécaniques.

— Que voulez-vous dire au juste ? Qu'au moment où l'avion verse et tombe à pic, Rose Tucker sort de son sac à main un flacon de potion magique, se dépêche de l'avaler et devient momentanément invulnérable ?

— Bien sûr que non, fit Joe en riant, ce qui ne lui était pas arrivé depuis des siècles.

— Alors quoi ?

— Je ne sais pas. Mais il y a quelque chose.

— C'est un peu léger...

À présent que les éclairs et le tonnerre avaient disparu, les nuages prenaient une belle teinte bleu acier.

Dans le lointain, la brume nimbait d'un voile énigmatique les collines boisées que Rose avait traversées cette nuit-là, après être sortie intacte du feu et de la dévastation.

Un vent fanfaron faisait danser les trembles et les peupliers, la pluie elle-même ondoyait au-dessus des prés comme une belle dansant la tarentelle en secouant ses jupes.

Joe avait repris espoir. C'était bon, enivrant. C'est pour cette raison que l'espoir est si dangereux. Après la sublime ascension, la griserie des sommets, toujours trop brève, vient la chute, d'autant plus terrible que vous êtes monté haut.

Mais ne rien espérer, c'est peut-être encore pire.

Il était plein d'émerveillement et d'un sentiment d'attente qui ne faisait que croître.

Il avait peur aussi.

— Quelque chose, répéta-t-il.

Il quitta la rambarde. Ses jambes avaient retrouvé leur aplomb. Il frotta ses mains mouillées sur son jean, essuya son visage d'un revers de manche et se tourna vers Barbara.

— D'une manière ou d'une autre, elle a quitté la prairie saine et sauve, puis elle a marché jusqu'au ranch. Deux kilomètres en une heure et quart, cela semble normal dans l'obscurité, avec une petite fille à trimbaler.

— J'en ai assez de faire la rabat-joie...

— Alors arrêtez.

— ... mais il faut tenir compte d'une chose.

— J'écoute.

— Admettons qu'il y ait eu des survivants... commença Barbara en hésitant. Et que cette femme se trouvait bien à bord. Elle s'appelle Rose Tucker. Pourtant elle a dit à Mercy et à Jeff qu'elle s'appelait Rachel Thomas.

— Et alors ?

— Si elle ne leur a pas donné son vrai nom, pourquoi aurait-elle donné celui de Nina ?

— Ceux qui poursuivent Rose n'ont rien contre Nina.

— S'ils découvrent que Rose a sauvé la petite fille, et qu'elle l'a sauvée grâce à ce fameux truc qu'elle devait dévoiler à la presse à son arrivée à Los Angeles, alors la petite fille représente peut-être pour eux un danger tout aussi grand.

— Peut-être. Je ne sais pas. Ça m'est bien égal.

— Ce que je veux dire c'est que... elle aurait aussi dû donner un faux nom à Nina.

— Pas obligatoirement.

— Mais si, insista Barbara.

— Et alors, qu'est-ce que ça change ?

— Peut-être que Nina est un faux nom.

C'est comme si elle l'avait giflé. Il ne répondit pas.

— Peut-être que l'enfant qui est venue ici cette nuit-là s'appelle en réalité Sarah, Mary ou Jennifer...

— Non, affirma Joe.

— Tout comme Rachel Thomas était un faux nom.

— Quelle curieuse coïncidence ce serait de la part de Rose d'avoir justement pris ce nom-là. Et c'est vous qui parlez d'une chance sur un milliard !

— Il n'y avait peut-être pas qu'une petite fille blonde de cinq ans dans cet avion.

— Et les deux s'appelleraient Nina ? Bon sang, Barbara !

— S'il y a eu des survivantes et que l'une d'elles est une petite fille blonde, il faut au moins vous préparer à l'éventualité qu'elle ne soit pas Nina.

— Je sais, dit-il, furieux qu'elle le force à le reconnaître.

— Bien vrai ?

— Évidemment.

— Je me fais du souci pour vous, Joe.

— Merci, répondit-il avec sarcasme.

— Vous êtes mal en point. Vous pourriez vous effondrer facilement.

— N'exagérons rien, dit-il en haussant les épaules.

— Non, dit-elle. Regardez-vous.

— Ça va plutôt mieux.

— Ce n'est peut-être pas Nina.

— Ce n'est peut-être pas Nina, admit-il, la haïssant de tant insister, tout en sachant, au fond, qu'elle le faisait pour lui, que son inquiétude était sincère et qu'elle lui administrait cette pilule amère de réalité pour le prémunir contre l'effondrement total qui suivrait sa désillusion, si ses espoirs étaient déçus.

— Je suis prêt à affronter cette éventualité. D'accord ? Vous êtes contente ? Si jamais ça arrive, je tiendrai le choc.

— C'est vous qui le dites.

— C'est la vérité, dit-il en la regardant avec fureur.

— Peut-être, dans un tout petit coin de votre tête. Mais au fond, vous ne voulez même pas l'envisager. Je suis sûre que votre cœur bat la chamade, avec la conviction qu'il s'agit bien de Nina.

Joe sentait ses yeux le picoter, comme à l'approche de miraculeuses retrouvailles que son esprit délirant imaginait déjà.

196

Les yeux de Barbara, en revanche, étaient emplis d'une telle tristesse qu'il eut presque envie de la gifler.

Quand ils revinrent dans la cuisine, Mercy était en train de préparer des boulettes au beurre de cacahuètes. À travers la vitre, elle avait dû se rendre compte, à leurs gesticulations, que leur conversation était houleuse ; peut-être même en avait-elle capté quelques mots, sans pour cela tendre l'oreille.

Quoi qu'il en soit, elle était toujours disposée à les aider du mieux possible.

— Non, en fait, la petite fille n'a jamais dit son nom, elle n'a pas dit un mot, d'ailleurs. C'est Rachel qui l'a présentée. Petiote, elle était si fatiguée, vous comprenez, et un peu sonnée à cause du choc. La voiture avait quand même basculé dans le fossé. Elle n'était pas blessée, remarquez. Mais prostrée, blanche comme un linge, les yeux vagues. Dans un état second. Ça m'a un peu inquiétée, mais Rachel a dit qu'elle allait bien, et comme Rachel était médecin, j'ai arrêté de me faire du souci. La petite a dormi pendant tout le trajet jusqu'à Pueblo.

Mercy roula une boulette de pâte entre les paumes de ses mains. Elle la posa sur une plaque en métal et l'aplatit légèrement d'une douce pression du pouce.

— Rachel était allée à Colorado Springs pour faire une visite à sa famille pendant le week-end, et elle avait emmené Nina avec elle parce que les parents de la petite étaient partis en croisière, pour leur anniversaire de mariage, si j'ai bien compris.

Mercy commença à piocher dans les cookies refroidis empilés sur le plateau et en mit dans un sac en papier brun.

— Ce n'est pas très courant, par ici, de voir un médecin noir partager un cabinet avec un médecin blanc et une femme noire se promener avec une petite fille blanche. Mais j'ai pris ça comme le signe que le monde s'améliorait enfin, qu'il devenait un peu plus tolérant, plus aimant.

Elle replia deux fois le bord du sac en papier et le tendit à Barbara.

— C'est très gentil, Mercy.

— Sincèrement je regrette de ne pas pouvoir vous aider davantage, dit-elle en se tournant vers Joe.

— Vous m'avez beaucoup aidé. Et puis il y a les cookies, ajouta-t-il en souriant.

Elle regarda vers la fenêtre de la cuisine d'où l'on apercevait l'une des écuries.

— Ce n'est pas grand-chose. J'aimerais pouvoir faire plus pour Jeff. Il adore cette jument.

— Dans un monde où la mort règne, comment faites-vous pour garder la foi, Mercy? lui lança Joe.

Mercy ne sembla ni surprise ni offensée par la question.

— Je ne sais pas. Ce n'est pas toujours facile. Dans le temps, j'étais furieuse qu'on n'ait pas réussi à avoir d'enfants. J'ai fait plusieurs fausses couches, un vrai record, et puis j'ai laissé tomber. Parfois on a envie de hurler, on en veut au monde entier. La nuit, on reste les yeux ouverts, dans le noir, à ruminer. Mais je me dis toujours que... que cette vie a aussi ses joies. Et puis ce n'est qu'un lieu de passage. Après, le voyage continue, on entre dans un monde meilleur. Et si nous sommes éternels, alors ce qui nous arrive ici-bas ne compte plus autant.

Joe avait espéré autre chose. Une justesse plus pénétrante. Une sagesse simple. Quelque chose en quoi il pourrait croire.

— La jument compte beaucoup pour Jeff, dit-il. Et pour vous aussi, par conséquent.

Mercy prit un morceau de pâte et façonna une autre boulette, qui tourna comme une petite lune pâle entre ses doigts.

— Si j'y comprenais quelque chose, alors je ne serais pas moi, Joe. Je serais Dieu, dit-elle en souriant. Et je ne voudrais pour rien au monde être à sa place.

— Pourquoi?

— Ça doit être si triste, de là-haut. Nous avons une vision limitée des choses. Mais Lui qui connaît nos possibilités et nous voit nous fourvoyer sans cesse, comme Il doit être déçu. Tout ce mal qu'on s'inflige les uns aux autres, la cruauté, la haine, les mensonges, l'envie, la cupidité... Nous ne voyons que les laideurs qui nous entourent, mais Lui, de là où Il siège, Il voit tout. Et ce ne doit pas être drôle tous les jours. Non, je n'aimerais pas être à Sa place.

Elle posa la boulette de pâte sur la plaque et imprima la marque de son pouce sur cette bouchée de plaisir qui serait cuite, puis mangée, ce petit gage d'amour et de réconfort.

La Jeep du vétérinaire était toujours garée dans l'allée, en face de l'Explorer. Un weimaraner était couché à l'arrière.

Quand Joe et Barbara montèrent dans la Ford et firent claquer les portières, le chien leva sa noble tête d'un gris lustré et les fixa à travers la vitre.

Le temps que Barbara glisse la clef de contact et démarre, la voiture s'était emplie de l'arôme des cookies à l'avoine et aux éclats de chocolat. L'air humide se condensa sur le pare-brise, qui se couvrit de buée.

— Si c'est Nina, votre Nina, dit Barbara, attendant que le climatiseur chasse la buée, alors où était-elle toute cette année?

— Quelque part avec Rose Tucker.

— Et pourquoi Rose Tucker vous aurait-elle ainsi privé de votre fille? C'est cruel.

— Ce n'est pas de la cruauté. Vous y avez vous-même répondu tout à l'heure, sur la véranda.

— Vous ne m'écoutez que quand je débloque, ma parole.

— Puisque Nina a survécu avec et grâce à Rose, les ennemis de Rose risquaient de s'en prendre à elle aussi. Rose l'a mise en sûreté, voilà tout.

La condensation se retira peu à peu vers les bords du pare-brise.

Barbara mit les essuie-glaces en marche.

De la vitre arrière de la Jeep Cherokee, le weimaraner les regardait toujours, sans se mettre sur ses pattes.

— Rose l'a mise en sûreté, répéta-t-il. C'est pourquoi il faut que j'apprenne tout ce que je peux sur le vol 353 et que je reste en vie assez longtemps pour trouver un moyen de faire éclater la vérité au grand jour. Quand elle sera dévoilée, quand les salauds qui se cachent derrière tout ça seront fichus, alors Rose sera sauvée et Nina pourra... elle pourra me revenir.

— Si c'est bien votre Nina, lui rappela-t-elle.

— Si c'est elle, oui.

Sous le regard d'ambre du chien, ils longèrent le parterre de delphiniums bleus et violets qu'entourait l'allée circulaire.

— Vous croyez que nous aurions dû demander à Mercy de nous aider à retrouver la maison de Pueblo où elle a déposé Rose et la petite, cette nuit-là? interrogea Barbara.

— Inutile. Il n'y a rien à attendre de ce côté-là. Elles ne sont jamais entrées dans cette maison. Sitôt que Mercy a tourné le coin de la rue, elles ont dû quitter les lieux. Rose s'est juste servie de Mercy pour atteindre la ville la plus proche et trouver un moyen de filer à l'anglaise. Peut-être a-t-elle appelé quelqu'un de confiance, un ami habitant Los Angeles, par exemple. C'est grand comment, Pueblo ?

— Environ cent mille personnes.

— C'est amplement suffisant. Pour sortir d'une ville de cette importance, ce n'est pas les moyens de transport qui manquent. Bus, train, voiture de location, ou même l'avion.

Comme ils descendaient l'allée gravillonnée pour rejoindre la route, Joe vit trois hommes en cirés sortir d'une stalle. Jeff Ealing, Ned et le vétérinaire.

Les deux vantaux de la porte restèrent ouverts. Aucun cheval ne les suivit.

Sous leurs capuches, les têtes inclinées comme des moines en procession, ils se dirigèrent vers la maison. Pas besoin d'être devin pour savoir que ce n'était pas la pluie qui leur faisait courber l'échine et qu'ils avaient dû s'avouer vaincus.

Joe espérait que les années de dur labeur et les fausses couches n'avaient creusé aucune distance entre Jeff et Mercy Ealing. Que la nuit, ils dormaient toujours serrés l'un contre l'autre.

Le jour était si faible que Barbara alluma ses feux. Quand ils atteignirent la route, les raies argentées de la pluie étincelèrent dans les deux faisceaux lumineux comme des lames de couteaux.

À Colorado Springs, un réseau de petits lacs s'était formé sous le préau de l'école primaire près de laquelle Joe avait garé la voiture de location. Dans la lumière d'un gris délavé, les structures d'acier des portiques et des balançoires qui s'élevaient au milieu des flaques d'eau ridées par le vent lui parurent étranges et bien plus mystérieuses que les antiques mégalithes et trilithes de Stonehenge.

Où que son regard se tourne, ce monde-ci était différent de celui où il avait vécu jusqu'alors. Le changement avait commencé la veille, quand il s'était rendu au cimetière. Depuis, un glissement progressif s'était opéré, s'accentuant au fil des heures, comme si le monde obéissant aux lois d'Einstein s'était entrecroisé avec un univers où les règles de l'énergie et de la matière étaient si différentes qu'elles défiaient la logique des mathématiciens et des physiciens.

Cette nouvelle réalité était à la fois plus belle, plus péné-

trante, mais plus effrayante aussi que celle qu'elle avait rempla-
cée. Il savait que le changement était subjectif, mais irréversible.
Rien ne lui semblerait plus jamais comme avant, de ce côté-ci de
la mort; la surface la plus lisse dissimulait des abîmes de
complexité.

Barbara s'arrêta à côté de la voiture de location, à deux rues
de chez elle.

— Eh bien, c'est ici que finit la balade, on dirait.

— Merci Barbara. Vous avez pris de tels risques...

— Ne vous inquiétez pas pour ça. Vous m'entendez? C'est
moi qui l'ai décidé.

— Sans votre gentillesse et votre courage, je n'aurais jamais
eu le moindre espoir d'arriver un jour à percer ce mystère.
Aujourd'hui, vous m'avez ouvert la porte.

— Oui, mais une porte qui mène à quoi? s'inquiéta-t-elle.

— À Nina, peut-être.

Barbara eut soudain l'air abattue, effrayée, triste. Elle se
passa une main sur le visage, puis ne sembla plus que triste et
effrayée.

— Joe, gardez mon conseil dans un petit coin de votre tête.
Où que vous mène votre route, souvenez-vous-en et écoutez-
moi : même si deux personnes sont sorties vivantes de ce carnage,
il est plus qu'improbable que l'une d'elles soit votre fille. Joe, de
grâce, ne tressez pas la corde qui vous pendra.

Il hocha la tête.

— Promettez-le-moi, dit-elle.

— C'est promis.

— Elle n'est plus de ce monde, Joe.

— C'est possible.

— Blindez-vous le cœur.

— On verra.

— Il vaut mieux partir, maintenant, dit-elle.

Il ouvrit la porte et sortit sous la pluie.

— Bonne chance, dit Barbara.

— Merci.

Il claqua la portière, et la Ford s'éloigna.

Comme il ouvrait la portière de sa voiture, il entendit
quelqu'un freiner d'un coup sec et vit la Ford revenir vers lui en
marche arrière, la lueur rouge de ses feux arrière luisant sur le
bitume mouillé.

Barbara sortit de l'Explorer, alla à lui, le prit dans ses bras et le serra fort contre elle.

— Vous êtes un type adorable, Joe Carpenter.

Il lui rendit son étreinte, mais aucun mot ne vint. Il se souvint combien il avait eu envie de la frapper quand elle l'avait forcé à abandonner l'idée que Nina pouvait être vivante. Il avait honte de la haine qu'il avait ressentie pour elle et il en gardait un sentiment de gêne, mais il était aussi très ému qu'elle lui témoigne son amitié, une amitié qui lui importait bien plus qu'il n'aurait pu l'imaginer, quand il avait sonné à sa porte.

— Je ne vous connais que depuis quelques heures et c'est comme si vous étiez mon fils, s'étonna-t-elle avant de le quitter pour la deuxième fois.

Il monta en voiture tandis qu'elle s'éloignait.

Il regarda l'Explorer rapetisser dans le rétroviseur, puis tourner à gauche dans l'allée de chez Barbara pour disparaître dans son garage.

De l'autre côté de la rue, les troncs blancs des bouleaux ressemblaient à des jambages de porte fraîchement peints entre lesquels s'enfonçaient des ombres mouvantes, comme autant de portes ouvertes sur des futurs inexplorés.

Trempé, il roula jusqu'à Denver à un train d'enfer, branchant tour à tour le chauffage et l'air conditionné pour essayer de sécher ses vêtements.

L'idée de retrouver Nina lui donnait des ailes.

Malgré sa promesse à Barbara, il savait que Nina était vivante. Dans ce monde qui avait changé d'étrange et inquiétante façon, une chose avait retrouvé tout son sens : Nina en vie, Nina quelque part.

Cet espoir-là n'avait rien de commun avec l'inclination malsaine qui l'avait si souvent jeté dans une chasse éperdue aux fantômes. Il n'était pas fait de brume. Joe y croyait dur comme fer.

Cela faisait plus d'un an qu'il n'avait jamais approché le bonheur d'aussi près, mais chaque élan d'enthousiasme qui lui dilatait le cœur était refroidi par un poignant sentiment de culpabilité. Même s'il retrouvait Nina, et il la retrouverait, Michelle et Chrissie ne lui seraient pas rendues. Elles étaient parties pour toujours, et se réjouir dans ces circonstances lui paraissait odieux.

Néanmoins, le désir de vérité qui l'avait poussé à venir au Colorado était un levier tout aussi puissant que le besoin de retrouver sa plus jeune fille, et, s'il lui emplissait moins le cœur, il l'aiguillonnait avec une force qui allait bien au-delà de la simple compulsion ou obsession.

À l'aéroport international de Denver, il rendit la voiture à l'agence de location, régla en liquide et récupéra le formulaire portant les références de sa carte de crédit et sa signature. Il se retrouva dans le terminal un quart d'heure avant que son vol ne s'affiche au tableau des départs.

Il mourait de faim. À part deux cookies, il n'avait rien mangé de la journée et, la veille, seulement deux cheeseburgers et une barre de chocolat.

Il se rendit au restaurant le plus proche et commanda un club-sandwich avec des frites et une bouteille de Heineken.

Le bacon n'avait jamais eu si bon goût. Il lécha le bout de ses doigts couvert de mayonnaise. Les frites étaient croustillantes et les cornichons russes croquaient sous la dent, gorgés d'un jus savoureux parfumé à l'aneth. Pour la première fois depuis un an, il ne consommait pas seulement sa nourriture, il la goûtait.

Alors qu'il se dirigeait vers la porte d'embarquement avec vingt minutes d'avance, il fut soudain pris d'un haut-le-cœur et fit un détour par les lavabos pour hommes.

Une fois entré dans un box, il ferma le loquet et s'aperçut que sa nausée était passée. Alors il s'adossa à la porte et se mit à pleurer.

Cela faisait des mois qu'il n'avait pas pleuré, et il ignorait pourquoi cela lui arrivait maintenant. Peut-être était-ce de se tenir sur le rivage tremblant du bonheur avec la peur de ne jamais retrouver Nina, de la perdre une deuxième fois. Ou bien pleurait-il de nouveau Michelle et Chrissie. Peut-être aussi avait-il appris trop de détails horribles sur ce qui était arrivé au vol 353 et à ses passagers.

À cause de tout cela, sans doute.

L'émotion fusait en lui, folle, débridée. Il devait reprendre le contrôle. Il ne serait pas efficace dans sa recherche de Rose et de Nina s'il balançait sans arrêt entre l'euphorie et le désespoir.

Les yeux rouges, mais calmé, il monta à bord de l'avion pour Los Angeles au moment où retentissait le dernier appel.

Quand le 737 décolla, à son grand étonnement, son cœur se

mit à faire un raffut de tous les diables, ses battements résonnèrent dans ses oreilles comme des pas dévalant un escalier. Il agrippa les bras de son fauteuil comme s'il risquait de culbuter et de tomber la tête la première.

À l'aller, il n'avait pas eu peur et voilà que la terreur l'étreignait! À ce moment-là, il aurait accueilli la mort avec joie tant il se sentait coupable d'avoir survécu à sa famille, mais, à présent, il avait une raison de vivre.

Même quand l'avion atteignit sa vitesse de croisière et se fut stabilisé, Joe ne parvint pas à se détendre, imaginant sans cesse que l'un des pilotes se tournait vers son coéquipier pour dire : « On est enregistrés? »

Puisque Joe ne pouvait chasser le capitaine Delroy Blane de son esprit, il sortit les trois pages manuscrites de la poche intérieure de sa veste et les déplia. En les parcourant d'un œil neuf, peut-être verrait-il quelque chose qui lui avait échappé... et il avait besoin de s'occuper l'esprit, même avec ça.

Le vol était loin d'être complet, le tiers des sièges était vide. Il avait une place fenêtre sans voisin immédiat, aussi jouissait-il de l'intimité nécessaire.

À sa demande, une hôtesse lui apporta un stylo et un bloc de papier.

Au fil de sa relecture, il sélectionna les propos de Blane et les recopia sur le bloc. Séparés des exclamations de plus en plus effarées de Santorelli et dépouillés des annotations de Barbara sur les bruits et les silences qu'on entendait sur la bande, les propos du capitaine lui permettraient peut-être de découvrir des nuances difficiles à saisir autrement.

Quand il eut fini, Joe replia les feuilles manuscrites et les rangea dans sa poche intérieure. Puis il lut ce qu'il avait écrit sur le bloc :

L'un s'appelle le Dr Louis Blom.
L'autre le Dr Keith Ramlock.
Ils me font du mal.
Ils sont méchants avec moi.
Arrêtez-les.
On est enregistrés?
Empêchez-les de me faire du mal.
On est enregistrés?

On est enregistrés ?

Arrêtez-les, sinon, à la première occasion... je tue tout le monde. Tout le monde. Parole, je le ferai. Et avec grand plaisir.

C'est marrant.

Super ! Nous voilà, Dr Ramlock, Dr Blom, nous voilà.

Super ! On est enregistrés ?

Génial.

Ouais.

Oh ! si.

Maintenant. Regarde.

Du calme.

Joe ne découvrit rien de nouveau. Cependant, une chose qu'il avait déjà remarquée s'imposait avec plus d'évidence quand les propos de Blane étaient sortis de leur contexte : d'après Barbara, le capitaine avait gardé une voix normale, pourtant certaines de ses répliques avaient quelque chose d'enfantin.

Ils me font du mal. Ils sont méchants avec moi. Arrêtez-les. Empêchez-les de me faire du mal.

Des adultes n'emploieraient pas un tel phrasé ni un tel vocabulaire pour accuser leurs persécuteurs ou demander de l'aide.

Sa tirade la plus longue, où il menaçait de tuer tout le monde en disant qu'il aimerait ça, ressemblait à celle d'un enfant capricieux et rageur, d'autant qu'elle était immédiatement suivie de *C'est marrant.*

Super ! Nous voilà... Génial. Ouais. Oh ! si.

La réaction de Blane au tonneau et au piqué du 747 faisait penser à celle d'un jeune garçon au sommet de montagnes russes, tout émoustillé par la descente vertigineuse qui s'annonce. D'après Barbara, on ne sentait pas plus de peur dans la voix du capitaine que dans ses propos.

Maintenant. Regarde.

Quand il avait prononcé ces mots trois secondes et demie avant l'impact, en regardant la nuit s'ouvrir comme une rose noire, Blane ne semblait pas le moins du monde terrorisé. Il paraissait émerveillé.

Du calme.

Joe fixa longtemps ce dernier mot en frissonnant. Il attendit d'avoir recouvré son sang-froid pour envisager ce qu'il impliquait avec un minimum de détachement.

Du calme.

Jusqu'à la fin, Blane était resté le petit garçon sur son manège. Il ne s'était pas plus soucié de ses passagers et de son équipage qu'un enfant inconscient qui torture des insectes sans se rendre compte de sa cruauté.

Du calme.

Mais un enfant inconscient, aussi égoïste soit-il, aurait tout de même eu peur pour lui-même. Un homme suicidaire et déterminé qui saute d'un vingtième étage pousse un cri de terreur, sinon de regret, dans sa chute mortelle vers l'asphalte. Ce capitaine avait regardé la mort approcher avec délice, sans aucune angoisse, comme si rien ne le menaçait.

Du calme.

Delroy Blane. Un père de famille. Un mari loyal. Un mormon fervent. Équilibré, aimant, gentil, plein de compassion. Ayant réussi, heureux, aimant son métier, en bonne santé. Sobre. Un homme qui avait tout pour lui.

Qu'est-ce qui clochait dans le tableau?

Du calme.

Une vaine colère l'envahit. Elle n'était pas dirigée contre Blane, sans doute victime lui aussi, malgré les apparences. C'était la colère frémissante qu'il avait connue enfant et adolescent, sans cible particulière et prompte à s'enflammer, à déborder, à s'échauffer comme de la vapeur dans une bouilloire sans soupape de sécurité.

Il fourra le bloc dans la poche de sa veste et crispa les poings.

Il avait envie de frapper, de casser quelque chose. N'importe quoi. Jusqu'à ce que ses jointures éclatent et saignent.

La colère l'avait aveuglé toute sa jeunesse jusqu'à sa rencontre avec Michelle.

À leur premier rendez-vous, comme il la raccompagnait chez elle, elle lui avait dit qu'il était complètement fêlé... Et, voyant qu'il prenait ça pour un compliment, elle lui avait rétorqué que seul un crétin, un adolescent boutonneux travaillé par ses hormones ou un singe dans un zoo seraient assez stupides pour en tirer vanité.

Par la suite, en lui montrant le chemin, elle lui avait appris tout ce qui devait façonner son avenir. Que l'amour valait le risque qu'on le perde. Que la colère blesse plus encore celui qui la porte en lui. Que c'est nous qui choisissons d'être heureux ou amers, et non pas les coups du destin. Qu'on trouve la paix en acceptant les choses auxquelles on ne peut rien. Que les amis et la famille sont le sang-même de la vie et que le but de l'existence c'est d'aimer, de s'engager, d'assumer ses responsabilités.

Mais Nina était à nouveau de ce monde, attendant qu'il la retrouve, qu'il la ramène à la maison.

Avec ce baume sur son cœur, Joe parvint à tempérer sa colère. Pour récupérer Nina, il lui faudrait être en pleine possession de ses moyens et parfaitement maître de ses émotions.

La colère blesse plus encore celui qui la porte en lui.

Il avait honte d'avoir oublié aussi vite toutes les leçons que Michelle lui avait enseignées. Comme le vol 353, lui aussi avait chuté. Il avait dégringolé des hauteurs où Michelle l'avait hissé à force d'amour, il était retourné à la boue de l'amertume. Ainsi, il avait manqué à sa parole, il avait trahi la confiance qu'elle avait mise en lui. Il se sentait aussi coupable que s'il l'avait trompée avec une autre femme.

Nina, miroir de sa mère, lui offrait une raison et une chance de se reconstruire, de redevenir celui qu'il était avant le crash. *Nina, Nina, avez-vous vu Nina ?*

Il feuilleta mentalement son précieux livre d'images et obtint l'effet désiré. Peu à peu, il s'apaisa et ses poings crispés se détendirent.

Tandis que la dernière heure de vol commençait, il se mit à lire deux des quatre articles parus dans le *Post* sur Teknologik qu'il avait imprimés la veille.

Dans le deuxième, il tomba sur une information qui le stupéfia. Trente-neuf pour cent des titres de Teknologik appartenaient à Nellor et Fils, ce qui en faisait le principal actionnaire. Cette société suisse avait des intérêts multiples dans les recherches médicale et pharmaceutique, l'édition et la production de films et d'émissions de télévision.

C'était dans Nellor et Fils qu'Horton Nellor et son fils Andrew avaient principalement investi la fortune familiale, estimée à plus de quatre milliards de dollars. Nellor n'était pas suisse, évidemment, mais américain. Il avait pris cette zone franche comme base d'opérations des années auparavant. Horton Nellor avait également fondé le *Los Angeles Post* vingt ans plus tôt. Et il le possédait toujours.

Pendant un moment, Joe considéra cette information étonnante comme un menuisier ausculte un morceau de bois flotté d'une forme bizarre pour voir comment le creuser et le ciseler. Une pièce de bois brut, qui attendait d'être magnifiée par la main de l'artisan. En guise de ciseau, Joe avait son esprit et son instinct de journaliste.

Les investissements de Horton Nellor étaient d'ordre très divers et le fait qu'il possédât à la fois des parts de Teknologik et du *Post* pouvait très bien n'être qu'une pure coïncidence.

Le *Post* lui appartenait entièrement. Horton Nellor n'était pas un de ces patrons fantômes uniquement intéressés par les profits de leur journal; à travers son fils, il exerçait un contrôle sur la philosophie éditoriale et la politique rédactionnelle du journal. Il n'était peut-être pas si impliqué dans Teknologik, cependant. Son intérêt dans l'entreprise était important, mais non majoritaire, et ce n'était peut-être pour lui qu'un placement financier.

Dans ce cas, il n'était pas forcément au courant des recherches top secret menées par Rose Tucker et ses collègues. Et n'avait donc pas forcément une responsabilité dans la destruction du vol 353.

Joe se rappela sa rencontre de la veille avec Dan Shavers, le journaliste des pages affaires du *Post*. Avec quel mordant Shavers s'était moqué des cadres supérieurs de Teknologik : « Ils sont imbus d'eux-mêmes comme c'est pas permis, ils croient appartenir à l'aristocratie des affaires, mais ils n'ont rien de plus que nous. Eux aussi doivent obédience au Grand Manitou. »

Le Grand Manitou. Horton Nellor. En se remémorant le reste de leur conversation, Joe se rendit compte que Shavers avait supposé qu'il connaissait les intérêts de Nellor dans Teknologik. Le journaliste avait donc sous-entendu que Nellor imposait sa volonté à Teknologik autant qu'il le faisait au *Post*.

Joe se rappela soudain ce que Lisa Peccatone avait dit, dans la cuisine des Delmann, quand ils avaient évoqué le lien qui reliait Rose Tucker et Teknologik : « Toi, moi et Rosie, tous dans le même bateau. Le monde est petit, pas vrai? »

Sur le moment, il avait cru qu'elle faisait référence au vol 353. Peut-être avait-elle voulu dire, en réalité, que tous les trois travaillaient pour le même homme.

Joe n'avait jamais rencontré Horton Nellor, qui vivait en

reclus depuis des années. Il l'avait vu en photo. Le milliardaire, qui devait approcher des soixante-dix ans, avait les cheveux argentés et un visage rond plutôt plaisant, quoiqu'un peu empâté. On aurait dit un petit pain sur lequel un pâtissier avait dessiné le visage d'un grand-père au sucre glace.

Il n'avait pas l'air d'un assassin et jouissait d'une bonne réputation – celle d'un généreux philanthrope et non d'un homme capable d'engager des tueurs ou de fermer les yeux sur un meurtre pour protéger ou agrandir son empire.

Mais chez les êtres humains, la forme et le fond diffèrent souvent.

Il n'en restait pas moins que Joe et Michelle avaient eu le même patron que les hommes de main qui voulaient aujourd'hui tuer Rose Tucker et qui avaient, de toute évidence, provoqué la destruction du vol 353, même si la raison en demeurait obscure. L'argent grâce auquel lui, sa femme et ses filles avaient vécu toutes ces années avait aussi servi à financer leur mort.

Sous le coup de cette révélation, il n'arrivait pas à voir clair en lui-même, à discerner les réactions, les idées qu'elle lui inspirait. Tout était si brouillé...

Nauséeux, il resta pendant une demi-heure à regarder par le hublot, sans rien voir de la zone désertique qui précédait les banlieues, puis des banlieues qui entouraient la ville. Il fut surpris quand il s'aperçut que l'avion amorçait sa descente sur LAX.

À terre, alors que l'avion roulait lentement vers la porte assignée, puis qu'on le reliait au couloir téléscopique qui servirait de cordon ombilical entre l'appareil et l'aérogare, Joe vérifia l'heure à sa montre, évalua le trajet jusqu'à Westwood et calcula qu'il arriverait au moins une demi-heure avant son rendez-vous avec Demi. Parfait. Il voulait disposer d'assez de temps pour repérer l'endroit à distance avant d'y faire son apparition.

Demi était sûrement quelqu'un de loyal. C'était l'amie de Rose. Il avait eu son numéro grâce au message que Rose avait laissé pour lui au *Post*. Mais il n'était pas d'humeur confiante.

Après tout, même si les motivations de Rose Tucker étaient pures, même si elle avait gardé Nina avec elle pour la protéger, elle l'avait privé de sa fille pendant un an. Pire, elle lui avait laissé croire que Nina était morte, comme Michelle et Chrissie. Peut-être Rose ne voudrait-elle jamais lui rendre sa petite fille.

Ne fais confiance à personne.

Comme il se levait de son siège et se dirigeait vers la sortie, il remarqua un homme en chemise et pantalon blancs, un panama blanc sur la tête, qui se levait d'une place située devant lui et se retournait pour lui jeter un coup d'œil. Trapu, la cinquantaine, il avait une épaisse tignasse blanche qui lui donnait un air de rock star vieillissante, surtout avec ce chapeau.

Il ne lui était pas inconnu.

Certainement un personnage public de deuxième ordre, le musicien d'un groupe connu ou un acteur de second rôle. Non... Joe ne l'avait pas vu sur scène ni à la télé, mais autre part, récemment, dans des circonstances précises.

M. Panama détourna les yeux après avoir croisé son regard, entra dans l'allée et avança. Il n'avait aucun bagage, comme si lui aussi avait fait l'aller et retour dans la journée.

Huit ou dix passagers se trouvaient entre eux. Joe craignit de perdre sa trace avant de se rappeler où il l'avait déjà vu. Il ne pouvait pas bousculer les gens dans l'allée étroite sans faire des remous et il ne fallait surtout pas que M. Panama se sache repéré.

Joe essaya de se servir du chapeau pour raviver sa mémoire, en vain. En revanche, quand il imagina l'homme sans chapeau et se concentra sur sa tignasse blanche, il pensa aux adeptes en robes bleues et aux crânes rasés qu'il avait vus sur la plage. Il se rappela alors le feu de camp où il avait jeté le sac McDonald's contenant le mouchoir trempé du sang de Charlie Delmann. Et celui où les danseurs en maillots de bain s'agitaient souplement dans le cercle totémique de leurs planches dressées. Puis encore un autre feu, où une dizaine d'auditeurs captivés écoutaient un homme trapu à la tignasse blanche raconter d'une voix vibrante une histoire de fantômes.

Le conteur. C'était lui.

Joe en était certain. Et s'il avait croisé son chemin sur la plage la veille au soir et le retrouvait ici, ce n'était pas par hasard. Dans ce monde de conspirateurs, le hasard n'existait pas.

Ils avaient dû le surveiller pendant des semaines ou des mois, attendant que Rose le contacte. Ils avaient repéré tous les lieux qu'il fréquentait : l'appartement, un ou deux cafés, le cimetière, et quelques plages où il venait prendre des cours particuliers avec la mer, grand professeur d'indifférence.

Puis ils l'avaient perdu après qu'il eut mis Wallace Blick hors d'état de nuire et qu'il se fut enfui du cimetière. Au *Post*, ils avaient bien failli le rattraper, mais il leur avait glissé entre les doigts.

Ils avaient donc mis son appartement, les cafés et les plages qu'il fréquentait d'habitude sous surveillance, attendant qu'il réapparaisse. Le groupe d'auditeurs ne devait se composer que de citoyens ordinaires, mais pas le conteur qui s'était immiscé dans leur réunion.

Ils lui avaient donc remis la main dessus la veille au soir, sur la plage. Ils l'avaient « récupéré », comme on dit dans leur jargon. Ils l'avaient suivi jusqu'à l'épicerie d'où il avait téléphoné à Mario Oliveri, puis à Barbara. Et ensuite jusqu'à son motel.

Là, ils auraient pu le tuer. Tranquillement. Pendant son sommeil ou après l'avoir réveillé avec un pistolet sur la tempe. Pour faire croire à un suicide ou à une overdose.

Dans le feu de l'action, ils avaient failli le descendre au cimetière, mais ils n'étaient plus si pressés de le voir mort, escomptant sans doute qu'il les conduirait de nouveau à Rose Marie Tucker.

De toute évidence, ils ignoraient son passage chez les Delmann, durant les heures où ils avaient perdu le contact. Sinon ils l'auraient déjà liquidé. Ce qu'il avait vu là-bas en faisait un témoin plus que gênant.

Durant la nuit, ils avaient placé un autre mouchard sur sa voiture. Avant la levée du jour, ils l'avaient suivi jusqu'à LAX, toujours à bonne distance pour ne pas risquer de se faire repérer. Puis jusqu'à Denver et peut-être au-delà.

Mon Dieu!

Qu'est-ce qui avait effrayé les daims dans les bois?

Joe se sentit stupide et négligent, tout en sachant qu'il n'était ni l'un ni l'autre. À ce jeu, comment espérer être aussi bon qu'eux? C'était un débutant, eux des professionnels.

Mais il s'améliorait. Il s'améliorait.

Plus haut dans l'allée, le conteur atteignit la porte de sortie et disparut dans le couloir de débarquement.

Joe craignit de le perdre, mais il devait impérativement continuer à donner le change. Qu'ils ne sachent pas qu'il les avait de nouveau repérés.

Barbara Christman était en danger de mort. Il lui fallait avant toute chose trouver une cabine téléphonique pour la prévenir.

Feignant la patience et l'ennui, Joe traîna les pieds vers la sortie, comme les autres passagers. Dans le couloir amovible, beaucoup plus large, il finit par regagner du terrain sans se faire remarquer, retenant son souffle sans même s'en rendre compte. Il ne retrouva sa respiration que lorsqu'il repéra sa proie marchant devant lui.

L'immense aérogare était bondée : Indiennes en sari turquoise, rubis, saphir, si belles avec leurs yeux de biche, femmes en jean ou en tchador, hommes en costume-cravate ou en short et polo, quatre jeunes juifs hassidiques discutant avec entrain du document le plus mystique qui soit, une carte routière de Los Angeles, soldats en uniformes, enfants délurés ou geignards, octogénaires en fauteuils roulants, deux princes arabes en keffiehs et djellabas précédés de farouches gardes du corps et suivis d'une escorte, vacanciers rubiconds brûlés par le soleil, touristes pâlots arrivant de contrées plus froides, quatre hommes de Samoa portant des feutres ronds noirs et dépassant d'une tête cette houle multiethnique que l'homme au panama fendait imperturbablement, tel un voilier blanc étrangement serein dans la tourmente.

Sous ces déguisements multiples se cachaient peut-être un ou plusieurs agents de Teknologik chargés de le surveiller subrepticement, qui le prenaient en photo avec un appareil caché dans un sac à main, un fourre-tout, un attaché-case et communiquaient avec leurs chefs grâce à un micro caché.

Il ne s'était jamais senti si seul au milieu d'une foule.

Terrifié à l'idée de ce qui pourrait arriver à Barbara, de ce qui se passait peut-être en ce moment-même, il essaya de garder en vue le panama blanc tout en cherchant un téléphone.

UN PÂLE REFLET

1.

Il n'y avait pas de cabine téléphonique à proximité, mais un poste de quatre téléphones séparés par des cloisons insonorisées qui garantissaient une certaine intimité.

En composant le numéro de Barbara sur le clavier, Joe grinça des dents, irrité par le brouhaha qui l'environnait. Il lui fallait absolument se concentrer, trouver comment faire passer le message à Barbara sans faire de gaffe, mais il n'avait pas le temps de préparer ce qu'il allait lui dire.

La ligne de Barbara n'était peut-être pas contrôlée la veille au soir, mais, après sa visite, ils avaient certainement dû la mettre sur écoute. Sa tâche était ardue : il fallait la prévenir du danger qui la menaçait sans leur mettre la puce à l'oreille, qu'ils restent convaincus qu'elle n'avait pas un seul instant rompu le pacte de silence qui garantissait sa sécurité ainsi que celle de Denny, son fils.

En attendant que Barbara décroche, Joe surveilla du coin de l'œil l'homme au panama. Il avait pris position de l'autre côté du hall bondé, à l'entrée d'un kiosque à journaux, et discutait avec un Latino-Américain portant une casquette Dodgers, un pantalon de toile brune et une chemise en madras verte.

À travers l'écran des passants qui défilaient, Joe feignait d'ignorer les deux hommes qui faisaient de même, mais eux, trop assurés, étaient moins prudents qu'ils ne l'auraient dû. Tout en lui reconnaissant peut-être un certain esprit d'initiative, ils le prenaient pour un pauvre idiot dans la merde jusqu'au cou, et qui n'avait aucune chance de s'en sortir.

En quoi ils avaient raison, bien sûr. Mais Joe espérait être un peu plus que cela : un homme poussé par son instinct de père et assoiffé de justice, dont les motifs ne pouvaient que leur échapper.

Barbara répondit au téléphone à la cinquième sonnerie, alors que Joe commençait à désespérer.

— C'est moi, Joe Carpenter, dit-il.

— J'étais justement...

— Écoutez, l'interrompit-il pour éviter qu'elle ne se trahisse, je voulais encore vous remercier de m'avoir conduit là-bas. Ça n'a pas été facile, mais il fallait que je voie la chose de mes yeux, si je voulais retrouver un jour un peu de paix. Excusez-moi de vous avoir tourmentée en exigeant de savoir ce qui s'était vraiment passé. J'avais l'esprit un peu dérangé. Il m'est arrivé un ou deux trucs bizarres, ces derniers temps, et mon imagination a fait le reste. Vous aviez raison de dire que les choses sont presque toujours ce qu'elles paraissent. Mais ce n'est pas si facile d'accepter de perdre toute sa famille à cause d'une catastrophe aérienne due à une défaillance mécanique ou à une erreur humaine. On est convaincu qu'il ne peut s'agir d'un simple accident, on cherche un sens caché à tout ça, sans doute parce que... parce que ceux qu'on a perdus comptaient tellement. Vous comprenez ? On se dit qu'il y a forcément des coupables dans l'histoire, que ce ne peut pas être juste le destin, parce que Dieu ne le permettrait pas. Pourtant vous avez raison, au cinéma il y a toujours des méchants, mais dans la vie, c'est autre chose. Vivre, c'est prendre des risques. Il faut que j'accepte l'idée que des événements aussi terribles puissent arriver sans que personne ne soit coupable, si je veux surmonter cette épreuve. Dieu laisse mourir des innocents, des enfants. C'est aussi simple que ça.

Joe attendit qu'elle réagisse, anxieux de savoir si elle avait bien compris le caractère urgent du message qu'il s'efforçait de lui transmettre indirectement.

— J'espère que vous trouverez la paix, Joe, dit Barbara après une brève hésitation. Je vous le souhaite sincèrement. Il fallait du cran pour vous rendre sur les lieux, jusqu'au trou produit par l'impact. Et il en faut pour accepter le fait que personne n'est responsable. Tant qu'on se cramponne à l'idée qu'il y a forcément un ou des coupables qui doivent être traînés en justice... le désir de vengeance vous aveugle et on ne peut pas guérir.

Elle avait compris.

Joe ferma les yeux et essaya de rassembler ses esprits.

— Mais nous vivons une époque tellement bizarre. Il est facile de voir des complots partout.

— Plus facile que de regarder la vérité en face, quand elle est dure à supporter. Votre véritable interlocuteur, ce ne sont pas les pilotes, l'équipe d'entretien, les contrôleurs du trafic aérien ou les constructeurs. Mais Dieu.

— Et à quoi bon s'opposer à lui, dit-il en rouvrant les yeux.

Devant le kiosque à journaux, l'homme au panama et le fan des Dodgers prirent congé. Le premier s'éloigna.

— Nous ne sommes pas censés comprendre, poursuivit Barbara. Il nous faut juste garder la foi, se dire qu'il y a une raison. Si vous pouvez apprendre à accepter, alors vous trouverez la paix. Vous êtes quelqu'un de bien, Joe. Vous ne méritez pas de vivre un tel tourment. Je prierai pour vous.

— Merci Barbara. Merci pour tout.

— Bonne chance, Joe.

Il faillit aussi lui souhaiter bonne chance, mais ces deux mots pouvaient alerter ceux qui écoutaient. Il se contenta d'un « Au revoir » et raccrocha, tendu à l'extrême.

En allant au Colorado frapper à la porte de Barbara, il l'avait mise en péril ainsi que ses proches, même s'il ne pouvait pas prévoir alors les conséquences de sa visite. Maintenant, tout pouvait arriver, tout ou rien. Joe sentit la culpabilité lui étreindre le cœur.

Pourtant, c'est en allant au Colorado qu'il avait appris que Nina était en vie. Et il était prêt à assumer la mort de centaines de personnes en échange du seul espoir de la revoir.

Il se rendait bien compte qu'il était monstrueux d'accorder à la vie de sa fille un prix infiniment supérieur à celles de centaines d'autres gens. Mais il s'en fichait. Pour la sauver, il serait capable de tuer. Il tuerait tous ceux qui se mettraient sur son chemin. Quel que soit leur nombre.

N'était-ce pas un paradoxe proprement humain de rêver d'idéal et d'altruisme et, face à la mort, de toujours choisir le parti le plus égoïste, celui de ses proches, de sa famille ?

Joe traversa le hall vers la sortie. Quand il atteignit le haut de l'Escalator, il s'arrangea pour regarder derrière lui.

Banal d'aspect et d'allure, le fan des Dodgers suivait à distance et se fondait habilement dans la foule comme un fil anodin dans un manteau multicolore.

Quand Joe arriva en bas de l'Escalator et traversa le premier niveau de l'aérogare, il ne se permit plus un seul regard en arrière. Ou le fan des Dodgers serait là, ou bien il aurait passé le relais à un autre agent, comme l'homme au panama venait de le faire.

Étant donné leurs ressources illimitées, ils devaient avoir un contingent substantiel d'espions lâchés dans l'aéroport. Ici, il ne pourrait jamais leur échapper.

Il lui restait exactement une heure avant son rendez-vous avec Demi. S'il n'arrivait pas à temps, il n'aurait plus aucun moyen de rétablir le contact avec Rose Tucker.

Le tic-tac de sa montre-bracelet semblait résonner aussi fort que celui d'une horloge de grand-mère.

Sur les murs de béton de l'énorme caverne qu'était le parking de l'aéroport apparaissaient des formes monstrueuses, comme d'immenses taches de Rorschach. Elles évoquaient des visages torturés, des animaux étranges, des paysages de cauchemar tandis que grondaient les bruits de moteur qui provenaient des autres niveaux.

Il retrouva sa Honda là où il l'avait garée.

Pas de fourgonnette blanche dans les parages. Il n'y avait pratiquement que des voitures, à part un vieux minibus Volkswagen muni de rideaux aux fenêtres et un camping-car garés non loin de lui et qui pouvaient servir de poste de surveillance.

Il ouvrit le coffre de la voiture, se positionna de manière à masquer ce qu'il faisait et regarda sous la roue de secours : il avait emporté deux mille dollars dans son expédition au Colorado, mais il avait laissé tout le reste dans la Honda. L'enveloppe brune était-elle encore en place ? Oui, elle était bien là.

Il la glissa sous la ceinture de son jean. Il envisagea aussi de prendre la petite valise, mais s'il la déposait sur le siège avant, ceux qui le surveillaient risquaient de s'en alarmer et tomberaient moins facilement dans le panneau qu'il leur préparait.

Une fois assis à la place du conducteur, il sortit l'enveloppe de sa ceinture, l'ouvrit et fourra les liasses de billets de cent dollars dans les différentes poches de sa veste en velours côtelé. Il plia l'enveloppe vide et la mit dans la boîte à gants.

Quand il quitta sa place de parking, aucun des véhicules suspects ne le suivit. Ils n'avaient pas besoin de se presser. Caché sur la Honda, un autre mouchard leur envoyait un signal permanent.

Il descendit les trois niveaux du parking jusqu'à la sortie. Des voitures faisaient la queue aux caisses.

À mesure qu'il avançait, il regarda à plusieurs reprises dans son rétroviseur. Juste au moment où il arrivait à la caisse, il vit le camping-car rejoindre sa file, six voitures derrière lui.

En s'éloignant de l'aéroport, il resta un peu en dessous de la vitesse autorisée et ne fit aucun effort pour franchir les feux de circulation quand ils passaient à l'orange. Il ne voulait pas se laisser trop distancer par ses poursuivants.

Il préféra quitter les grandes artères pour les petites rues et fila vers les quartiers ouest, traversant une zone commerciale miteuse en quête d'un lieu propice à ses desseins.

C'était une belle journée d'été ; les rayons du soleil se fragmentaient en éclats d'arc en ciel sur le pare-brise couvert de crasse, que le jet d'eau savonneuse et les essuie-glaces n'avaient pas suffi à nettoyer.

Ébloui et clignant des yeux, Joe faillit le rater. « Gem Fittich, automobiles d'occasion. » Aujourd'hui dimanche, un bon jour pour acheter une voiture, le garage était ouvert. Plus pour très longtemps sans doute. C'était justement ce que Joe cherchait. Il s'arrêta un peu plus loin dans la rue et se gara le long du trottoir de droite, devant un atelier de mécanique fait de bric et de broc. Heureusement, l'atelier était fermé ; Joe n'avait aucune envie qu'un mécanicien bien intentionné se porte à son secours.

Il coupa le moteur et sortit de la Honda. Le camping-car n'avait pas encore fait son apparition. Il gagna vite l'avant de la voiture et souleva le capot.

La Honda ne lui servirait plus à rien. Cette fois, ils avaient dû si bien cacher le mouchard qu'il lui faudrait des heures pour le trouver. Il ne pouvait pas se servir de la voiture pour aller à son rendez-vous, ni l'abandonner, car alors ils se sauraient repérés.

Il fallait qu'il mette la Honda hors d'état de marche, tout en leur faisant croire à une réelle défaillance mécanique, et non à du sabotage. Autrement ses pisteurs ne manqueraient pas d'ouvrir le capot pour vérifier l'origine de la panne, et s'ils repéraient des bougies manquantes ou une tête de Delco débranchée, ils comprendraient vite qu'ils avaient été roulés. Barbara Christman se retrouverait alors plus que jamais dans la mouise. Ils devineraient que Joe s'était rendu compte qu'il avait été suivi. Que tout ce qu'il avait raconté à Barbara au téléphone n'était qu'une façon détournée de l'avertir tout en les persuadant qu'elle avait gardé le silence. Et qu'en réalité elle lui avait tout révélé.

Il débrancha soigneusement la bobine d'allumage tout en la laissant à sa place, enfoncée dans sa cosse. Une rapide inspection ne révèlerait pas qu'elle était débranchée. Même si plus tard ils s'obstinaient à chercher la cause de la panne, ils ne supposeraient pas que Joe l'avait bidouillée, mais croiraient que la bobine s'était débranchée toute seule. En tout cas ils resteraient dans le doute, ce qui garantissait à Barbara une certaine sécurité.

Le camping-car passa devant lui.

Il ne le regarda pas directement, mais le reconnut du coin de l'œil.

Pendant une minute ou deux, il fit semblant d'étudier différents éléments du moteur d'un air dubitatif, tirant sur ceci, raccordant cela.

Il laissa le capot ouvert, se remit au volant et essaya de démarrer la Honda, sans succès, évidemment.

Il sortit de la voiture et retourna regarder dans le moteur.

Le camping-car avait tourné le coin de la rue pour s'arrêter dans une petite zone de stationnement située devant des locaux industriels inoccupés, portant un grand panneau « À vendre ».

Il inspecta le moteur encore une minute en pestant avec conviction, au cas où des microphones directionnels seraient braqués sur lui.

Finalement, il claqua le capot et regarda sa montre d'un air inquiet. Il resta indécis un moment. Regarda encore l'heure à sa montre en proférant un « merde » bien sonore.

Puis il remonta la rue. Quand il arriva au magasin de voitures d'occasion, il marqua une pause, puis se rendit tout droit au bureau de vente.

Des guirlandes entrecroisées de fanions jaunes, rouges et blancs claquaient au vent au-dessus du parc à voitures, comme des vautours planant sur des carcasses plus ou moins décomposées. En tout, une trentaine de véhicules.

Le bureau occupait un petit bâtiment préfabriqué, jaune avec des moulures rouges. Par la baie vitrée, Joe aperçut un homme qui se prélassait dans un fauteuil à bascule en regardant la télé, les pieds posés sur le bureau.

220

En franchissant le seuil, il entendit les commentaires imagés d'un reporter sportif accompagnant un match de base-ball.

Le bâtiment consistait en une seule grande pièce avec des toilettes dans un coin. Les deux bureaux, les quatre chaises et la rangée de classeurs métalliques étaient sans prétention, mais le tout donnait l'impression d'être propre et bien rangé.

Joe s'attendait à quelque chose de plus crasseux, de plus sordide.

Le vendeur, un quadragénaire à l'air bon enfant, avait des cheveux blond-roux, portait un pantalon en toile brune et un polo jaune. Il enleva ses pieds du bureau, se leva de son fauteuil et lui tendit la main.

— Salut! Je ne vous ai pas entendu arriver. Gem Fittich, pour vous servir.

— Joe Carpenter, dit-il en lui serrant la main. J'ai besoin d'une voiture.

— Vous avez frappé à la bonne porte.

Fittich tendit la main pour éteindre le petit poste de télévision qui se trouvait sur son bureau.

— Non, laissez, dit Joe.

— Il vaut mieux ne pas voir ça, croyez-moi. Ils sont en train de se prendre une de ces déculottées...

Pour l'instant, l'atelier de mécanique les cachait aux occupants du camping-car. Mais si celui-ci venait se garer de l'autre côté de la rue, comme Joe s'y attendait, et s'ils braquaient des microphones directionnels sur la baie vitrée, il faudrait monter le son de la télé pour couvrir celui de leurs propres voix.

Joe se plaça de façon à pouvoir surveiller la rue tout en discutant avec Fittich.

— Qu'est-ce que vous avez de moins cher, qui puisse rouler sur quatre roues?

— Quand vous connaîtrez mes prix, vous aurez envie de vous offrir autre chose qu'un vieux tacot, vous allez voir...

— Voilà le marché, dit Joe en sortant des liasses de billets de cent dollars d'une de ses poches. Je vous prends la moins chère, du moment qu'elle s'en tire bien durant le tour d'essai et qu'elle est disponible tout de suite. Tout en liquide, sans exiger aucune garantie.

Fittich sembla apprécier la vue des billets.

— J'ai bien la Subaru... Ce n'est plus une jeunesse, mais elle tient encore la route. Elle n'a pas de climatiseur, mais il y a la radio et...

— Combien ?

— Voyons, j'ai pas mal bossé dessus et j'ai payé la vignette, mais je vous la laisse pour mille neuf cent soixante-quinze dollars. Elle...

— Je la prends, le coupa Joe.

Il avait pensé à faire baisser le prix, mais chaque minute comptait et étant donné ce qu'il allait demander à Fittich, il n'était guère en position de marchander.

Après une journée désespérément creuse, Gem Fittich était manifestement partagé entre le plaisir que lui procurait la perspective d'une vente facile et la gêne devant la façon dont ils étaient si vite arrivés à un accord. Il flairait quelque chose de louche.

— Vous ne voulez pas faire un essai de route ?

— Si, c'est exactement ce que je veux faire. Mais tout seul, dit Joe en posant les deux mille dollars sur le bureau de Fittich.

De l'autre côté de la rue, un homme de haute taille apparut, venant à pied de là où le camping-car était garé. Il s'immobilisa dans l'ombre d'un abri de bus. S'il s'était assis sur le banc, il n'aurait pas pu suivre ce qui se passait dans le bureau de vente, à cause des voitures garées devant.

— Tout seul ? demanda Fittich, déconcerté.

— Comptez, tout y est, précisa Joe, qui sortit son permis de conduire de son portefeuille et le tendit à Fittich. Je vois que vous avez une photocopieuse. Vous n'avez qu'à faire une copie de mon permis.

Le type qui attendait à l'arrêt d'autobus portait une chemise à manches courtes, un pantalon en toile et rien d'autre. Il n'était donc pas équipé d'un appareil d'écoute à longue portée ; il se contentait de l'avoir à l'œil.

Fittich regarda dans la même direction que Joe.

— Et qu'est-ce que ça va me rapporter comme ennuis ?

— Aucun, affirma Joe en croisant les yeux du vendeur. Vous faites votre métier. Il n'y a rien de mal à ça.

— Ce type à l'arrêt de bus, il vous intéresse ?

— Mais non. Ce n'est qu'un passant.

Fittich ne fut pas dupe.

— S'il s'agit d'un achat et non d'un simple essai de route,

alors il y a des formulaires à remplir, une taxe de vente à percevoir, des procédures à suivre.

— Mais ce n'est qu'un essai de route, dit Joe.

Il vérifia l'heure à sa montre et, cette fois, son inquiétude n'était pas feinte.

— Écoutez, monsieur Fittich, arrêtons le baratin, voulez-vous ? Je n'ai vraiment pas le temps. Vous n'aurez jamais fait de meilleure vente, croyez-moi. Voilà ce qui va se passer. Vous prenez l'argent, vous le planquez tout au fond d'un tiroir. Personne ne saura jamais que je vous l'ai donné. Je prends la Subaru, je vais là où je dois aller, ce n'est pas bien loin, dans le West Side. Je prendrais bien ma voiture, mais ils y ont collé un mouchard et je n'ai pas envie qu'on me suive. J'abandonne la Subaru en lieu sûr et je vous appelle demain pour vous dire où elle se trouve. Vous la ramenez, et tout ce qui vous est arrivé, c'est de louer votre bagnole la plus pourrie une journée pour deux mille dollars net. Au pire, je ne vous appelle pas. Vous gardez l'argent, et vous êtes débarrassé d'une voiture bonne pour la casse.

Fittich tournait le permis de conduire entre ses doigts.

— Et si on me demande pourquoi je vous ai laissé faire un essai de route tout seul, même après avoir fait une copie de votre permis de conduire ?

— Vous direz que le type avait l'air honnête, dit Joe. C'était bien sa photo sur le permis. Et vous ne pouviez pas quitter le bureau, parce que vous étiez sur un coup en or, un gars devait vous rappeler pour vous acheter votre meilleure bagnole. Vous ne vouliez pas risquer de rater ça.

— Vous avez bien tout combiné, dit Fittich.

Ses manières avaient changé. Le vendeur jovial et complaisant s'était mué en un Gem Fittich beaucoup plus abrupt et tranchant.

Il alla allumer la photocopieuse, mais Joe le sentait encore indécis.

— Monsieur Fittich, même s'ils entraient ici pour vous poser des questions, ils ne vous feraient rien. Ils ont bien d'autres choses en tête.

— Vous êtes dans le trafic de drogue ? demanda Fittich carrément.

— Non.

— Parce que je ne peux pas sentir les dealers.

– Moi non plus.

– Ils bousillent nos mômes et ce qui reste de notre pays.

– Tout à fait d'accord.

– Enfin, pour ce qu'il en reste... Fittich jeta un coup d'œil vers l'homme debout à l'arrêt d'autobus. Ce sont des flics?

– Pas vraiment.

– Parce que moi, je suis de leur côté, aux flics. C'est un sacré boulot d'essayer de faire respecter la loi alors que les plus gros criminels sont parmi ceux que nous avons élus.

– Ce n'est pas ce genre de flics, dit Joe en secouant la tête.

– Bien répondu, dit Fittich après un instant de réflexion.

– Monsieur Fittich, j'essaie de jouer franc jeu avec vous. Mais je suis pressé. Ils doivent penser que je suis là pour appeler un mécanicien ou un camion de dépannage. Si je dois prendre cette Subaru, il me la faut tout de suite, avant qu'ils réalisent ce que je suis en train de faire.

– Ils sont du gouvernement? demanda Fittich après avoir lancé un autre coup d'œil vers l'arrêt de bus.

– Eh bien oui, en fait.

– Vous savez pourquoi le problème de la drogue ne fait que s'aggraver? Parce que la moitié des politiciens actuels reçoivent des pots-de-vin pour laisser courir et certains de ces salauds en prennent eux-mêmes, alors vous parlez s'ils s'en fichent.

Joe ne dit rien, par crainte de faire une bourde. Il ne savait pas pourquoi Fittich en voulait tant aux autorités. Mais il suffirait d'un rien pour qu'il ne voie plus en lui un allié et le rejette dans le camp ennemi.

Les sourcils froncés, Gem Fittich fit une photocopie du permis de conduire. Il rendit la carte plastifiée à Joe, qui la rangea dans son portefeuille.

Revenu à son bureau, Fittich fixa les billets. Il semblait contrarié, non pas tant par la crainte de s'attirer des ennuis que par une exigence morale, comme si l'idée de collaborer à quelque chose de pas très net le tourmentait. Il finit par soupirer, ouvrit un tiroir, et y glissa les billets.

D'un autre tiroir, il sortit un jeu de clefs et le tendit à Joe.

– Où est-elle? demanda Joe en le prenant avec gratitude.

Fittich lui montra la voiture du doigt.

– Dans une demi-heure, il faudra que j'appelle les flics pour faire une déclaration de vol. Ne serait-ce que pour me couvrir.

— Je comprends. Avec un peu de chance, je serai arrivé à ce moment-là.

— Oh ! ne vous en faites pas pour ça, de toute façon, ils ne la chercheront même pas. Vous pourriez vous en servir une semaine sans être inquiété.

— Je vous appellerai, monsieur Fittich, et je vous dirai exactement où je l'ai laissée.

— Je l'espère bien... Monsieur Carpenter, lui lança Fittich alors que Joe se dirigeait vers la porte, croyez-vous en la fin du monde ?

— Pardon ? fit Joe en s'arrêtant sur le seuil.

C'était encore un autre Gem Fittich qui l'apostrophait de la sorte, ni complaisant ni tranchant, mais avec une lueur inquiète et désabusée dans les yeux.

— Je parle de la fin de notre monde, ou plutôt de ce gâchis que nous en avons fait et qui finira à la poubelle, comme un vieux tapis mangé aux mites.

— Oui, je suppose que tout ça finira un jour, dit Joe.

— Pas un jour. Bientôt. Vous n'avez pas l'impression que le bien et le mal se sont inversés, que nous ne savons même plus les distinguer ?

— Si.

— Et vous ne vous réveillez pas certaines nuits en sentant que ça approche ? Comme un immense raz-de-marée, sombre et glacé, qui va déferler sur nous et nous effacer de la carte ?

— Si, répondit Joe à voix basse, avec conviction. Si, il m'est souvent arrivé d'avoir cette impression, surtout la nuit.

Mais, dans le cas de Joe, elle était d'une nature toute personnelle et due à la perte de sa famille. Cette énorme vague qui menaçait de s'abattre sur lui montait si haut qu'elle cachait les étoiles et l'empêchait de voir l'avenir. Et il avait souvent éprouvé le désir qu'elle l'emporte une bonne fois pour toutes.

Il sentait que Fittich, en proie à une profonde lassitude morale, appelait aussi de ses vœux une apocalypse libératrice. Et Joe était surpris de découvrir qu'il partageait avec le vendeur de voitures le mal dont il s'efforçait si péniblement de guérir. Cette découverte le troublait. Un tel vague à l'âme était par nature profondément antisocial, et une société où il se répandait si largement ne promettait pas des lendemains qui chantent.

— Drôle d'époque, dit Fittich, reprenant presque mot pour

mot ce que Joe avait dit à Barbara peu de temps auparavant. Elle me fait peur.

Il alla s'asseoir à sa chaise, posa les pieds sur le bureau et regarda le match de base-ball à la télévision, lui lançant sans lever les yeux :

– Vous feriez mieux d'y aller.

Avec des picotements glacés dans la nuque, Joe sortit et marcha jusqu'à la voiture, une Subaru jaune.

De l'autre côté de la rue, à l'arrêt d'autobus, l'homme regarda impatiemment à droite et à gauche, comme pour récriminer contre les transports publics.

Le moteur de la Subaru démarra tout de suite, mais avec un drôle de bruit métallique, qui n'augurait rien de bon. Le volant vibrait un peu. Le revêtement des sièges était usé et le parfum d'un désinfectant au pin masquait mal l'odeur âcre de la fumée de cigarettes qui avait au fil des années imprégné le vinyl et la moquette.

Sans regarder l'homme posté dans l'abri de bus, Joe sortit du garage. Il tourna à droite et remonta la rue en passant devant sa Honda abandonnée.

Le camping-car était encore parqué devant l'immeuble de locaux industriels.

Quand Joe atteignit le croisement juste après avoir dépassé le camping-car, il ne vit aucune voiture venant en contresens. Il ralentit, mais ne s'arrêta pas complètement ; au contraire, il appuya à fond sur l'accélérateur.

Dans le rétroviseur, il vit l'homme courir vers le camping-car, qui faisait déjà demi-tour dans la rue. Sans le mouchard pour les guider, ils seraient obligés de maintenir un contact visuel constant, au risque de se démasquer.

Joe les sema à un grand croisement en grillant un feu orange qui passait au rouge. Le camping-car tenta de le suivre, mais il fut bloqué par les voitures venant de la rue adjacente. Malgré le bruit du moteur de la Subaru, Joe entendit crisser leurs freins alors qu'ils stoppaient in extremis pour éviter une collision.

Vingt minutes plus tard, il abandonnait la Subaru sur Hilgarde Street près du campus de l'université, aussi loin que possible de l'adresse où il devait retrouver Demi. Il marcha d'un pas vif jusqu'à Westwood Boulevard, en s'efforçant de ne pas se mettre à courir.

Il n'y a pas si longtemps, Westwood Village était un îlot charmant et pittoresque au milieu de la cité tumultueuse, où les gens faisaient tranquillement leurs courses et allaient le soir au théâtre. Des immeubles bas aux formes harmonieuses en faisaient l'un des quartiers commerçants les plus agréables de Los Angeles. Le long de ses rues bordées d'arbres s'étaient ouverts pas mal d'endroits branchés, boutiques de mode, galeries, restaurants, théâtres jouant des pièces à succès, cinémas populaires. Un endroit idéal pour se promener, regarder les passants et se montrer.

Puis les choses s'étaient gâtées. À cause d'un engouement passager dont elle s'était vite dégrisée, l'élite avait considéré un certain type de comportement agressif et inadapté comme l'expression d'une révolte légitime. Le vagabondage s'était accru, des bandes avaient commencé à écumer le quartier et la drogue à circuler ouvertement. S'en était suivie une miniguerre de gangs se disputant le territoire avec échanges de coups de feu, et les badauds devenus pigeons avaient jugé l'ambiance un peu trop chaude à leur goût.

À présent, Westwood luttait pour remonter la pente. Les rues étaient redevenues plus sûres. Bien des boutiques et galeries avaient fermé pourtant, et tous les commerces n'avaient pas été réinvestis. Cette atmosphère déliquescente pourrait mettre des années à se dissiper. Comme les récifs de corail et toutes les belles choses de cette terre, la civilisation, si lente à s'édifier, peut se détruire avec une rapidité fulgurante, même avec les meilleures intentions du monde, et tout ce qui disparaît ne peut se regagner qu'à force de volonté.

Le café était bondé. De la porte ouverte filtraient de délicieux arômes et le son d'une guitare solo jouant un air New Age, mélodieux et relaxant, mais trop répétitif.

Joe avait eu l'intention de repérer les lieux à distance, mais il était trop tard. À six heures deux minutes, il se tint devant le café comme convenu, à droite de l'entrée, et attendit.

Par-dessus les bruits de la circulation et les accords lancinants de la guitare, il entendit une sorte de cliquetis ou de tintement peu agréable à l'oreille. Ce son le mit tout de suite en alerte sans qu'il sache pourquoi. Crispé, il regarda autour de lui pour voir d'où il provenait.

Au-dessus de la porte, des carillons éoliens fabriqués à partir de tout un tas de petites cuillères d'aspect et de taille différents cliquetaient dans la brise légère.

Comme un petit copain d'enfance se cachant dans les recoins d'un grand jardin baigné de clair-obscur, sa mémoire le taquina malicieusement. Puis il se rappela la rangée de casseroles et d'ustensiles en cuivre qui pendaient dans la cuisine des Delmann.

En revenant de la chambre de Charlie Delmann, après le cri qu'avait poussé Lisa, Joe avait entendu les pots en cuivre s'entrechoquer doucement. En entrant dans la cuisine, il avait vu les casseroles et les poêles osciller sur leurs crochets comme des pendules.

Le temps qu'il rejoigne Lisa et découvre le corps de Georgine, les casseroles s'étaient immobilisées. Mais qu'est-ce qui les avait fait bouger? Lisa et Georgine se trouvaient à l'autre extrémité de la pièce, très loin des ustensiles qui pendaient au mur.

Comme les chiffres verts clignotant sur le réveil dans la chambre de Charlie Delmann, comme les flammes vacillantes des trois lampes à pétrole posées sur la table de cuisine, le tintement des cuivres était important.

La révélation était toute proche, près d'exploser avec violence dans son crâne buté.

Retenant son souffle, il s'efforça mentalement de trouver le lien qui donnerait leur sens à tous ces détails; en vain. Exaspéré, il sentit que ce fil ténu lui échappait, la lumière s'éteignait. Encore cette fois, il n'y aurait pas d'illumination.

Peut-être qu'aucun de ces détails ne comptait : ni les lampes à pétrole, ni les chiffres du réveil, ni les cuivres s'entrechoquant. À travers les jumelles déformantes d'une paranoïa amplement justifiée par les derniers événements, une feuille tombant d'un arbre, le murmure du vent, une ombre chinoise sur un mur étaient pour lui autant de signes et de présages. Il n'avait pas le regard d'un simple observateur, encore moins d'un reporter, mais celui d'une victime prise au piège de sa propre histoire. Peut-être ferait-il mieux de ne pas trop se fier à son instinct de journaliste. Et cesser de vouloir donner une signification à ces petits détails... qui n'en restaient pas moins singuliers.

Le long du trottoir, un grand adolescent noir en short et en T-shirt arriva en glissant sur des patins à roulettes. Toujours absorbé dans son puzzle d'indices, Joe ne fit guère attention à lui.

Mais le gosse effectua un virage sur place, s'immobilisa devant lui et lui tendit un téléphone portable.

— Tenez, c'est pour vous, dit-il d'une voix de basse qui aurait fait merveille dans n'importe quel groupe wap-doo-wap des années cinquante.

Avant que Joe ait pu lui répondre, il s'éloigna en poussant sur ses jambes musclées.

Dans la main de Joe, le téléphone se mit à sonner.

Il inspecta la rue en quête d'éventuels guetteurs, mais aucun véhicule ne semblait suspect.

— Oui ?

— Comment vous appelez-vous ? demanda un homme.

— Joe Carpenter.

— Qui attendez-vous ?

— Je ne connais pas son nom.

— Comment l'appelez-vous ?

— Demi.

— Longez le pâté de maisons. Au coin, tournez à droite et continuez jusqu'à une librairie. Elle est encore ouverte. Entrez-y et cherchez le rayon des biographies.

Son interlocuteur raccrocha.

En définitive, il n'y aurait donc pas de rendez-vous galant autour d'une tasse de café.

D'après les horaires d'ouverture affichés sur la porte vitrée, la librairie fermait à six heures le dimanche. Il était six heures et quart. Par les grandes vitrines, Joe vit que les panneaux fluorescents situés à l'avant du magasin étaient éteints, mais qu'au fond il en restait quelques-uns d'allumés. Il poussa la porte.

À l'intérieur, seul un employé attendait derrière le comptoir, un Noir approchant la quarantaine, portant moustache et bouc, aussi sec et nerveux qu'un jockey. Ses lunettes aux verres épais cerclés d'écaille lui faisaient des yeux énormes, comme ceux d'un inquisiteur durant un interrogatoire de cauchemar.

— Le rayon des biographies, s'il vous plaît ? demanda Joe.

Sortant de derrière le comptoir, l'employé lui indiqua le coin arrière droit du magasin, où le néon luisait encore par-delà des rangées d'étagères déjà plongées dans l'obscurité.

Comme il s'avançait dans le dédale de livres, Joe entendit qu'on verrouillait la porte d'entrée derrière lui.

Dans l'allée des biographies, un autre Noir attendait, planté là comme un énorme bloc d'ébène inamovible, l'air placide d'un Bouddha.

– Mets-toi en position, dit-il.

Aussitôt Joe sut qu'il avait affaire à un flic, ou à quelqu'un qui l'avait été.

Docile, il se mit face au mur de livres, écarta les jambes, se pencha en avant en posant les deux mains sur les étagères et fixa le dos des livres rangés à son niveau. L'un d'eux attira son attention : c'était une grosse biographie de Henry James.

Henry James.

Même ce nom ne semblait pas anodin. Décidément, tout semblait avoir une signification, mais n'en avait aucune. Encore moins le nom d'un écrivain mort depuis longtemps.

Le flic le fouilla vite d'une main experte, en quête d'une arme ou d'un mouchard, et ne trouva rien.

– Montre-moi une pièce d'identité.

Joe se retourna et sortit son permis de conduire de son portefeuille.

– Retourne voir le caissier.

– Quoi ?

– Le type que tu as vu en entrant.

Le caissier l'attendait près de la porte d'entrée. En voyant Joe approcher, il la déverrouilla.

– Vous avez toujours le téléphone ?

Joe le lui tendit.

– Non, gardez-le. Une Mustang noire est garée le long du trottoir. Prenez-la, allez à Wilshire, puis tournez à l'ouest. On vous contactera.

Comme le caissier lui tenait la porte, Joe resta sur le seuil.

– À qui est la voiture ? demanda-t-il.

Derrière les verres épais comme des culs de bouteille, les énormes yeux l'étudièrent comme un microbe à travers un microscope.

– Qu'est-ce que ça peut vous faire ?

– Rien, je suppose.

Joe sortit et monta dans la Mustang. Les clefs étaient sur le contact.

À Wilshire Boulevard, il tourna à l'ouest. La voiture était presque aussi vieille que la Subaru que Gem Fittich lui avait refilée. Le moteur faisait moins de bruit pourtant, et l'intérieur était plus propre ; au lieu de l'odeur de désinfectant masquant mal la puanteur de cigarette, il y avait dans l'air un léger soupçon mentholé d'après-rasage.

Peu après qu'il eut traversé le passage inférieur de l'autoroute de San Diego, le téléphone portable se mit à sonner.

– Oui ?

– Faites toute la route jusqu'à l'océan par Santa Monica, dit l'homme qui l'avait précédemment dirigé sur la librairie. Quand vous y serez, je vous rappellerai pour vous donner de nouvelles instructions.

– D'accord.

– Ne vous arrêtez pas en chemin. Compris ?

– Oui.

– Ça ne nous échapperait pas.

Ils étaient quelque part dans son voisinage immédiat, cachés dans la circulation. Il ne s'embêta pas à les chercher.

– Et ne vous servez pas du téléphone. Ça aussi, on s'en rendrait compte.

– Compris.

– Une question. La voiture que vous conduisez, pourquoi avoir demandé à qui elle appartenait ?

– Les types qui sont à mes trousses ne sont pas commodes. S'ils me retrouvent, je ne veux pas mettre des innocents dans le pétrin juste parce que je me serai servi de leur voiture.

– Le monde entier est dans le pétrin, mec. T'as pas remarqué ? demanda l'homme avant de raccrocher.

À l'exception du flic de la librairie, les gens qui cachaient Rose Tucker et assuraient sa sécurité étaient des amateurs disposant de moyens limités, comparés à ceux des gangsters qui travaillaient pour Teknologik. Mais des amateurs éclairés et doués d'un indéniable talent.

Joe n'était pas encore sorti de Santa Monica quand l'image du livre portant au dos le nom de *Henry James* lui revint à l'esprit.

Henry James. Et alors ?

Puis le titre d'une des œuvres les plus connues de l'écrivain lui revint en mémoire. *Le Tour d'écrou*. Il figurait dans toutes les listes des histoires de fantômes les plus fameuses.

Un fantôme.

L'inexplicable vacillement des flammes dans les lampes à pétrole, le clignotement des chiffres sur le réveil, les casseroles en cuivre... il y avait un lien entre ces images. Rétrospectivement, il était facile de leur prêter une qualité surnaturelle, même s'il savait qu'à cet égard son imagination pouvait lui jouer des tours et déformer ses souvenirs.

Il se souvint aussi du plafonnier en cristal, et comment il s'était éteint, puis rallumé plusieurs fois tandis qu'il montait l'escalier à la suite du coup de feu qui avait causé la mort de Charlie Delmann. Dans la terrible tourmente qui avait suivi, il avait oublié ce curieux détail.

Cela lui faisait penser aux scènes de vieux films, quand s'ouvre la porte qui sépare ce monde-ci du royaume des esprits ; alors les lumières électriques se mettent à clignoter, les flammes des bougies à vaciller sans qu'il y ait le moindre courant d'air.

Quelle absurdité ! Pire qu'absurde, malsain. Les fantômes n'existent pas.

Pourtant il se souvenait d'un autre incident troublant au moment où il avait fui la maison des Delmann : l'alarme-incendie hurlant dans son dos. Il avait emprunté le couloir, traversé le vestibule et il était arrivé à la porte. Quand il avait posé la main sur la poignée, un froid cinglant l'avait saisi à la nuque, s'infiltrant dans son épine dorsale. Il avait franchi le seuil et s'était retrouvé dehors, sans pouvoir se rappeler à quel moment il avait ouvert la porte.

L'incident semblait avoir un sens dans la mesure où il voulait lui en prêter un, mais dès qu'il laissait son scepticisme reprendre le dessus, il paraissait dénué d'importance. Cependant, Joe aurait dû sentir la chaleur des flammes plutôt qu'un froid cinglant. Et puis ce n'était pas tout à fait une sensation de froid, plutôt comme si on lui avait piqué la nuque avec la pointe acérée d'un glaçon. Une pointe si aiguë qu'elle évoquait plutôt un stylet d'acier qu'on aurait sorti d'un congélateur, ou une aiguille métallique insérée dans le haut de son épine dorsale. Mais il était dans un tel état de panique à ce moment-là que ces impressions étranges n'étaient sans doute que des réactions physiologiques normales dues à une tension extrême. Idem pour le furtif trou de mémoire qu'il avait eu entre l'instant où il avait posé la main sur la poignée de la porte et celui où il s'était retrouvé dehors... Il s'expliquait facilement par la panique, le stress et l'instinct de survie, cet instinct animal si puissant qu'il submerge tout et vous aveugle, quand il vous prend.

Rien à voir avec un fantôme.

Repose en paix, Henry James.

À mesure qu'il avançait dans Santa Monica et se rapprochait de l'océan, cette brève attaque de superstition s'apaisa et sa raison reprit le dessus.

Néanmoins, l'idée même du fantôme resta présente à son esprit. Il avait l'intuition que c'est en puisant dans cette veine surnaturelle qu'il parviendrait enfin à une explication rationnelle, à une théorie aussi cohérente et structurée que la prose méticuleuse de Henry James.

Une aiguille de glace. Pénétrant jusqu'au centre de l'épine dorsale pour injecter quelque chose... Mais quoi?

Nora Vadance avait-elle éprouvé la même sensation, juste avant de se lever de table pour aller chercher la caméra vidéo?

Et les Delmann?

Et Lisa?

Et le capitaine Delroy, avait-il ressenti cette piqûre fantôme avant de débrancher le pilotage automatique, de casser la figure à son second et de diriger l'avion droit vers la terre sans se départir un seul instant de son calme?

Non, pas un fantôme, mais quelque chose d'approchant, aussi terrible et malveillant qu'un esprit mauvais sorti du gouffre des damnés.

Quand Joe fut à deux rues du Pacifique, le téléphone portable sonna pour la troisième fois.

— Prenez à droite sur la route côtière et continuez à rouler jusqu'à ce qu'on vous recontacte.

À gauche de Joe, le soleil se couchait sur l'océan comme une coulée de crème anglaise.

Quand il arriva à Malibu, on lui indiqua par téléphone un embranchement qui le conduirait à Santa-Fe-by-the-sea, un restaurant situé sur une hauteur et surplombant l'océan.

— Laissez le téléphone sur le siège du passager et la voiture au chasseur. Il sait qui vous êtes. La table est réservée à votre nom, précisa l'homme avant de raccrocher pour la dernière fois.

Le grand restaurant ressemblait à une maison de pisé transplantée du Nouveau-Mexique, avec des moulures turquoise autour des fenêtres, des portes turquoise et des allées pavées de terres cuites rouges. Il était entouré d'un jardin de rocaille et de cactus, dominé par deux grands magnolias.

Le chasseur surpassait en beauté tous les beaux ténébreux de l'écran, passés ou présents. Son regard de velours était si étudié qu'il avait dû s'exercer longuement devant une glace en prévision du jour où il se retrouverait enfin devant des caméras. Comme le type le lui avait promis au téléphone, il attendait Joe et récupéra les clefs de la Mustang sans rien lui donner en échange.

À l'intérieur du restaurant, le plafond était couvert d'énormes poutres apparentes, les murs de plâtre d'une couleur vanille, et le sol des mêmes terres cuites d'un beau rouge brun. Le mobilier sobre et moderne tranchait agréablement sur l'ensemble. Sur les murs, le décorateur s'était contenté de reproduire en tons pastel des motifs navajos classiques.

Tout ça avait dû coûter une fortune et Joe avait bien conscience qu'il dénotait dans le décor, avec son allure débraillée. Depuis qu'il était parti pour le Colorado, plus de douze heures auparavant, il ne s'était pas rasé. Bien sûr, le jean était accepté pratiquement partout, depuis que les acteurs de cinéma s'habillaient en éternels adolescents, même dans les endroits les plus huppés de Los Angeles. Mais sa veste en velours côtelé avait été détrempée par la pluie, elle était toute froissée et déformée ; lui-même arborait la mine défaite d'un voyageur, sinon d'un poivrot.

La jeune hôtesse, belle comme une déesse et attendant sans doute elle aussi le rôle de sa vie, l'accueillit sans manifester aucun mépris pour son apparence et le conduisit à une table dressée pour deux, située près d'une fenêtre.

Tout le côté ouest de l'établissement n'était qu'une longue baie vitrée donnant sur la mer. Des stores vénitiens tempéraient l'ardeur du soleil couchant. La vue était spectaculaire, la côte formait une longue courbe qui s'incurvait au nord comme au sud.

— Votre collègue a été retardée, dit l'hôtesse, parlant sans doute de Demi. Elle vous conseille de dîner sans elle. Elle vous rejoindra plus tard.

Joe n'apprécia pas du tout ce nouveau rebondissement. Il avait hâte d'entrer en relation avec Rose, d'apprendre ce qu'elle avait à lui dire, de retrouver Nina.

Pourtant il était bien forcé de jouer leur jeu.

– Entendu. Merci.

Le serveur ressemblait à Tom Cruise, en mieux. Il s'appelait Gene et ses prunelles pétillaient avec tant d'éclat que cela semblait artificiel, comme si on lui avait greffé une petite flamme de gaz au fond de chaque œil.

Après avoir commandé une Corona, Joe alla aux toilettes. Il tressaillit en s'apercevant dans la glace. Avec sa barbe piquante, il ressemblait à un Rapetou s'apprêtant à dévaliser l'oncle Picsou. Il se lava les mains et le visage, se peigna les cheveux et lissa les plis de sa veste.

De retour à la table, il sirota sa bière fraîche tout en observant les autres clients.

À trois tables de lui, un héros de film d'action arborait une mine encore plus patibulaire que la sienne, avec ses cheveux poisseux et emmêlés comme ceux d'un petit garçon qui se réveille de sa sieste. Il portait un jean noir loqueteux et une chemise de smoking.

Plus près se trouvait un acteur nominé pour un oscar, héroïnomane notoire. Il avait dû choisir sa tenue en pleine félicité chimique : des mocassins noirs sans chaussettes, des culottes de golf écossaises, une veste de sport à carreaux bruns et une chemise bleu pâle en coton. Mais ce qui ressortait le plus, c'était le rouge vif de ses yeux injectés de sang.

Joe se détendit et profita du dîner. De la purée de maïs et de la soupe aux haricots noirs versés dans le même plat de façon à former un motif yin et yang. Du saumon grillé au fenouil, sur un lit de sauce à la mangue et au poivre rouge. Le tout délicieux.

Tout en se régalant, il passa autant de temps à observer les clients qu'à fixer la mer. Même ceux qui n'étaient pas connus s'extasiaient pour un oui pour un non et se composaient une attitude.

Los Angeles était la ville la plus outrancière au monde, dans la laideur comme dans la beauté – réactionnaire, progressiste, altruiste, égocentrique, débrouillarde, ignorante, artiste, maffieuse, idéaliste, grippe-sou, relaxe, frénétique. Deux quartiers aussi différents que Bel Air et Watts n'en étaient pas moins étrangement semblables par essence, animés des mêmes élans de folie, d'espoir et de désespoir.

En terminant son dîner par un pudding à la mangue et une glace au jalap, Joe s'étonna d'avoir pris autant de plaisir à observer les gens. Avec Michelle, c'était leur divertissement préféré ; ils passaient des après-midi entiers à se balader dans des endroits aussi divers que Rodeo Drive et City Walk. Mais depuis un an, enfermé en lui-même et se vouant à son seul chagrin, il ne s'était pas intéressé aux autres.

De savoir que Nina était en vie et qu'il allait la retrouver ramenait lentement Joe à la vie.

Une femme noire aux proportions imposantes, habillée d'un boubou rouge et or et parée de toute une joaillerie, avait relayé l'hôtesse. Elle escortait deux hommes à une table voisine.

Les deux nouveaux clients étaient habillés de pantalons noirs, chemises de soie blanche et vestes noires en cuir souple. Le plus vieux avait la quarantaine, d'immenses yeux mélancoliques et une bouche sensuelle à la Mick Jagger. Il aurait été assez bel homme sans son nez couperosé, gonflé par des années d'alcoolisme, et cette façon de toujours garder la bouche entrouverte qui lui donnait un air vide. Son compagnon avait les yeux bleus, dix ans de moins, un teint rose crevette et il était affligé d'un tic nerveux, un sourire permanent qu'il n'arrivait pas à contrôler, comme s'il souffrait d'un manque d'assurance chronique.

La fille aux cheveux châtains qui dînait avec l'acteur poudré jusqu'aux yeux ressentit une attirance immédiate pour le gars aux lèvres sensuelles, malgré son nez bourgeonnant. Elle le fixa si fort et avec tant d'insistance qu'il réagit aussi vite qu'une truite appâtée par un gros ver bien gras se tortillant en surface, même s'il était difficile de dire lequel, dans l'histoire, faisait la truite ou l'asticot.

Le poudré s'en rendit compte et se mit lui aussi à fixer l'homme au regard vague, mais avec des yeux rageurs. Il quitta brusquement la table en manquant de renverser sa chaise, et traversa la salle d'un air agressif, comme s'il s'apprêtait à casser la gueule à son rival ou à lui dégueuler dessus. En fait, il évita la table des deux hommes et disparut dans le couloir qui menait aux lavabos.

L'homme aux yeux tristes mangeait des crevettes grillées servies sur un lit de polenta. Il enfourchait chaque petit crustacé à la pointe de sa fourchette et l'étudiait d'un regard appréciateur avant de l'avaler avec un plaisir obscène. Et tout en savourant chaque bouchée, il fixait la fille d'un air lascif, comme pour bien lui faire comprendre que, s'il en avait jamais l'occasion, elle connaîtrait entre ses mains le même sort que les crevettes.

La fille était-elle attirée ou repoussée par son regard lubrique ? Chez les gens de Los Angeles, les deux émotions sont souvent mêlées, comme les viscères de sœurs siamoises inopérables. Quoi qu'il en soit, elle se leva et alla s'asseoir à la table des deux hommes.

Joe se demanda comment les choses tourneraient quand son compagnon reviendrait des toilettes, sans doute après s'être repoudré les narines. Mais le suspens demeura, car Gene, le serveur aux yeux pétillants, vint lui dire qu'il n'avait pas à régler l'addition et que Demi l'attendait dans la cuisine.

Surpris, il laissa un pourboire et prit la direction que Gene lui avait indiquée, vers le couloir qui menait aux toilettes et à la cuisine.

Le soleil couchant n'était plus qu'un rond jaune teinté de rouge posé sur la ligne d'horizon comme un œuf au plat sur une poêle.

En traversant le restaurant, où toutes les tables étaient maintenant occupées, Joe repensa à la saynète à trois personnages qui venait de se jouer devant lui. Quand il arriva au couloir qui menait aux cuisines, il éprouva une forte sensation de *déjà vu* et lança un regard en arrière. Il vit le séducteur aux yeux tristes la fourchette levée, dégustant une crevette tandis que la brune lui murmurait quelque chose à l'oreille et que l'homme au sourire nerveux regardait autour de lui.

Il sentit soudain sa bouche devenir sèche et son cœur s'emballer. Puis une vision se superposa à la scène : la fourchette devint la lame pointue d'un couteau piquant une lamelle de gouda.

Deux hommes et une femme. Pas dans un restaurant, mais dans une chambre d'hôtel, avec Barbara Christman dans le rôle féminin.

Joe n'avait jamais vu les deux hommes, mais la description qu'en avait faite Barbara était si précise que ce ne pouvait être qu'eux : les yeux de chien battu, le nez boursouflé, les lèvres charnues, toujours entrouvertes. Et pour le plus jeune, un visage de bambin lisse et rose et une drôle de façon de sourire, hésitante, mécanique.

Depuis plus de vingt-quatre heures, Joe ne croyait plus aux coïncidences.

Teknologik était dans la place.

Il remonta le couloir d'un pas vif, franchit une porte battante et entra dans une petite pièce où deux hommes en habits blancs composaient les entrées et les assiettes de crudités avec des gestes d'automate. Ils ne levèrent même pas les yeux à son passage.

Dans la salle principale des cuisines, la forte femme en boubou l'attendait. La gaieté flamboyante de son costume contrastait de façon saisissante avec la vive anxiété qui se peignait sur son visage, un visage de mama qu'on imaginait plutôt en train de rire et de chanter.

– Je m'appelle Mahalia. Je suis vraiment désolée de n'avoir pu dîner avec toi, Joe le passable. Je m'en faisais une joie. Mais il y a eu un changement de dernière minute. Suis moi, trésor.

Joe reconnut sans mal le timbre rauque et sexy de la femme qu'il avait appelée Demi.

Avec la majesté d'un navire quittant le port, Mahalia traversa les cuisines où s'activait toute une armée de chefs et d'aides-cuisiniers devant des plaques de cuisson, des grills, à travers une vapeur odorante de fumet de viande et d'oignons rissolés.

– Alors vous savez, pour eux ?

– Bien sûr. C'est même passé à la télé aujourd'hui. Ces types des actualités, ils vous montrent des trucs à vous faire dresser les cheveux sur la tête, et puis ils essaient de vous vendre des salades. Une vraie saleté, ces médias. Ils déforment tout.

Il posa un bras sur son épaule, la forçant à s'arrêter.

– De qui parlez-vous ?

– Des gens qu'on a assassinés après son passage.

Malgré tout le personnel qui s'activait dans les cuisines, ils jouissaient de l'intimité nécessaire grâce au raffut que faisaient la batterie de cuisine et les maîtres queux en pleine action, hachant, coupant, fouettant.

– Ils font passer ça pour autre chose, mais c'est bien de meurtres qu'il s'agit, dit Mahalia.

– Moi, ce n'est pas de ça que je parle. Mais des deux types du restaurant.

– Quels types ? demanda-t-elle en fronçant les sourcils.

– Deux types en pantalon noir, chemise blanche et veste en cuir noir...

– C'est moi qui les ai accompagnés à leur table.

– Oui. Je viens seulement de comprendre qui ils sont.

– Des vauriens ?

– De la pire espèce.

– Voyons trésor, nous sommes certains que tu n'as pas été suivi, dit-elle, déconcertée.

– Moi non, mais vous peut-être. Ou bien quelqu'un qui protégeait Rose.

– Le diable en personne n'arriverait pas à trouver Rosie en passant par nous.

– Ils ont dû découvrir chez qui elle se cachait depuis un an, et maintenant l'étau se resserre.

– Personne ne touchera à un cheveu de Rosie, affirma Mahalia, auréolée d'une confiance à toute épreuve.

– Elle est ici ?

– Elle vous attend.

– Vous ne comprenez pas, dit Joe, soudain glacé. Les deux types de la salle à manger ne sont sûrement pas venus seuls. Il doit y en avoir d'autres dehors. Peut-être toute une armée.

La large figure de Mahalia se rembrunit, animée d'une sombre résolution.

– Peut-être bien, mais ils ne savent pas à qui ils ont affaire, trésor. Nous sommes baptistes.

Certain d'avoir mal entendu ou mal compris, Joe lui remboîta le pas. Tout au fond de la grande salle, ils passèrent une porte et pénétrèrent dans une arrière-cuisine étincelante où les fruits et les légumes étaient lavés et découpés avant d'être transférés dans la salle principale. À cette heure tardive, plus personne n'y travaillait.

Au-delà se trouvait un cellier au sol de ciment sentant le céleri, les poivrons, le bois et le carton humides. Le long du mur de droite, des cageots de légumes et des caisses de bouteilles de bière vides étaient empilés sur des palettes, presque jusqu'au plafond.

Tout droit, face à l'entrée, se trouvait une grande porte en acier, fermée et surplombée d'un panneau rouge « Sortie », devant laquelle les camions de livraison devaient se garer à l'extérieur. Il y avait un ascenseur sur la gauche.

– Rose est en bas.

Mahalia appuya sur le bouton ; les portes de l'ascenseur s'ouvrirent aussitôt.

– Qu'est-ce qu'il y a en dessous ?

– Autrefois, l'ascenseur de service menait à une plate-forme donnant sur la plage, qui servait de salle de banquet pour les grandes soirées. Mais on ne peut plus l'utiliser, à cause de la commission d'environnement côtier. C'est devenu un simple entrepôt. Une fois que vous serez descendu, je dirai aux gars de pousser les palettes et les caisses vides contre ce mur. Comme ça, l'ascenseur sera caché et personne ne pourra deviner qu'il s'en trouve un ici.

– Mais si jamais ils viennent inspecter l'endroit et qu'ils trouvent l'ascenseur ? s'enquit Joe, inquiet à l'idée d'être acculé.

– Il va falloir changer de surnom, Joe le passable. Si tu continues, je vais t'appeler Joe le bilieux.

– Ils finiront fatalement par venir ici. Ils ne vont pas attendre sagement l'heure de la fermeture et rentrer à la maison. Une fois qu'on est en bas, est-ce qu'il y a une autre issue ? insista-t-il.

– Nous n'avons jamais démoli l'escalier par où les clients descendaient. On en a juste recouvert l'entrée avec des panneaux amovibles de façon à le cacher. Mais si vous remontez par là, vous vous retrouverez juste à l'entrée de la salle de restaurant, là où se tient l'hôtesse.

– Ça ne va pas.

– Si quelque chose tourne mal, mieux vaut décamper par la porte d'en bas. Elle donne sur la plate-forme et, de là, vous avez toute la plage, toute la côte.

– Ils peuvent très bien surveiller aussi cette issue.

– Elle est cachée par le promontoire. D'en haut, on ne peut pas la voir. Essaie de te détendre, mon chou. On est du bon côté, ça devrait te donner confiance.

– Pas tant que ça.

Joe monta dans l'ascenseur, mais bloqua la porte de son bras.

– Qu'est-ce que vous êtes ici, Mahalia ?

– Je suis à moitié propriétaire du restaurant.

– La bouffe est extra.

– Il n'y a qu'à me regarder pour s'en rendre compte, répondit-elle d'un air enjoué.

– Et Rose, qui est-elle pour vous ?

– Petit curieux, va. Rosie a épousé mon frère Louis il y a

240

vingt-deux ans. Ils se sont rencontrés à la fac. Je savais Louis assez intelligent pour aller en fac, mais j'ai été surprise qu'il ait assez de cervelle pour tomber amoureux de quelqu'un comme Rosie. Bien sûr, ça n'a pas duré. Cet idiot a voulu divorcer quatre ans plus tard. Rosie ne pouvait pas avoir d'enfant et ça comptait beaucoup pour Louis. Pourtant, s'il avait eu un peu de jugeote, il aurait vite compris que Rose valait mieux que toute une tripotée de bambins.

— Elle n'est plus votre belle-sœur depuis dix-huit ans et vous êtes prête à risquer votre vie pour elle ?

— Pourquoi pas ? Rosie ne s'est pas transformée en vampire quand cet idiot de Louis l'a quittée. Elle est restée la même et je l'aime comme une sœur. Ne la faites pas attendre, Joe le curieux.

— Une dernière chose. Tout à l'heure, vous m'avez dit que ces gens ne savaient pas à qui ils avaient affaire et que vous étiez baptistes, c'est bien ça ?

— Parce que baptiste, dans votre tête, ça veut dire cucu la praline ?

— Eh bien...

— Quand ils vivaient dans le Mississippi, maman et papa ont résisté au Klan alors qu'il était bien plus coriace que maintenant. Pareil pour mon grand-père et ma grand-mère : ils n'ont jamais cédé à la peur. Quand j'étais petite, on a eu droit aux ouragans qui passaient au large du golfe du Mexique, aux inondations du delta, aux épidémies d'encéphalite, aux jours maigres où on ne savait pas si on allait manger le lendemain, mais on a tenu le coup, et ça ne nous a pas empêchés de chanter de bon cœur chaque dimanche. Peut-être que les marines américains ont plus de cran que le baptiste noir moyen, Joe, mais pas beaucoup.

— Rose a de la chance de vous avoir comme amie.

— C'est moi qui ai de la chance, dit Mahalia. Elle me donne du courage et me remonte le moral, aujourd'hui plus que jamais. Allez-y, Joe. Et restez en bas avec elle jusqu'à la fermeture. Ensuite, on trouvera un moyen de vous faire filer en douce. Je viendrai vous chercher le moment venu.

— Attendez-vous que ça barde d'ici là, la prévint-il.

— Allez-y.

Joe laissa les portes se fermer.

L'ascenseur s'enfonça.

2.

Et voilà qu'elle se trouvait enfin devant lui, petit bout de femme assise tout au fond de la grande salle devant une table en bois, le buste penché en avant et attendant en silence sa venue, Rose Marie Tucker la survivante, gardienne des secrets qu'il avait tant désiré apprendre et qu'il redoutait soudain de connaître.

Parmi les ampoules des suspensions fixées au plafond, certaines étaient mortes et celles qui restaient étaient bizarrement orientées, de sorte que le sol sur lequel il s'avançait d'un pas lent était moucheté d'ombre et de lumière comme un royaume sous-marin. Sa propre ombre le précédait, puis passait derrière, émergeant d'une flaque de lumière pour sombrer à nouveau trois pas plus loin, flottante, indécise, comme une âme retournant à l'oubli. Il se sentait dans la peau d'un condamné muré sous la chape de béton d'une prison dont on ne peut s'évader, qui tout en cheminant vers le châtiment suprême espère follement un dernier recours en grâce et veut croire en la clémence du ciel, en la résurrection. À mesure qu'approchait la révélation qui avait fait passer Georgine et Charlie Delmann du désespoir à l'euphorie, et qu'il était tout près d'apprendre ce qu'était devenue sa petite fille, son esprit était traversé de courants contraires. L'espoir fusait à travers ses remous obscurs comme des bancs de poissons d'argent.

Contre le mur de gauche en entrant se trouvaient des caisses de provisions, dont des rouleaux de papier-toilette, des bougies et des produits ménagers achetés en gros. Sur celui de droite, qui faisait face à la plage et à l'océan, se trouvaient deux portes et une suite de grandes fenêtres, dont les vitres étaient protégées par des rideaux de fer coulissants. On ne voyait donc rien de la côte ni de l'océan. La salle des banquets tenait plutôt du bunker.

Il tira une chaise et s'assit face à Rose, de l'autre côté de la table.

Comme dans le cimetière la veille, cette femme rayonnait d'un tel charisme que sa petite taille était une source perpétuelle d'étonnement. Physiquement, elle en imposait plus que Joe, et pourtant ses poignets étaient aussi menus que ceux d'une fillette de douze ans. Il se sentit touché par son regard à la fois tendre et grave, empreint d'une sagesse qui le forçait à l'humilité.

Joe lui tendit la main et elle la saisit.

Déchiré entre la terreur et l'espoir, il resta sans voix. Il était incapable de parler, même pour demander des nouvelles de Nina.

— Ça tourne mal, dit Rose d'un air grave. Ils tuent tous ceux à qui j'ai parlé. Rien ne les arrête.

Soulagé dans un premier temps de voir différé le moment où il devrait poser la question fatidique, Joe retrouva sa voix.

— J'étais à la maison de Hancock Park avec les Delmann... et Lisa.

— Vous voulez dire... quand c'est arrivé ? demanda-t-elle en écarquillant les yeux.

— Oui.

Sa petite main se referma plus étroitement sur celle de Joe.

— Alors vous avez vu ?

Il hocha la tête.

— Ils se sont donné la mort. C'était violent, horrible. Une scène de pure folie.

— Non, ni crise de folie, ni suicide. Ce fut un meurtre, planifié, organisé. Mais comment avez-vous pu en réchapper ?

— J'ai pris la fuite.

— Pendant qu'ils se donnaient la mort ?

— Charlie et Georgine étaient déjà morts. Lisa n'était plus qu'une torche vivante.

— Elle n'était pas encore morte quand vous vous êtes enfui ?

— Non. Elle était debout en train de brûler vive, en silence, sans aucun cri.

— Vous avez dû sortir juste à temps. Un miracle.

— Comment est-ce possible, Rose ? Comment a-t-on pu leur faire ça ?

Rose baissa les yeux et ne répondit pas à sa question.

— J'ai cru bien faire en apportant la nouvelle aux familles qui avaient perdu des proches dans cet avion. Que c'était une bonne façon de commencer, reprit-elle, comme se parlant à elle-même. Mais tout ce sang versé à cause de moi...

— Vous étiez vraiment à bord du vol 353 ?

Elle releva les yeux.

— Classe économique. Seizième rangée, siège B, couloir.

La vérité était sortie de sa bouche aussi sûr qu'il y a de la pluie et du soleil dans un brin d'herbe verte.

— Vous êtes vraiment sortie indemne de l'accident.

— Indemne, répéta-t-elle doucement en soulignant le côté miraculeux de sa survie.

— Et vous n'étiez pas seule.

— Qui vous l'a dit ?

— Pas les Delmann. Aucun de ceux à qui vous avez parlé. Ils ont tenu parole et n'ont divulgué aucun des secrets que vous avez pu leur confier. C'est en remontant à la nuit de l'accident que je l'ai découvert. Vous vous souvenez de Jeff et de Mercy Ealing ?

— Le ranch du Bon Vieux Temps, dit-elle avec un vague sourire qui s'évanouit aussitôt.

— J'y suis allé en début d'après-midi.

— Ce sont de braves gens.

— Oui, une vie tranquille, paisible.

— Et vous, vous êtes un bon reporter.

— Quand la mission me tient à cœur.

Les yeux de Rose étaient comme deux lacs sous la lune, sombres et lumineux. Les secrets qui s'y cachaient pouvaient aussi bien le faire sombrer que le sauver du naufrage.

— Je regrette tellement, pour les gens qui étaient sur cet avion. Je regrette qu'ils aient été fauchés avant l'heure. Pour leurs familles... pour vous.

— Vous ne vous êtes pas rendu compte que vous les mettiez en danger, n'est-ce pas ?

— Mon Dieu, non.

— Alors vous n'y êtes pour rien.

— Pourtant je me sens coupable.

— Racontez-moi, Rose. Je vous en prie. J'ai fait un sacré bout de chemin pour vous entendre. Dites-moi ce que vous avez dit aux autres.

— Mais ils ont tué tous ceux à qui j'ai parlé. Pas seulement les Delmann. D'autres aussi.

— Je ne crains pas le danger.

— Moi oui. Je sais maintenant que je mets les gens en péril.

— Avec moi, vous ne courez aucun risque. De toute façon je suis déjà mort. Sauf si ce que vous avez à me dire me redonne vie.

— Vous êtes quelqu'un de bien. Les années à venir, vous apporterez votre pierre à l'édifice et vous ferez peut-être en sorte d'améliorer ce fichu monde.

— Pas dans mon état.

Les lacs de ses yeux reflétaient un tel chagrin que Joe eut soudain envie de détourner le regard, paniqué. Mais il ne le put.

Leur conversation lui avait donné le temps d'aborder enfin la question décisive. C'est maintenant qu'il fallait la poser, avant que son courage ne l'abandonne encore.

— Rose... où est ma fille Nina ?

Rose Tucker hésita, puis chercha dans la poche intérieure de son blazer bleu marine et en tira une photo Polaroïd.

C'était un cliché de la pierre tombale, avec la plaque de bronze portant les noms de sa femme et de ses filles.

Elle lui prit la main et y mit la photographie, avec une petite pression de réconfort.

— Nina n'y est pas. Michelle et Chrissie, oui. Mais pas Nina, dit Joe en fixant le Polaroïd.

— Ouvre ton cœur, Joe, murmura-t-elle. Ouvre ton cœur et ton esprit. Que vois-tu ?

Enfin elle allait lui faire don de ce qui avait transformé l'état d'esprit de Nora Vadance, des Delmann et d'autres avant lui.

— Que vois-tu, Joe ?

— Une pierre tombale.

— Ouvre ton esprit.

Le cœur battant et rempli d'espoirs indicibles, Joe fouilla l'image qu'il avait à la main.

— Du granite, du bronze... de l'herbe tout autour.

— Ouvre ton cœur, murmura-t-elle.

— Leurs trois noms... les dates...

— Continue.

— ... les rayons du soleil... les ombres...

— Ouvre ton cœur.

La sincérité de Rose était évidente, Joe n'en pouvait douter. Pourtant, à la longue, son petit mantra, *Ouvre ton cœur, ouvre ton esprit*, avait quelque chose de ridicule, comme si Rose n'était plus une scientifique, mais un gourou New Age.

– Ouvre ton esprit, insista-t-elle doucement.

Le granite. Le bronze. L'herbe tout autour.

– Il ne suffit pas de regarder, Joe. Il faut *voir*, dit-elle.

Joe sentit le doux lait de l'espérance tourner à l'aigre et cette même aigreur se peindre sur son visage.

– La photo, vous ne sentez pas qu'elle a quelque chose d'étrange ? lui demanda Rose. Ne faites pas seulement appel à la vue, mais au toucher. Vous ne sentez rien de spécial sous vos doigts ?

Joe allait répondre par la négative et dire qu'il ne sentait rien d'autre que le contact lisse et froid d'un fichu Polaroïd, quand il eut soudain une drôle de sensation.

Cela commença par la texture de sa peau, il se mit à en sentir les plus infimes reliefs avec une précision aiguë. Sous les bouts charnus de ses doigts pressés contre la photo, chaque strie, creux ou renflement semblait relié à des terminaisons nerveuses particulières, délicieusement sensitives.

Des sensations tactiles passaient de la photo à lui, en un flot si abondant qu'il était incapable de les analyser ou de les interpréter. Il sentait le côté lisse et lustré de la photographie, mais aussi les milliers de trous et de granules microscopiques qui ponctuaient sa surface, invisibles à l'œil nu, ainsi que la texture des colorants, fixatifs et autres produits chimiques dont l'image de la tombe était composée.

Alors à son contact, mais non à sa vue, l'image du Polaroïd prit de la profondeur. Elle devint une fenêtre donnant sur la tombe. Il sentit sous ses doigts le chaud soleil d'été, le froid du granite et du bronze, le piquant de l'herbe.

Encore plus étrange, maintenant il sentait une couleur, comme si les circuits de son cerveau s'étaient croisés, brouillant sa perception. « Bleu. » Il eut à peine dit ce mot qu'il perçut immédiatement une explosion de lumière éblouissante et s'entendit comme à distance prononcer un autre mot : « Ça brille. »

Les perceptions tactiles de couleur et de lumière devinrent de véritables impressions visuelles : la salle de banquet se fondit bientôt dans une brume bleu clair scintillante.

Le souffle coupé, Joe lâcha la photo comme si elle venait de prendre vie entre ses doigts.

La clarté bleue se réduisit instantanément à un petit point situé au centre de son champ de vision, comme l'image d'un poste de télé qu'on vient d'éteindre. Le point se rétrécit jusqu'à devenir une minuscule étoile qui implosa en silence et disparut.

Rose Tucker se pencha vers lui.

Joe scruta son regard impérieux et y trouva la même compassion, la même intelligence, mais autre chose aussi, qu'il n'avait pas encore perçu. Mais peut-être n'était-ce qu'un effet de son imagination. Comme si elle chevauchait un cheval fou lancé au galop vers une falaise et l'invitait à le suivre.

— Joe, ce dont vous avez peur n'a rien à voir avec moi, lui dit-elle en écho à ses pensées. Ce que vous craignez en réalité, c'est d'ouvrir votre esprit à une chose que vous avez niée toute votre vie.

— Votre voix, ces murmures, ces phrases répétitives, *Ouvre ton cœur, ouvre ton esprit,* on dirait un hypnoptiseur.

— Vous savez bien que ça n'a rien à voir, dit-elle sans se départir de son calme.

— Alors il y a quelque chose sur le Polaroïd, dit-il en s'apercevant du tremblement désespéré de sa voix.

— Que voulez-vous dire ?

— Un produit chimique.

— Non.

— Une drogue hallucinogène, qui passe à travers la peau.

— Non.

— Quelque chose que ma peau a absorbé et qui a modifié ma perception des choses, insista-t-il en s'essuyant les mains sur sa veste en velours.

— Rien n'aurait pu pénétrer si vite votre système sanguin, ni affecter votre esprit en quelques secondes.

— C'est vous qui le dites, moi je n'y connais rien. Je ne suis pas pharmacologiste.

— Renseignez-vous, vous verrez, répliqua-t-elle, sans agressivité.

— Et merde.

Il éprouvait à son égard la même colère irrationnelle qu'à l'encontre de Barbara Christman. Mais plus il perdait son sang-froid, plus elle gardait un calme olympien.

– C'est ce qu'on appelle la synesthésie.

– Comment ?

– Le phénomène que vous venez d'expérimenter. La synesthésie, répéta-t-elle. Une sensation s'ajoute à celle que vous percevez, dans une autre région du corps ou concernant un autre domaine sensoriel.

– Qu'est-ce que c'est que ce charabia...

– Ce n'est pas du charabia. Par exemple, quelqu'un chante le refrain d'une chanson qui vous est familière. Au lieu de l'entendre, vous voyez une certaine couleur ou sentez une odeur qui lui est associée dans votre esprit. On parvient rarement à ce genre d'état, mais presque tous ceux à qui j'ai montré ces photos l'ont ressenti, et il est courant chez les mystiques.

– Eh bien moi, je ne suis pas mystique, docteur Tucker ! s'exclama Joe avec mépris. Je suis un reporter criminel, du moins je l'étais il n'y a pas si longtemps. Seuls les faits comptent pour moi.

– La synesthésie n'est pas seulement la conséquence d'une extase religieuse. C'est une expérience scientifiquement démontrée et constatée même chez des non-croyants. Certains esprits pragmatiques pensent qu'il s'agit d'un aperçu de ce qui serait un niveau de conscience supérieur.

Ses yeux, si calmes jusque-là, semblaient jeter des flammes et il détourna le regard, de peur que ce feu ne le gagne. Il nageait en pleine confusion et n'arrivait pas à discerner si elle était vraiment malfaisante ou si c'est lui qui voulait la considérer comme telle.

– S'il y avait une drogue pénétrant la peau sur la photo, dit Rose d'une voix dont la douceur obstinée lui portait sur les nerfs, alors vous auriez continué à en sentir l'effet, même après avoir lâché la photo.

Il ne répliqua pas, pris dans une tourmente intérieure.

– Or quand vous avez lâché la photo, l'effet a cessé. Vous n'avez pas eu affaire à une simple illusion, Joe. Même si cette idée vous dérange.

– Où est Nina ? demanda-t-il.

Rose indiqua le Polaroïd, sur la table, là où il l'avait lâché.

– Regardez. Voyez.

– Non.

– N'ayez pas peur.

La colère l'envahit, sauvage, brûlante. La même bouffée de rage irrépressible qu'il avait déjà éprouvée et qu'il redoutait tant. Mais il était incapable de la réprimer.

— Bon sang, où est Nina ?

— Ouvre ton cœur, répliqua-t-elle calmement.

— Foutaises !

— Ouvre ton esprit.

— Ah ! oui, et jusqu'où ? Jusqu'à ce que j'aie la tête complètement vide ? C'est ça que vous voulez ?

Elle lui donna le temps de se reprendre, puis :

— Je ne veux rien, Joe. C'est vous qui me demandez où est Nina. Vous voulez savoir ce que sont devenues les vôtres. Je vous ai donné la photo pour ça. Pour que vous puissiez le voir.

Sa volonté était plus forte que la sienne. Il se retrouva peu après en train de prendre la photo.

— Rappelez-vous ce que vous avez ressenti, l'encouragea-t-elle. Et quand ça reviendra, ne luttez pas, laissez-vous aller.

Mais il eut beau tourner et retourner la photo entre ses doigts, ça ne revint pas. Il la caressa du bout des doigts, sans parvenir à retrouver le granite, le bronze ou l'herbe. Il évoqua le bleu, le brillant, mais aucune de ces sensations colorées n'apparut.

Il finit par jeter la photo d'un air dégoûté.

Avec une patience exaspérante, elle lui sourit d'un air compatissant et lui tendit une main qu'il refusa de saisir.

L'image d'une Rose donnant dans des théories New Age le décevait, mais il s'en voulait également de n'avoir pas su retrouver cette étrange clarté bleue, passage obligé vers Michelle, Chrissie et Nina.

Cependant, si cette expérience n'avait été qu'une hallucination provoquée par l'hypnose ou une substance chimique, alors elle n'avait aucun sens, et s'abandonner à ce rêve éveillé ne pourrait ramener celles qu'il avait irrémédiablement perdues.

Son esprit bourdonnait de confusion.

— La photographie suffit généralement, dit Rose. Mais pas toujours... Tout va bien, Joe. Ce n'est rien. Avec quelqu'un comme vous, la seule chose qui peut marcher, c'est le contact galvanique.

— Je ne comprends rien à ce que vous racontez.

— Le toucher.

– Quel toucher?

Au lieu de lui répondre, Rose prit le cliché Polaroïd et le fixa comme si elle y voyait clairement quelque chose qui échappait complètement à Joe. Pourtant, elle ne manifestait aucune émotion et demeurait aussi sereine qu'un étang qu'aucun souffle ne vient troubler.

– Mais où est Nina, bon Dieu? Où est ma petite fille? s'écria Joe, exaspéré par cette sérénité.

Avec flegme, Rose remit la photo dans sa poche.

– Joe, supposez que je fasse partie d'un groupe de scientifiques engagés dans des expérimentations révolutionnaires, et que nous ayons découvert la preuve qu'il existe une forme de vie après la mort.

– Il faudra vous accrocher pour me convaincre.

– Ce n'est pas une idée aussi choquante que vous le pensez. Les découvertes de ces deux dernières décennies en biologie moléculaire et dans certaines branches de la physique autorisent plus que jamais à croire que l'univers est une *création*.

– Vous esquivez ma question. Où gardez-vous Nina? Pourquoi m'avez-vous laissé croire qu'elle était morte?

Rien ne bougea sur le visage de Rose dont la placidité avait, à la longue, quelque chose d'inquiétant. Elle poursuivit de la même voix douce :

– Si la science nous donnait le moyen de percevoir qu'il existe bien une vie après la mort, voudriez-vous qu'on vous en montre la preuve? Nous accepterions tous sur-le-champ, sans réfléchir, sans nous rendre compte qu'un tel savoir risquerait de bouleverser nos vies, nos valeurs, nos projets. Et si cette révélation était également déconcertante, démoralisante? Si elle était aussi terrifiante qu'exaltante, aussi redoutable que joyeuse, aussi insolite qu'éclairante, voudriez-vous tout de même y accéder?

– Pour moi, tout ça, c'est du baratin, docteur Tucker. C'est comme ces histoires de cristaux qui guérissent et de petits hommes gris kidnappant des Terriens en soucoupes volantes.

– Il ne faut pas juste regarder. Mais voir.

À travers le prisme rouge de sa colère, Joe perçut le calme obstiné de Rose comme un outil de manipulation. Il se leva de sa chaise, les poings serrés.

– Qu'apportiez-vous à L.A. dans cet avion? Pourquoi Teknologik et ses sbires ont-ils tué trois cent trente personnes pour vous arrêter?

— J'essaie de vous le dire.

— Alors dites-le-moi !

Elle ferma les yeux et croisa ses petites mains brunes, attendant que la tempête se calme en lui. Mais cela ne fit que l'exciter davantage.

— Horton Nellor. Qui fut votre patron et le mien. Quel rôle joue-t-il dans tout ça ?

Elle ne répondit rien.

— Pourquoi les Delmann, Lisa, Nora Vadance et le capitaine Blane se sont-ils suicidés ? Sur quoi vous appuyez-vous pour affirmer que leurs suicides sont des meurtres ? Qui sont ces types, là-haut ? Qu'est-ce que c'est que ce merdier ? *Où est Nina ?* s'écria-t-il en tremblant.

Rose ouvrit les yeux et le regarda avec une angoisse soudaine.

— Quels types ?

— Deux brutes qui travaillent pour Teknologik, ou pour je ne sais quel service secret.

— Vous en êtes sûr ? dit-elle en levant les yeux vers le restaurant.

— Je les ai reconnus.

Se levant d'un bond, Rose fixa le plafond bas, comme si elle se trouvait dans un sous-marin en train de plonger dans un abysse.

— Et s'il y en a deux dans la salle, c'est qu'il s'en trouve d'autres dehors, ajouta Joe.

— Mon Dieu, murmura-t-elle.

— Mahalia va essayer de nous faire filer en douce après la fermeture.

— Elle ne comprend pas. Il faut qu'on sorte d'ici tout de suite.

— Elle a fait empiler des caisses dans le cellier pour cacher l'entrée de l'ascenseur...

— Je me fiche de ces hommes et de leurs revolvers, dit Rose en contournant la table. Qu'ils descendent, ça ne me fait pas peur. Je me fiche de mourir de cette façon, Joe. Mais ils n'ont pas besoin de venir nous chercher. S'ils savent que nous sommes quelque part dans ce bâtiment, ils peuvent nous contrôler à distance.

— Quoi ?

— Ils peuvent nous contrôler à distance, répéta-t-elle avec crainte en gagnant l'une des portes qui menaient à la terrasse et à la plage.

— Qu'est-ce que vous entendez par là ? demanda Joe en la suivant, exaspéré.

La porte était fermée par un double verrou. Elle ouvrit celui du haut, mais Joe posa la main sur le verrou du bas et le bloqua.

— Où est Nina ?

— Écartez-vous, lui ordonna-t-elle.

— Où est Nina ?

— Joe, au nom du ciel...

Pour la première fois, Rose Tucker avait l'air vulnérable, et Joe n'allait pas laisser passer l'occasion.

— Où est Nina ? répéta-t-il, bloquant toujours le verrou.

— Plus tard. Je vous le promets.

— Non, maintenant.

D'en haut leur parvint un grand fracas.

Haletante, Rose se retourna et fixa à nouveau le plafond comme s'il allait leur tomber dessus.

Des éclats de voix leur parvinrent par la cage de l'ascenseur. Joe reconnut celle de Mahalia. Les types en vestes de cuir avaient dû enfoncer la pile de caisses et tirer les palettes qui obstruaient la porte de la cabine d'ascenseur.

Quand ils découvriraient qu'il y avait un sous-sol dans le bâtiment, ils devineraient sans doute qu'il y avait une autre issue donnant sur la plage, laissée sans surveillance. Il se pouvait que d'autres hommes cherchent en ce moment même à descendre l'à-pic de la falaise dans l'espoir de leur couper la route.

Néanmoins, avec une insistance farouche, décidé à obtenir une réponse à n'importe quel prix, Joe s'obstina :

— Où est Nina ?

— Elle est morte, dit Rose à regret, comme s'arrachant les mots de la bouche.

— Ce n'est pas vrai.

— Je vous en prie, Joe...

Il était furieux qu'elle lui mente.

— Ce n'est pas vrai. J'ai parlé avec Mercy Ealing. Nina était en vie cette nuit-là et elle l'est toujours, quelque part.

— S'ils savent que nous nous trouvons ici, répéta Rose d'une voix que la tension faisait trembler, ils pourront nous contrôler. Comme les Delmann. Comme Lisa. Comme le capitaine Blane.

– *Où est Nina ?*

Le mécanisme de l'ascenseur se mit en branle. Ils entendirent le bourdonnement se rapprocher à mesure que la cabine descendait.

– *Où est Nina ?*

Au-dessus de leurs têtes, les lumières de la salle de banquet faiblirent, sans doute parce que l'ascenseur était branché sur le même circuit électrique.

Quand elle vit l'intensité des ampoules diminuer, Rose hurla de terreur. Elle se jeta contre Joe en essayant de le déséquilibrer et lui griffa sauvagement la main.

Il poussa un cri de douleur et lâcha un instant le verrou. Rose l'ouvrit, poussa la porte et sortit dans la nuit, tandis qu'une brise océane s'engouffrait dans la pièce.

Joe la poursuivit sur la plate-forme en bois que surplombait le restaurant, sur laquelle leurs pas résonnèrent comme des coups de timbale.

Il ne restait plus un éclat du soleil écarlate qui avait embrasé le couchant. Le ciel et la mer étaient d'un noir sépulcral.

Rose avait déjà gagné le haut de l'escalier. À sa suite, Joe descendit les marches qui conduisaient à la plage.

Avec ses vêtements sombres, Rose se fondait presque dans la noire géométrie de l'escalier. Mais quand elle se retrouva sur la plage, Joe distingua mieux sa silhouette sur le fond pâle du sable blanc.

Le rivage était au moins trente mètres plus bas et la masse sombre des vagues emplissait le silence d'un bruissement fantomatique. La plage n'était faite ni pour la baignade ni pour le surf, il n'y avait pas de fanal ni de feux de camp. Aucune lumière, à part, vers l'est, le jaune sulfureux que diffusait la présence lancinante de la ville et, sur une petite partie de la plage, les rectangles lumineux projetés par les fenêtres du restaurant.

Joe n'essaya pas d'arrêter Rose ni de ralentir sa course. Quand il l'eut rattrapée, il courut à son côté, raccourcissant sa foulée pour se maintenir à son niveau.

Elle était son seul lien avec Nina. Il était ébranlé par son apparent mysticisme et par la façon dont elle était brutalement passée d'un calme béat à une terreur superstitieuse. Il lui en voulait terriblement de lui avoir menti au sujet de Nina alors qu'elle lui avait laissé entendre, au cimetière, qu'elle finirait par lui dire toute la vérité. Pourtant, son destin et le sien étaient inextricablement mêlés. Seule Rose pouvait le conduire jusqu'à sa petite fille.

Tandis que, filant vers le nord, ils passaient au coin du restaurant, une masse sombre fondit sur eux.

— Attention ! lança Joe à l'adresse de Rose, mais elle aussi avait vu l'assaillant approcher pour lui couper la route et cherchait à lui échapper.

Joe s'apprêtait à intervenir quand un autre homme venu du rivage surgit devant lui, un type énorme, taillé comme l'arrière d'une équipe de football professionnelle. Ils se heurtèrent et tombèrent si violemment que Joe aurait dû avoir le souffle coupé, mais le sable avait amorti le choc.

Se débattant comme un beau diable Joe parvint à se dégager en roulant sous le corps de son agresseur. « Arrête-toi, salope ! » cria quelqu'un à l'instant où il se redressait. Un coup de feu claqua, dont l'écho alla se perdre dans la clameur des vagues. Joe préféra ne pas penser à ce que ce coup de feu pouvait signifier, il refusa d'imaginer Rose avec une balle dans le crâne et sa Nina à jamais perdue, mais l'idée s'imposa à lui comme l'empreinte brûlante d'un fer rougi au feu. Son agresseur se releva en jurant. Joe se retourna pour lui faire face avec la rapidité d'un félin. Gagné par la furie, transformé en bête sauvage, en prédateur impitoyable, il lui décocha un coup de pied entre les jambes. Quand le gars se plia en deux, il l'attrapa par la tête et lui fila un coup de genou en pleine figure. Il y eut un bruit d'os et de dents brisés et le gars s'effondra en crachant le sang, suffoquant et pleurant comme un môme. Cependant Joe était loin du compte : toute la colère, la frustration, le chagrin amassés déferlèrent en lui avec la puissance d'un cyclone. Il bourra l'homme à terre de coups de pied, visant d'abord les côtes, puis cherchant à lui écraser la trachée. Il l'aurait tué sans même s'en rendre compte si un troisième larron ne lui était tombé dessus.

Écrasé sous le poids de son nouvel assaillant, il essaya bien de se libérer en crachant du sable, mais cette fois le souffle lui manqua et il se retrouva sans force, étendu face contre terre.

Alors qu'il cherchait désespérément à reprendre son souffle, il sentit son agresseur lui plaquer quelque chose de froid et de dur contre la tempe.

— Tu veux que je te fasse sauter le caisson ? dit l'homme sur un ton qui ne laissait pas place au doute.

Joe cessa de résister. Mais cette reddition silencieuse ne suffit pas à l'homme juché sur lui.

— Réponds-moi, connard. Tu veux que je te fasse sauter la cervelle, hein ?

— Non.

— Alors tu vas te tenir à carreau ?

— Oui.

— Fils de pute.

Joe se força à inspirer profondément pour reprendre des forces, luttant pour éteindre toute trace de la folie qui s'était emparée de lui.

Où est Rose ?

L'homme qui le maintenait au sol était essoufflé et avait lui aussi besoin d'un répit. Son haleine empestait l'ail.

Qu'est-il arrivé à Rose ?

— On va se lever maintenant, dit le gars. Moi d'abord. Avec ce joujou braqué sur toi. Alors reste bien sagement couché dans le sable et attends que je te dise de te lever. Tu as compris, Carpenter ? ajouta-t-il en lui enfonçant le canon du revolver dans la joue.

— Oui.

— Je pourrais te zigouiller maintenant, rien ne m'en empêche.

— Je ne bougerai pas.

— Je suis intouchable, Carpenter. Tu veux voir mon insigne ? Tu veux que je te l'épingle sur ta sale gueule de fouille-merde ?

Joe resta coi.

Ils n'avaient pas crié « Police », mais cela ne prouvait rien. Ils comptaient sans doute expédier leur boulot vite fait bien fait et se tirer avant que les autorités locales exigent des explications. S'ils n'étaient pas à proprement parler des employés de Teknologik, ils devaient bénéficier d'un soutien fédéral. Pourtant ils ne s'étaient réclamés d'aucun organisme comme le FBI quand ils avaient surgi de la nuit. Sans doute appartenaient-ils à une branche clandestine des services secrets, financée avec les milliards de dollars que le gouvernement ponctionnait dans le trésor public pour alimenter la sinistre caisse noire.

L'inconnu finit par libérer Joe en se mettant sur un genou, puis il se leva et recula d'un ou deux pas.

– Debout.

En se levant, Joe s'aperçut avec un certain soulagement que ses yeux s'étaient habitués à l'obscurité. Quand il était sorti de la salle des banquets et avait couru le long de la plage, à peine deux minutes plus tôt, les ténèbres semblaient insondables. Plus sa vision lui reviendrait, plus il serait apte à saisir la moindre occasion.

Il reconnut dans son agresseur le fameux conteur. L'homme s'était débarrassé de son panama, mais avait conservé son costume blanc et, avec ses longs cheveux blancs, il semblait attirer le peu de lumière ambiante et luisait dans la nuit comme un médium à une séance de spiritisme.

Joe leva les yeux vers le restaurant. Il aperçut les silhouettes des clients, à qui la scène de la plage avait sans doute échappé.

L'agent qu'il avait mis hors d'état de nuire rampait toujours sur le sable ; il ne tremblait plus, mais hoquetait de douleur, essayant de contenir ses larmes en crachant des obscénités.

– Rose ! s'écria Joe.

– La ferme, dit le conteur.

À cet instant, un autre homme surgit derrière lui. Il s'était approché en silence, le sable étouffant le bruit de ses pas. Contre toute attente, ce n'était pas un autre pion de Teknologik, mais un Noir tout habillé de noir.

– J'ai un Desert Eagle .44 Magnum à un centimètre de ta nuque, dit-il au conteur, interloqué.

« Tu connais la puissance de cette arme ? ajouta l'homme au Magnum. Tu veux garder la tête sur les épaules ?

– Merde ! dit le conteur, devenu soudain aussi transparent qu'un fantôme.

– Maintenant, jette ton arme sur le sable, devant Joe, ordonna le nouvel arrivant.

Avec une pointe d'arrogance, le conteur obéit.

– Ramasse-le, Joe, lui lança le Noir avant d'asséner un grand coup de crosse sur le crâne du conteur.

L'homme aux cheveux blancs tomba à genoux, puis à quatre pattes, mais il fallut encore un coup de crosse pour l'achever. Il piqua du nez dans le sable. L'inconnu au Magnum .44 se pencha pour lui incliner la tête sur le côté afin qu'il ne risque pas d'étouffer.

L'agent au nez cassé arrêta de jurer et se remit à sangloter, maintenant que ceux de son bord ne pouvaient plus l'entendre.

– Venez, Joe, dit le Noir.

– Où est Rose ? lui demanda Joe, plus impressionné que jamais par Mahalia et sa troupe d'amateurs.

– Par là. On l'a récupérée.

Laissant le blessé dont les sanglots se mêlaient étrangement au clapotis des vagues, Joe s'empressa de suivre le Noir.

Il faillit trébucher sur un autre homme inconscient couché sur le sable. Sûrement le premier de leurs assaillants, celui qui avait tiré.

Rose était sur la plage, noyée dans l'ombre de la falaise. Joe la discernait à peine, mais il vit qu'elle était recroquevillée, comme si elle frissonnait de froid alors qu'il faisait très doux.

Il fut un peu surpris d'éprouver tant de soulagement à sa vue. Bien sûr, elle était son seul lien avec Nina. Mais il était aussi sincèrement heureux qu'elle soit saine et sauve. Malgré tout le tourment, la rage et la déception qu'elle lui avait causés, elle restait quelqu'un d'unique. Il se souvenait de la bonté de son regard quand il l'avait rencontrée au cimetière, la tendresse, la pitié qu'elle lui avait témoignées. Même dans la pénombre, petite comme elle était, elle restait imposante, comme entourée d'une aura de mystère, de sagesse. Les gens étaient prêts à risquer leur vie pour elle, comme d'autres l'avaient fait pour certains saints ou grands généraux. Là, sur les rives de la nuit, on aurait pu croire qu'elle était sortie des profondeurs marines pour gagner la terre, apportant avec elle les secrets et les merveilles d'un autre royaume.

Près d'elle se trouvait un homme de haute taille habillé de sombre, dont les cheveux blonds luisaient faiblement dans la nuit, comme des algues phosphorescentes.

– Rose, comment ça va ? dit Joe.

– Un peu... secouée, dit-elle d'une voix crispée de douleur.

– J'ai entendu un coup de feu, dit-il avec inquiétude.

Il eut envie de la toucher, mais se retint par pudeur. Soudain il la serra contre lui. Elle poussa un petit grognement de douleur. Joe voulut la relâcher, mais elle le retint un instant, pour le remercier de cet élan du cœur.

– Ça va aller, Joe.

Des cris s'élevèrent au loin, du haut du promontoire. Ils entendirent les appels à l'aide de l'agent blessé, couché plus bas sur la plage.

– Il faut qu'on se tire d'ici, dit le blond. Ils arrivent.

– Mais qui êtes-vous donc ? demanda Rose.

– Ils ne sont pas de la bande à Mahalia ? s'étonna Joe.

– Non. Je ne les ai jamais vus.

– Moi, c'est Mark, et lui Joshua, dit le blond.

– Pour qui travaillez-vous ? demanda Joe.

Joshua lui répondit en marmonnant un nom que Joe ne comprit pas.

– Ça alors ! s'étonna Rose.

– Qu'est-ce qu'il a dit ? demanda Joe.

– C'est bon, Joe, répondit Rose. En fait, j'aurais dû m'y attendre.

– Nous sommes du même bord, docteur Tucker, déclara Joshua. En tout cas, nous nous battons contre les mêmes ennemis.

À distance, un doux ronronnement se fit entendre, doublé d'un léger souffle. La nuit s'emplit du vrombissement menaçant d'un hélicoptère.

3.

N'emportant que leur propre liberté, ils se mirent à courir comme des voleurs le long de la falaise, dont la pente s'élevait et déclinait au rythme des bouffées d'adrénaline que Joe sentait monter en lui.

Pendant qu'il avançait derrière Mark, Rose sur ses talons, Joe entendit Joshua parler d'un ton pressant à quelqu'un. Il lança un regard en arrière et vit qu'il avait un téléphone portable à la main. Il surprit une bribe de conversation et comprit en entendant le mot « voiture » qu'on organisait leur fuite au moment même où elle se déroulait.

Alors qu'ils se croyaient hors d'atteinte, l'hélico apparut. Le faisceau d'un projecteur fendit la nuit comme l'œil ulcéré d'une divinité de pierre cherchant à se venger de ses profanateurs. Le faisceau aveuglant balaya la plage, en décrivant un arc de cercle allant des falaises sableuses jusqu'aux vagues écumeuses, puis remontant en sens inverse tout en avançant inexorablement vers eux.

Près de la ligne des falaises, le sable était meuble. Au moins, leurs poursuivants ne pourraient pas les pister d'après leurs empreintes. Cette plage n'étant jamais ratissée, elle avait été foulée par beaucoup d'autres avant eux et toutes ces traces molles, informes, se confondaient. S'ils avaient progressé près du rivage, sur la surface unie et vierge du sable tassé par les vagues, on aurait pu les suivre aussi facilement que sur une piste balisée.

Ils passèrent devant plusieurs escaliers en zigzag menant à de grandes villas construites sur le plateau. Certains, en ciment, étaient fixés à la paroi de pierre avec des rivets d'acier, d'autres en bois cloués à des pylones et à des poutres en béton verticales. Joe regarda derrière lui et vit que l'hélicoptère planait juste au-dessus d'un escalier tandis que le projecteur en fouillait les marches et les rampes.

Il songea qu'une autre équipe de poursuivants devait déjà avoir pris au nord du restaurant pour remonter la plage à pied vers le sud. S'ils continuaient à courir sur la grève, ils finiraient par être pris en tenaille entre l'hélico qui filait vers le nord et les chasseurs remontant vers le sud.

Mark, qui courait en tête, dut y penser lui aussi, car il obliqua soudain vers un escalier en séquoia s'élevant bizarrement à travers une grande charpente en bois, dont la structure faisait penser à une tour de lancement comme on en construisait au temps où Cap Kennedy s'appelait Cap Canaveral.

Leur ascension ne fit que diminuer la distance qui les séparait de l'hélico. Après avoir gravi plusieurs volées de marches, ils arrivèrent sur une plate-forme où ils se sentirent terriblement exposés. Car l'hélico planait à une dizaine de mètres au-dessus d'eux. Dès que l'attention du pilote et du copilote se porterait sur la plate-forme, ceux-ci ne pourraient les rater.

Devant eux s'élevait une grille en fer forgé de deux mètres de haut, hérissée de piques empêchant des visiteurs indésirables d'arriver par la plage. Elle devait dater du temps où la commission de l'environnement côtier ne contrôlait pas encore ce genre de détails.

L'hélicoptère progressait très lentement. Ses rotors faisaient un tel boucan que Joe n'aurait pu se faire entendre de ses compagnons qu'en hurlant.

Pas moyen de franchir la grille en grimpant durant les une ou deux minutes de répit qui leur restaient peut-être. Joshua tira dans le cadenas et lança un coup de pied pour ouvrir le portail.

Grâce au bruit infernal que faisait l'hélico, les pilotes n'avaient pas pu entendre le coup de feu. La maison paraissait inoccupée. Toutes les fenêtres étaient sombres, on ne percevait aucun signe de vie.

Ils pénétrèrent dans une somptueuse propriété : jardins à la française bordés de haies basses, allées pavées de terres cuites anciennes, lampadaires de bronze en forme de calices, terrasses s'étageant vers une énorme bâtisse de style méditerranéen. Des spots de jardin éclairaient des palmiers, des ficus et d'énormes chênes de Californie, créant une majestueuse architecture d'ombres, de branchages et de lumière, libre et poétique.

Cet éclairage plein de goût et d'invention faisait qu'aucun éclat aveuglant ne gâchait une partie du jardin. Cachés dans cet entrelacs savant d'ombres profondes, de lumières tamisées et de verdure, ils ne risquaient pas d'être repérés par les pilotes, même si l'hélicoptère était à présent presque au niveau du plateau où s'étendait la propriété.

En suivant Rose et Mark sur les marches de pierre qui menaient à la première terrasse, Joe espérait que le système de sécurité de l'énorme bâtisse ne comprenait pas de détecteurs de mouvements extérieurs. Si des lampes à carbone placées en haut des arbres ou des murs d'enceinte se déclenchaient à leur passage, cette soudaine lumière attirerait sur eux l'attention des pilotes.

Joe savait combien il est difficile, même pour un seul fugitif, d'échapper à la surveillance d'un hélico de la police conduit par un bon pilote, surtout dans un environnement relativement dénudé comme celui-ci, comparé aux multiples cachettes qu'offre une grande ville. Une fois repérés, ils se feraient facilement épingler.

Plus tôt, une brise de mer avait soufflé avec la légèreté d'une plume, mais, à présent, un autre vent s'était levé, ce vent chaud et sec qu'on appelle le Santa Ana. Il naît dans les montagnes de l'est, au seuil du désert Mojave, et ses fortes bourrasques portent sur les nerfs. Un murmure se leva dans les chênes et s'enfla vite, faisant claquer les grandes feuilles des palmiers.

La crainte de Joe sur d'éventuels dispositifs de sécurité extérieurs s'avéra infondée. Ils grimpèrent à la hâte un autre escalier de pierre vers la plus haute terrasse. Les jardins restaient subtilement éclairés et troués d'ombres protectrices.

Près du bord de la falaise, l'hélico se maintenait à la même hauteur, avançant lentement vers le nord. L'attention du pilote restait braquée sur la plage.

Mark leur fit longer une immense piscine. L'eau luisait comme de l'huile noire, et sa surface émaillée semblait parcourue d'arabesques argentées, comme si des bancs de poissons aux écailles lumineuses nageaient juste en dessous.

Rose trébucha, faillit tomber, mais retrouva son équilibre. Elle s'arrêta, chancelante.

– Ça ne va pas ? s'enquit Joe, inquiet.

– Si, ça va aller, murmura-t-elle d'une voix faible. C'est à force de cavaler et de monter tous ces escaliers. Il faut croire que ma forme n'est pas éblouissante.

Joshua parlait à voix basse dans le téléphone portable.

– Allons-y, dit Rose.

Volant le long de la falaise, l'hélicoptère avait presque dépassé la propriété.

Mark se remit en marche ; Rose le suivit avec un sursaut d'énergie. Ils coururent se mettre à couvert sous la voûte d'une loggia, se plaquèrent contre le mur arrière, là où ils ne risquaient plus de se faire repérer par les pilotes de l'hélico, puis gagnèrent le coin de la maison.

Tandis qu'ils avançaient en file indienne le long de la maison sur une allée serpentant à travers un petit bosquet de melaleucas broussailleux, ils se trouvèrent soudain cloués par le faisceau d'une grosse lampe torche, face à un veilleur de nuit qui leur bloquait le passage.

Sans hésiter, Mark lui fonça dessus. La lampe torche vola contre le tronc d'un melaleuca et atterrit sur le sol en pierre, faisant tournoyer des ombres comme une meute de chiens cherchant à attraper leurs queues.

Mark fit pivoter le gardien, le bloqua, l'envoya valdinguer dans les plates-bandes, puis le reprit pour le flanquer contre le mur de la maison, si fort que les fenêtres les plus proches en tremblèrent.

Joshua ramassa la lampe torche et la braqua sur eux. Le gardien était un homme bedonnant, dans les cinquante-cinq ans. Mark le força à se mettre à genoux et à rester tête baissée, pour qu'il ne puisse les regarder et donner plus tard leur signalement.

– Il n'est pas armé, précisa Mark à Joshua.

– Salopards, maugréa le veilleur de nuit.

– Pas de holster à la cheville ? demanda Joshua.

– Non.

– Ces cons de proprio sont pacifistes. Il n'y a aucune arme ici, même pas sur moi. Et voilà où ça mène, râla le garde.

– On ne te fera aucun mal, dit Mark en le tirant en arrière pour l'obliger à s'adosser au tronc d'un melaleuca.

– Vous ne me faites pas peur, dit le garde d'une voix peu assurée.

– Il y a des chiens ? lui demanda Mark.

– Partout. Des dobermans.

– Mon œil, dit Mark.

Même Joe avait compris que le gardien bluffait. Joshua lui tendit la lampe torche en lui conseillant de la pointer vers le sol, puis il sortit des menottes de la poche arrière de son pantalon.

Mark ordonna au gardien de placer ses deux bras autour de l'arbre et lui attacha les mains. Le garde n'eut pas besoin de se contorsionner car le tronc n'avait que vingt-cinq centimètres de diamètre. Joshua referma les menottes sur ses poignets.

– Les flics vont arriver, lança le garde.

– À cheval sur des dobermans, je parie, dit Mark, qui tira une bande Velpeau de sa poche arrière.

– Mords là-dedans, ordonna-t-il au garde.

– Mords-y toi-même, lui rétorqua le garde par bravade, mais il obéit.

Joshua lui passa trois fois du sparadrap autour de la tête et en travers de sa bouche pour fixer la bande Velpeau bien en place. De la ceinture du veilleur, Mark détacha un objet qui ressemblait à une télécommande.

– Ça ouvre le portail aux voitures ?

À travers son bâillon, le veilleur grommela une obscénité.

– Détends-toi, lui dit Joshua. Ne va pas t'abîmer les poignets en essayant de te libérer. Nous ne sommes pas des cambrioleurs. On ne fait que passer.

– Dans une demi-heure, on sera loin d'ici et on appellera les flics, qu'ils viennent te délivrer.

– Tu ferais mieux de prendre un chien, à l'avenir, lui conseilla Joshua.

Mark prit la lampe torche et les emmena vers le devant de la maison.

Joe ignorait toujours qui étaient ces gars-là, mais il était bougrement content de les avoir avec lui.

La propriété faisait au moins un hectare et demi. L'énorme bâtisse était située à soixante mètres du mur d'enceinte qui donnait sur la rue. Au centre de la large allée circulaire se trouvait une fontaine de marbre composée de quatre bassins en forme de coquillage, étagés du plus grand au plus petit et soutenus chacun par trois dauphins bondissant. Les bassins étaient remplis d'eau, mais les jets d'eau et cascades ne fonctionnaient pas.

– On va attendre ici, dit Mark.

La fontaine s'élevait au milieu d'une pièce d'eau bordée d'un muret. Rose s'assit sur le rebord de pierre. Joe et Mark l'imitèrent.

Tenant d'une main la télécommande qu'ils avaient subtilisée au gardien et de l'autre le téléphone portable, Joshua prit l'allée menant au grand portail; le Santa Ana y chassait les feuilles mortes et les fines écorces de melaleuca.

– Comment connaissez-vous mon existence? demanda Rose à Mark.

– Pour une entreprise comme la nôtre disposant d'un milliard de dollars, il est facile d'être dans la course. Et puis les ordinateurs et la technologie informatique, c'est notre rayon.

– De quelle entreprise s'agit-il? demanda Joe.

– Plus tard, Joe, promit Rose. Continuez, Mark.

– Notre tâche consiste à observer, dans le monde entier, toute recherche susceptible de mener à l'apothéose que nous espérons.

– Peut-être, dit Rose, mais vous me tournez autour depuis deux ans, alors que durant les sept dernières années, j'ai poursuivi mes recherches dans la plus grande sûreté.

– Docteur, jusqu'à l'âge de trente-sept ans, vous étiez extrêmement prometteuse dans votre domaine. Soudain, vous interrompez votre travail, à l'exception d'un article mineur publié de temps à autre dans la presse spécialisée. Vous étiez un Niagara de créativité, et, du jour au lendemain, vous ne produisez plus rien...

– Et qu'en avez-vous déduit?

– Impossible de s'y tromper. C'est le signe qu'un scientifique a été coopté par la Défense ou par tout autre service gouvernemental capable d'imposer un black-out total. Quand nous constatons ce genre de chose, nous essayons de découvrir exactement sur quoi planchait le scientifique en question. On a fini par vous retrouver chez Teknologik. Pas dans un de leurs centres d'activité ayant pignon sur rue, mais dans un complexe souterrain ultrasecret situé près de Manassas, en Virginie. Vous travailliez sur quelque chose dont le nom de code était « Projet 99 ».

Tout en les écoutant avec attention, Joe vit le grand portail coulisser au bout de l'allée.

– Que savez-vous au juste du Projet 99? demanda Rose.

264

– Pas grand-chose, avoua Mark.

– Mais comment pouvez-vous même en connaître l'existence ?

– Quand je dis que nous suivons toutes les recherches en cours au niveau mondial, cela ne signifie pas que nous nous limitons aux publications et informations dont dispose toute librairie scientifique.

– Vous entendez par là que vous infiltrez les systèmes informatiques, déclara Rose, sans animosité.

– Quoi qu'il en soit, nous ne tirons aucun profit matériel de l'information que nous acquérons. Nous cherchons simplement à accomplir la mission qui nous a été confiée. C'est le but de notre existence.

Joe s'étonnait de sa propre patience. Bien sûr, il apprenait quelques informations en les écoutant, mais le mystère ne faisait que s'épaissir. L'expérience bizarre qu'il avait vécue avec le cliché Polaroïd l'avait ébranlé et à présent qu'il avait le temps de réfléchir, il lui semblait que la synesthésie annonçait une révélation foudroyante. Il avait toujours la même soif de vérité, mais son instinct lui conseillait d'y aller doucement, de la laisser venir par petites vagues plutôt que comme un raz-de-marée dévastateur.

Joshua, sorti de la propriété, se tenait le long de la route côtière.

À l'est, par-dessus les collines, la lune s'élevait comme un beau ballon d'un jaune orangé, d'où le vent tiède semblait s'exhaler.

– Vous n'étiez qu'un chercheur parmi les milliers dont nous suivions le travail, même si nous portions un intérêt particulier au Projet 99 à cause du secret extrême qui l'entourait, poursuivit Mark. Mais il y a un an, vous avez quitté Manassas avec un élément de ce projet et, du jour au lendemain, vous êtes devenue la personne la plus recherchée du pays. Même après qu'on eut annoncé votre mort dans l'accident d'avion du Colorado, des tas de gens ont continué à vous chercher frénétiquement en déployant des moyens considérables. Cela nous a fortement intrigués.

Rose se taisait. Elle semblait très lasse et tremblait de fatigue. Joe lui donna la main et elle la pressa légèrement pour le rassurer.

— Puis nous avons commencé à intercepter les rapports d'un certain service secret... des rapports disant que vous étiez en vie et que vous agissiez dans la région de L.A. Vous y contactiez des familles ayant perdu leurs proches au cours du vol 353. Nous nous sommes mis à vous rechercher nous aussi, et nous sommes très forts dans ce domaine. Nous avons surveillé les agents qui tenaient à l'œil des gens comme Joe. Et nous avons bien fait, apparemment.

— Oui, et je vous en remercie. Mais vous ignorez ce qui nous attend. Tout n'est pas glorieux, dans cette affaire... Le danger est terrible.

— Docteur Tucker, insista Mark. Nous sommes plus de neuf mille aujourd'hui, et nous avons mis notre vie au service de notre mission. Nous n'avons pas peur. Nous supposons que vous avez dû trouver le point de jonction. Et qu'il est très différent de tout ce que nous avions envisagé. Si vraiment vous avez fait cette découverte capitale... si l'humanité se trouve à un tournant essentiel de son histoire où tout risque de changer, radicalement et pour toujours... alors nous sommes vos alliés naturels.

— Je le crois.

— Docteur, nous combattons les forces d'ignorance, de peur et d'égoïsme qui empêchent le monde de sortir des ténèbres, poursuivit Mark avec une douce insistance, comme pour la convaincre de sceller avec lui un pacte d'alliance.

— Rappelez-vous, j'ai travaillé pour elles.

— Mais vous vous en êtes détournée.

Une voiture déboucha de la route et s'arrêta pour prendre Joshua au passage. Elle passa le portail et remonta l'allée, suivie d'une autre voiture.

Tous trois se levèrent tandis que les deux véhicules, une Ford suivie d'une Mercedes, contournaient la fontaine pour se garer devant eux.

Joshua descendit de la Ford. Une jeune femme aux cheveux châtains sortit du côté conducteur. La Mercedes était conduite par un Asiatique d'environ trente ans.

Ils se regroupèrent tous devant Rose Tucker et, pendant un instant, personne ne souffla mot.

Le vent s'enflait peu à peu. Il ne se contentait plus de faire bruire les feuillages, craquer les branches et siffler les avant-toits de la maison, il donnait de la voix, en un chuintement aigu qui vous faisait frissonner, comme les hurlements assourdis d'une meute de coyotes traquant leur proie dans une gorge lointaine.

Les arbres frémissants projetaient des ombres saccadées dans l'éclairage tamisé du jardin et la lune pâlissante se reflétait sur la surface polie des automobiles.

En observant les quatre personnes réunies autour de Rose, Joe se rendit compte qu'ils la considéraient non seulement avec curiosité, mais avec un émerveillement mêlé de crainte, comme si elle était à leurs yeux un personnage sacré, d'essence supérieure.

— Je suis surprise de vous voir tous en civil, dit Rose, ce qui les fit sourire.

— Il y a deux ans, quand nous avons mis sur pied cette mission, expliqua Joshua, nous sommes restés relativement discrets. Nous ne voulions pas exciter l'intérêt des médias, de peur d'être mal compris. Mais nous ne nous attendions pas à avoir des ennemis. Des ennemis aussi violents.

— Et puissants, ajouta Mark.

— Nous étions convaincus que si jamais nous trouvions les réponses que nous espérions, tout le monde voudrait les connaître. Mais nous avions tort.

— Certains sont prêts à tuer au nom de l'ignorance, dit la jeune femme.

— Il y a un an, nous avons endossé ce costume pour brouiller les pistes, poursuivit Joshua. En nous voyant, les gens nous ont pris pour une secte. C'était pratique, une fois catalogués comme tels et rangés dans une boîte, nous n'avons plus inquiété personne.

— C'est vous qui portez des robes bleues et vous rasez la tête ? demanda Joe, ébahi.

— Certains d'entre nous, oui, acquiesça Joshua. Depuis un an. Ils nous servent de couverture, font croire qu'ils représentent à eux seuls toute notre confrérie. Les longues tuniques, les crânes rasés, les boucles d'oreilles ne sont que de faux emblèmes destinés à détourner l'attention de tous les autres membres du groupe qui travaillent clandestinement, sous terre, là où personne ne peut nous espionner ou nous infiltrer.

— Venez avec nous, dit la jeune femme à Rose. Nous savons que vous avez sans doute trouvé la voie, et nous voulons vous aider à l'apporter au monde, sans interférence.

Rose se rapprocha d'elle et lui effleura la joue, comme elle l'avait fait à Joe dans le cimetière.

– Je vous rejoindrai bientôt, mais pas ce soir. Il me faut du temps pour réfléchir, m'organiser. Et j'ai hâte de revoir une certaine petite fille, qui se trouve au centre de tout cela.

Nina. Joe sentit son cœur frissonner comme les ombres des arbres agités par le vent.

Rose s'avança vers l'Asiatique et lui caressa également la joue.

– Nous sommes bien au seuil de la révélation que vous attendiez, déclara-t-elle. Je ne peux pas vous en dire plus pour l'instant, mais sachez que nous franchirons cette porte un jour. Peut-être pas demain ni après-demain, mais dans les années à venir.

« Ensemble nous assisterons à cette métamorphose, nous verrons le monde changer pour toujours, poursuivit-elle en se rapprochant de Joshua, et la lumière de la connaissance éclairera enfin l'immense et sombre solitude de l'existence humaine. Quand le moment viendra.

Elle s'arrêta devant Mark.

– Je suppose que vous avez fait venir deux voitures pour nous en donner une, à Joe et à moi, lui dit-elle.

– Oui. Mais nous espérions que...

– Bientôt, mais pas ce soir, l'interrompit Rose en posant une main sur son bras. J'ai des affaires pressantes à régler, Mark. Tant que je n'aurai pas rejoint la petite fille dont j'ai parlé, tous nos espoirs de réussir resteront très fragiles.

– Nous pouvons vous conduire jusqu'à elle, où qu'elle se trouve.

– Non. C'est à Joe et à moi de nous en occuper. Et vite.

– Prenez la Ford.

– Merci.

Mark tira de sa poche un billet de un dollar plié et le donna à Rose.

– Il n'y a que huit chiffres dans le numéro de série qui figure sur ce billet. Oubliez le quatrième chiffre, les autres forment un numéro de téléphone, indicatif de zone 310.

Rose glissa le billet dans la poche de son jean.

– Quand vous serez prête, rejoignez-nous, poursuivit Mark. Et si vous avez de graves ennuis d'ici là, demandez-moi à ce numéro. Nous irons à votre secours, où que vous soyez.

Elle l'embrassa sur la joue.

– Il faut qu'on y aille. Vous voulez bien conduire ? dit-elle en se tournant vers Joe.

– Oui.

– Puis-je prendre le téléphone portable ? demanda-t-elle à Joshua, qui le lui donna aussitôt.

Le vent faisait rage quand ils montèrent dans la Ford. Sitôt qu'elle eut fermé la portière, Rose se pencha, suffoquant de douleur.

– Vous êtes blessée.

– Je vous l'ai dit. Il m'a rouée de coups.

– À quel endroit avez-vous mal ?

– Il faut qu'on traverse la ville, dit Rose en changeant délibérément de sujet, mais je ne veux pas repasser devant chez Mahalia.

– Vous avez peut-être une ou deux côtes cassées.

Elle ne répondit pas, mais se redressa, retrouvant peu à peu sa respiration.

– Ces fumiers ne prendront pas le risque de bloquer la route pour contrôler la circulation sans l'accord des autorités locales, et ils n'ont pas le temps de l'obtenir. Mais vous pouvez être sûr qu'ils vont surveiller les voitures qui passent.

– Si vous avez une côte cassée, elle risque de vous perforer un poumon.

– Bon sang, Joe, nous n'avons pas le temps. Il faut décamper vite fait si l'on veut que la petite reste en vie.

– Nina ? demanda-t-il en la fixant.

– Nina, lui répondit-elle, mais il lut de la crainte dans ses yeux et elle se détourna.

– On peut filer vers le nord, puis remonter à l'intérieur des terres par Kanan-Dume Road. C'est une petite route de campagne qui mène à Augora Hills. Ensuite on pourra prendre la 101 pour rejoindre la 210.

– Allons-y.

Poudrés de clarté lunaire, les cheveux fous, les autres attendaient respectueusement leur départ, avec en toile de fond les dauphins bondissants et les arbres qui fouettaient l'air de leurs branches.

C'était un tableau saisissant, mais Joe n'aurait su dire pourquoi il lui inspirait à la fois de l'exaltation et de l'inquiétude.

Cette nuit avait une dimension étrange. Où que son regard se pose, tout semblait chargé de signification, comme s'il avait atteint un niveau de conscience élevé, et même la lune semblait différente de celles qu'il avait pu voir jusqu'alors.

Joe mit le moteur en marche. La voiture commençait à s'éloigner de la fontaine quand la jeune femme s'avança et posa la main contre la vitre, près du visage de Rose Tucker. De son côté, Rose posa sa paume contre la sienne. La jeune femme était en larmes et ses yeux scintillaient sous les rayons de lune. Elle accompagna la voiture tout au long de l'allée. Accélérant le pas à mesure que la voiture prenait de la vitesse, elle garda sa main collée contre celle de Rose jusqu'au portail, où enfin elle la retira.

Joe avait presque l'impression d'être passé de l'autre côté d'un miroir, d'avoir traversé son reflet les yeux fermés pour entrer dans un monde insensé, régi par des lois inconnues de lui. Pourtant il n'avait pas envie de repasser de l'autre côté du miroir, de revenir à l'ancien monde dont il gardait un souvenir gris, sinistre. Il prenait goût à cette folie. Sans doute parce qu'elle lui offrait ce qu'il convoitait le plus : l'espoir.

— Peut-être ai-je trop présumé de mes forces, Joe. Tout cela me dépasse et je suis si fatiguée, dit Rose, affalée sur le siège passager. J'ai si peur. Je n'ai pas la carrure. Pour porter un tel poids sur les épaules, il faudrait quelqu'un d'exceptionnel.

— C'est bien l'effet que vous me faites, dit-il.

— Je meurs de trouille, dit-elle en tapant un numéro de téléphone sur le portable. J'ai peur de tout bousiller, de ne pas avoir la force d'ouvrir cette porte et de nous faire tous passer de l'autre côté, ajouta-t-elle, reprenant involontairement la métaphore que Joe avait en tête.

— Montrez-moi la porte, dites-moi où elle mène et je vous aiderai, dit-il, souhaitant qu'elle cesse enfin de parler par énigmes et lui livre les faits bruts. Pourquoi Nina est-elle si importante dans ce qui arrive ? Où est-elle, Rose ?

Quelqu'un répondit à l'autre bout du fil.

— C'est moi, dit Rose. Emmène Nina. Emmène-la tout de suite.

Nina.

— Non, maintenant, insista Rose d'un ton péremptoire. Partez tout de suite, dans les cinq minutes, le plus tôt possible. Ils ont fait le lien entre Mahalia et moi... Oui, malgré toutes nos précautions. Ils ne vont pas mettre longtemps à faire le lien avec toi.

Nina.

Joe emprunta la petite route de campagne conduisant à Augora Hills, à travers un pays sombre et vallonné où le Santa Ana faisait voler des nuages de poussière pâle.

— Emmène-la à Big Bear, ordonna-t-elle à son interlocuteur.

Big Bear. Depuis que Joe avait parlé avec Mercy Ealing dans le Colorado (moins de neuf heures auparavant, même si cela semblait incroyable), Nina était revenue au monde comme par miracle, mais dans un endroit inconnu, inaccessible. Et voilà qu'elle serait bientôt dans la ville de Big Bear, sur les rives d'un lac qu'il connaissait bien, un lieu de vacances situé aux alentours de San Bernardino Mountains. Elle allait dans un endroit dont il connaissait le nom, avec des sentiers sur lesquels il s'était promené... le retour de sa fille lui sembla plus réel, et le cœur de Joe se gonfla d'une si douce attente qu'il eut envie de crier. Mais il demeura silencieux, se contentant de caresser mentalement le nom de Big Bear, comme on roule entre ses doigts une petite pièce d'or.

— Si je peux... continua Rose dans l'appareil, je serai là dans une heure ou deux. Je t'aime. Vas-y. Pars *maintenant*.

Elle raccrocha, posa le téléphone sur le siège entre ses jambes, ferma les yeux et s'appuya contre la portière.

Même à la faible lumière du tableau de bord, Joe s'aperçut qu'elle ne se servait pratiquement plus de sa main gauche. Elle l'avait posée sur son genou, mais la main tremblait sans que Rose puisse l'arrêter.

— Qu'est-ce qu'elle a, votre main ?

— Laissez tomber, Joe. C'est gentil de vous faire du souci pour moi, mais vous commencez à être assommant. Je me sentirai mieux dès qu'on aura retrouvé Nina.

Il resta silencieux pendant presque un kilomètre.

— Racontez-moi tout, dit-il alors. Je le mérite, non ?

— Oui, vous le méritez. D'ailleurs, ce n'est pas très long...

4.

De grosses pelotes d'herbes épineuses arrachées à la prairie par le soleil, la sécheresse et les vents implacables de l'été californien roulaient sur la route étroite, affolées par les rafales du Santa Ana, drôles d'apparitions gris argent fuyant dans la lueur des phares comme des familles de réfugiés décharnés.

— Commencez par les gens que l'on vient de quitter. À quelle secte appartiennent-ils ? dit Joe.

— Infiniface, lui répondit-elle en lui épelant le mot. C'est un mot inventé, une contraction pour Interface avec l'Infini. Mais ce n'est pas une secte, du moins pas dans le sens où vous l'entendez.

— Alors, qui sont-ils ?

Elle ne lui répondit pas tout de suite et remua sur son siège pour trouver une position plus confortable.

— Vous ne pouvez pas aller plus vite ? dit-elle en regardant l'heure à sa montre.

— Pas sur cette route. D'ailleurs, vous devriez mettre votre ceinture de sécurité.

— Mon côté gauche me fait trop mal... Loren Pollack, ça vous dit quelque chose ?

— Le génie de l'informatique. Le Bill Gates du pauvre.

— Oui, c'est comme ça qu'on le surnomme parfois dans la presse. Mais l'expression me semble mal choisie pour un homme qui est parti de rien et se retrouve à quarante-deux ans à la tête de sept milliards de dollars

— En effet.

Elle ferma les yeux et s'affala contre la portière, portant le poids de son corps sur le côté droit. Des gouttes de sueur perlaient à son front, mais sa voix restait assurée.

— Il y a deux ans, Loren Pollack a prélevé un milliard de dollars sur son budget pour créer une fondation caritative qu'il a appelée Infiniface. Il est persuadé que grâce à la rapidité des nouvelles générations d'ordinateurs diverses sciences sont amenées à faire des découvertes capitales prouvant l'existence d'un créateur.

— Ça m'a tout l'air de ressembler à une secte, votre histoire.

— Vous n'êtes pas le seul. Aux yeux de beaucoup de gens, Pollack passe pour un allumé de première. En fait, il possède un talent rare : il est capable de synthétiser des recherches provenant de branches scientifiques très diverses et c'est un visionnaire. Vous savez, il existe, dans la physique moderne, un courant de pensée pour qui l'idée d'un univers créé est une évidence.

— Et la théorie du chaos ? dit Joe en fronçant les sourcils.

— La théorie du chaos ne prétend pas que l'univers est le fait du hasard. C'est une théorie extrêmement vaste qui constate, entre autres, que dans des systèmes apparemment chaotiques, comme le climat, interviennent des relations de cause à effet étrangement complexes. Quand on creuse un peu, on s'aperçoit que dans tout chaos apparent il existe des règles et une logique cachées.

— Je n'y connais rien, à part ce que j'ai appris dans les films.

— Et, pour la plupart, les films ne sont que des machines à bêtises. Tout comme les politiciens. Bref... si Pollack était là, il vous expliquerait qu'il y a quatre-vingts ans la science ridiculisait l'affirmation prônée par l'Église selon laquelle l'univers avait été créé *ex nihilo*, à partir de rien. Tout le monde savait qu'une chose ne peut être créée à partir de rien ; c'était une loi inviolable de la physique. Aujourd'hui, nous appréhendons mieux la structure moléculaire, et les physiciens qui travaillent sur les particules élémentaires créent de la matière à partir de rien.

Elle s'interrompit soudain, sifflant entre ses dents, et se pencha en avant pour ouvrir la boîte à gants.

— J'espérais y trouver de l'aspirine ou du paracétamol, dit-elle après avoir fouillé en vain à l'intérieur. J'en aurais volontiers croqué un ou deux comprimés, même sans eau.

— On peut s'arrêter quelque part.

— Non. Continuez à rouler. La route est longue, jusqu'à Big Bear...

Elle referma la boîte à gants mais resta penchée en avant, comme si cette position la soulageait.

— La physique et la biologie sont les deux disciplines qui fascinent le plus Pollack, en particulier la biologie moléculaire, reprit-elle.

— Pourquoi?

— Parce que plus nous comprenons les éléments vivants au niveau moléculaire, plus il devient évident que tout est conçu par une intelligence. Vous, moi, les mammifères, poissons, insectes ou plantes, tout.

— Attendez un peu. Dans tout ça, la théorie de l'évolution passe à la trappe.

— Pas tout à fait. Quoi qu'il en soit des découvertes de la biologie moléculaire, il restera sans doute une place pour la théorie darwiniste de l'évolution, sous une forme ou sous une autre.

— Vous n'êtes pas un de ces fondamentalistes intégristes qui croient que nous avons été créés il y a exactement cinq mille ans dans le jardin d'Éden?

— Certainement pas. Mais la théorie de Darwin est sortie en 1859, avant qu'on ait la moindre notion de structure atomique. Pour Darwin, l'unité la plus petite d'une créature vivante était la cellule, qu'il ne voyait que comme une masse d'albumen adaptable.

— De l'albumen? Je ne vous suis plus.

— Il attribuait l'origine de cette matière vivante fondamentale à une sorte d'accident chimique et expliquait l'origine de toutes les espèces à travers l'évolution. Mais aujourd'hui nous savons que les cellules sont des structures incroyablement complexes, d'une conception si précise qu'il est impossible de croire qu'elles sont de nature accidentelle.

— Ah oui? Il s'en est passé des choses depuis que je suis sorti de l'école, on dirait.

— Le problème est le même en ce qui concerne les espèces... Les deux axiomes de la théorie de Darwin, la continuité de la nature et sa faculté d'adaptation, n'ont jamais été confirmés par une seule découverte empirique depuis presque cent cinquante ans.

— Ça y est, je suis largué.

— Bon, je vais tourner ça autrement, dit-elle toujours penchée en avant, regardant les sombres collines et la lueur diffuse montant des banlieues qui s'étendaient au-delà. Francis Crick, ça vous dit quelque chose ?

– Non.

– C'est un biologiste moléculaire. En 1962, il a partagé le prix Nobel de médecine avec Maurice Wilkins et James Watson pour avoir découvert la structure moléculaire tridimensionnelle de l'ADN, la double hélice. Tous les progrès de la génétique, et toutes les avancées fulgurantes de la médecine que nous avons vues ces vingt dernières années, découlent directement du travail de Francis Crick et de ses collègues. Crick est un scientifique bon teint, Joe, un esprit carré ; il n'a rien d'un spiritualiste ni d'un mystique. Mais savez-vous ce qu'il a suggéré il y a quelques années ? Que la vie sur terre avait pu être conçue par une intelligence extraterrestre. Seulement... Crick a été incapable d'accorder ce que nous savons maintenant de la biologie moléculaire et de sa complexité avec la théorie de la sélection naturelle. Mais il s'est refusé à évoquer l'existence d'un créateur, au sens spirituel du mot.

– D'où l'idée de ces bons vieux extraterrestres aux pouvoirs divins, qui marche toujours très fort auprès du public.

– Mais qui élude complètement la question. Car en admettant que toute forme de vie existant sur cette planète ait été créée par des extraterrestres... Eux, qui les a conçus ?

– L'œuf ou la poule. C'est toujours la même rengaine.

Rose rit doucement, mais son rire se mua en une quinte de toux qu'elle eut toutes les peines du monde à réprimer. Elle se renversa sur son siège en s'appuyant contre la portière et le fusilla du regard quand il osa suggérer qu'elle avait besoin de l'assistance d'un médecin.

Quand elle eut retrouvé son souffle, elle poursuivit :

– Loren Pollack croit que le but de tout effort intellectuel, et donc de la science, n'est pas seulement de nous aider à contrôler matériellement notre environnement ou à satisfaire notre curiosité, mais d'accroître notre compréhension de l'univers, de résoudre le mystère de l'existence, comme un puzzle que Dieu aurait mis devant nous.

– Et, en le résolvant, de devenir nous-mêmes des dieux.

Elle sourit malgré sa souffrance.

– Vous voilà sur la même longueur d'onde que Pollack. Lui pense que nous vivons à l'aube d'une découverte fondamentale, une clef scientifique prouvant qu'il existe bien un créateur. Une sorte d'interface qui nous connectera à l'infini, redonnant ainsi une âme à la science... Une lumière nouvelle, qui aidera l'humanité à s'élever, à sortir de sa peur, à guérir de la haine et de tout ce qui la divise, pour nous unir enfin dans une même quête, conduite à la fois par l'esprit et l'intelligence.

— On se croirait dans *Star Trek*.

— Arrêtez de me faire rire, Joe. Ça fait mal.

Joe pensa à Gem Fittich, le vendeur de voitures d'occasion. Pollack et Fittich sentaient tous deux approcher la fin du monde ; mais pour Fittich, il s'agissait d'un raz-de-marée dévastateur, tandis que Pollack imaginait une onde pure et lumineuse.

— Pollack a donc fondé Infiniface pour favoriser cette quête et suivre toutes les avancées de la science au niveau planétaire, avec une attention toute particulière pour les projets comportant... eh bien, des aspects métaphysiques pouvant échapper aux scientifiques eux-mêmes. Afin de s'assurer que les découvertes clefs soient partagées par l'ensemble des chercheurs. Et encourager des projets spécifiques susceptibles de conduire à l'illumination qu'il pressent.

— Infiniface n'est donc pas une religion.

— Non. Pollack pense que toutes les religions sont valables dans la mesure où elles reconnaissent l'existence d'un univers créé et d'un créateur, mais qu'elles se fourvoient dans des interprétations alambiquées de ce que Dieu attend de nous. Selon lui, notre vraie tâche consiste à œuvrer ensemble pour mieux comprendre l'univers, éplucher ses couches successives pour parvenir jusqu'à Dieu... et ce faisant devenir Ses égaux.

Ils avaient quitté la pénombre des collines pour la lumière des banlieues et se retrouvaient devant l'entrée de l'autoroute qui les conduirait vers l'est, à travers la ville.

— Moi, je ne crois en rien, dit Joe en s'engageant dans la voie d'accélération pour filer vers Glendale et Pasadena.

— Je sais.

— Un Dieu d'amour ne tolérerait pas tant de souffrance.

— Pollack dirait que l'étroitesse de nos vues fausse notre jugement.

— Peut-être que ce Pollack déconne complètement.

Il n'aurait su dire s'il l'avait fait rire une fois de trop, mais Rose se mit à tousser sans pouvoir s'arrêter.

– Il faut voir un médecin, insista-t-il, mais elle resta inflexible.

– Si l'on tarde trop... Nina mourra.

– Ne me forcez pas à choisir...

– Entre Nina et moi, il n'y a pas à choisir, l'interrompit Rose. Elle a la priorité. L'avenir, c'est elle. L'espoir aussi.

D'un rouge orangé à son apparition, comme si son entrée en scène lui donnait le trac, la lune s'était grimée en clown blanc.

Sous son sourire moqueur, l'autoroute étirait ses files interminables du dimanche soir. Les citadins de Los Angeles revenaient de Vegas ou d'autres points du désert, tandis que les habitants du désert roulaient dans la direction opposée, quittant la ville et le bord de mer, multitudes sans cesse agitées dans leur quête effrénée d'un bonheur éphémère, qu'elles trouvaient parfois le temps d'un week-end ou d'un après-midi.

Joe roulait aussi vite et imprudemment qu'il l'osait, mais il savait qu'ils ne devaient pas prendre le risque d'être arrêtés par la patrouille de l'autoroute. La voiture n'était pas à son nom ni à celui de Rose. Et le temps de prouver leur bonne foi, ils perdraient un temps précieux.

– Et Projet 99, qu'est-ce au juste ? lui demanda-t-il. Qu'est-ce qu'ils peuvent bien fabriquer dans ces installations souterraines près de Manassas ?

– Vous avez entendu parler du projet sur le génome humain ?

– Oui. C'était en couverture de *Newsweek*. Si j'ai bien compris, on essaie de comprendre ce que contrôle chaque gène humain.

– C'est le plus grand défi scientifique de notre époque. Dresser la liste des cent mille gènes humains et définir l'alphabet ADN de chacun. Les progrès dans ce domaine sont fulgurants.

– Cela permettrait de découvrir comment soigner la dystrophie musculaire, la sclérose en plaques...

– Le cancer, tout... à son heure.

– Vous y participez ?

– Non. Pas directement. L'objectif de Projet 99 est plus... exotique. Nous recherchons les gènes qui semblent associés à des dons inhabituels.

– Quoi... comme Mozart, Rembrandt, ou Michael Jordan ?

— Non. Je ne parle pas de dons créatifs ni athlétiques. Mais de dons paranormaux. La télépathie. La télékinésie. La pyrokinésie. C'est une longue liste, assez étrange.

Sur le coup, il réagit comme un reporter criminel, et non comme quelqu'un qui vient d'être le témoin d'événements fantastiques.

— Mais ces dons n'existent pas. C'est de la science-fiction.

— Au cours de tests conçus pour déceler certains pouvoirs psychiques, certaines personnes se révèlent capables de prouesses qui dépassent largement toute probabilité. Divination, transmission télépathique, visualisation, par exemple.

— C'est le truc dont on s'occupe à Duke University, non?

— Oui, mais en plus poussé. Quand nous trouvons des gens qui réussissent ces tests de façon exceptionnelle, nous prélevons un échantillon de leur sang. Nous étudions leur structure génétique. De même chez des enfants ayant vécu des expériences bizarres, genre esprits frappeurs.

— Esprits frappeurs?

— En réalité, ces genres de phénomènes ne sont pas dus à des esprits ni à des fantômes. On a remarqué qu'il y a toujours un ou deux enfants dans les maisons où ils se produisent. D'après nous, les objets volant à travers une pièce ou les apparitions ectoplasmiques sont provoqués par ces enfants, par leur exercice inconscient de pouvoirs qu'ils ne se connaissent pas. Quand nous en rencontrons, nous prélevons également un échantillon de leur sang. Ainsi, nous constituons un fichier de profils génétiques inhabituels, afin de relever les points communs aux personnes ayant expérimenté des situations paranormales.

— Et vous avez obtenu un résultat?

Elle resta silencieuse, peut-être pour laisser passer un autre spasme de douleur, même si l'expression de son visage trahissait une souffrance plus mentale que physique.

— Oui, et plus que ça, finit-elle par dire.

Joe comprit soudain quelle était l'essence du Projet 99. S'il y avait eu assez de lumière pour qu'il puisse se regarder dans le rétroviseur, il aurait vu que le hâle s'était retiré de son visage et qu'il était aussi pâle que la lune.

— Vous ne vous êtes pas contenté d'étudier.

— Pas seulement, non.

— Vous avez mis ces recherches en application.

– Oui.

– Combien êtes-vous à travailler sur Projet 99 ?

– Plus de deux cents.

– À fabriquer des monstres, dit-il, hébété.

– Des êtres humains. À fabriquer des êtres humains en labo.

– Ils en ont peut-être l'apparence, mais certains sont des monstres.

Elle resta silencieuse pendant plus d'un kilomètre.

– Oui, dit-elle enfin, ajoutant après un autre silence : Même si les véritables monstres sont ceux d'entre nous qui les ont faits.

« Entourée d'une grille et gardée à l'entrée, signalée sur la route comme un centre de recherches nommé l'institut Quatermass, la propriété enclot neuf cents hectares de campagne de Virginie : des collines verdoyantes où paissent des daims, des bois de bouleaux et de hêtres où une foule de menu gibier prospère à l'abri des chasseurs, des étangs à canards, des champs d'herbe haute où nichent des pluviers.

La sécurité semble minimale ; pourtant aucune bête plus grosse qu'un lapin de garenne ne bouge sans être contrôlée par des détecteurs de mouvements, des palpeurs, des microphones et des caméras, qui fournissent un flot ininterrompu de données à un ordinateur les analysant en continu. Les visiteurs non autorisés sont immédiatement appréhendés, et les rares fois où des chasseurs ou des adolescents en mal d'aventure ont escaladé les grilles, ils n'ont jamais fait plus de cent cinquante mètres sans être arrêtés et remis à la police.

Au milieu de cette paisible propriété se trouve l'orphelinat, un morne édifice en briques de trois étages qui ressemble à un hôpital. Quarante-huit enfants y résident actuellement, chacun ayant moins de six ans, même si certains font plus vieux. Étant venus au monde sans père ni mère, ils sont tous là à demeure. Aucun d'eux n'a été conçu dans l'amour, aucun n'est sorti du ventre d'une femme. Leurs fœtus ont grandi dans des matrices mécaniques, baignant dans un liquide amniotique concocté en laboratoire.

Comme tous les animaux de laboratoire servant la noble cause scientifique, rats, singes ou chiens dont on ouvre la boîte crânienne pour des expériences sur le système nerveux et dont le cerveau reste exposé pendant des jours, ces orphelins n'ont pas de nom. Les nommer, ce serait encourager leurs moniteurs à s'attacher à eux. Les moniteurs – ce nom englobe tout le personnel, depuis les gardes de sécurité et les cuisiniers jusqu'aux cher-. cheurs qui ont donné vie à ces enfants – se doivent de rester moralement neutres et affectivement détachés, afin d'effectuer correctement leur travail. En conséquence, les enfants sont identifiés par un code propre, composé de lettres et de chiffres, qui se réfère aux indices spécifiques de la bibliothèque génétique de Projet 99, où leurs capacités particulières ont été sélectionnées.

Au troisième étage, aile sud-ouest, se trouve la chambre d'ATX-12-23. Cette dernière a quatre ans, elle est catatonique et souffre d'incontinence. Elle attend dans son berceau que la nurse vienne la changer et ne se plaint jamais. ATX-12-23 n'a jamais prononcé un seul mot ni émis aucun son. Même tout bébé, elle ne pleurait pas. Elle est incapable de marcher. Elle reste assise sans bouger, les yeux dans le vague, bavant parfois. Ses muscles sont en partie atrophiés, même si on la manipule trois fois par semaine pour lui faire prendre un peu d'exercice. Si son visage s'animait un peu, elle pourrait être belle, mais son impassibilité et le relâchement constant de ses traits la rendent effrayante. Des caméras couvrent jour et nuit chaque centimètre de sa chambre. Quel gâchis, se dirait-on, s'il n'arrivait que des objets inanimés se mettent à bouger autour d'elle. Des balles de caoutchouc de différentes couleurs lévitent et tournent dans les airs, elles flottent d'un mur à l'autre ou viennent entourer la tête d'ATX-12-23 pendant dix ou vingt minutes d'affilée. Des stores se lèvent et s'abaissent sans qu'aucune main ne les touche. Les lumières baissent d'intensité puis remontent, les heures défilent à toute vitesse sur le réveil à affichage numérique, et un ours en peluche qu'elle n'a jamais touché traverse parfois la pièce sur ses courtes pattes, comme un jouet mécanique.

Descendons maintenant au deuxième étage, troisième chambre à droite en sortant de l'ascenseur. Là vit un petit garçon de cinq ans, KSB-22-09, qui ne souffre d'aucune déficience mentale ni physique. À la vérité, c'est un petit rouquin très éveillé, avec le QI d'un génie. Il aime apprendre, reçoit des cours particuliers intensifs tous les jours et suit actuellement le programme d'un élève de terminale. Il a beaucoup de jouets, de livres, de

280

vidéocassettes, et il participe à des séances de jeu supervisées avec les autres orphelins, car les architectes du projet tiennent beaucoup à ce que tous les sujets possédant des facultés mentales et des capacités physiques normales soient élevés dans une atmosphère aussi sociable que possible, étant donné les limites de l'institut. Parfois quand il essaie très fort (et d'autres fois quand il n'essaie pas du tout), KSB-22-09 est capable de faire disparaître de petits objets : crayons, roulements à billes, agrafes, trombones, rien de plus gros qu'un verre d'eau. Ils s'évanouissent, purement et simplement. Il les envoie ailleurs, dans ce qu'il appelle le " Grand Noir ". Il n'est pas capable de les faire revenir, ni d'expliquer ce que peut être le Grand Noir, même s'il n'apprécie pas l'endroit. On doit lui donner des somnifères, car il souffre fréquemment d'horribles cauchemars dans lesquels il s'envoie petit bout par petit bout dans le Grand Noir, commençant par un pouce, puis un orteil, son pied gauche, une dent, une autre dent, un œil, une oreille. KSB-22-09 souffre de trous de mémoire et de crises de paranoïa ; on les attribue à l'usage à long terme du sédatif qu'il prend chaque soir avant d'aller se coucher.

Sur les quarante-huit résidents de l'institut, seulement sept font preuve de dons paranormaux. Les quarante et un autres ne sont pas considérés pour autant comme des échecs. En effet, les sept premiers ont révélé leurs dons à des âges différents, de onze mois à cinq ans. Par conséquent, il se peut très bien que parmi les quarante et un autres, beaucoup se révèlent doués dans les années à venir, peut-être pas avant d'être passés par les bouleversements hormonaux liés à la puberté. Tôt ou tard, évidemment, les sujets qui vieilliront sans révéler aucun talent particulier devront être retirés du programme, car les ressources de Projet 99 ne sont pas infinies. Les architectes du projet n'ont pas encore déterminé la date limite d'échéance. »

Le volant avait beau être ferme et collant sous ses mains moites, le moteur ronronner familièrement, l'autoroute rester stable sous les pneus de la voiture, Joe avait l'impression d'être passé dans une autre dimension où les matières et la perspective semblaient aussi décalées, insensées et perfides que dans les paysages surréalistes des tableaux de Dali.

— Cet endroit que vous décrivez, c'est l'enfer. Vous... vous n'avez pas pu participer à un truc pareil. Vous n'êtes pas comme ça.

– Ah bon ?

– Non.

Au fil de son récit, la voix de Rose avait diminué jusqu'à ne plus être qu'un mince filet, comme si la vitalité se retirait d'elle à mesure qu'elle dévidait ces secrets si jalousement gardés. Sa lassitude était tempérée par le doux soulagement que dispense la confession, mais restait empreinte d'un désespoir qui recouvrait tout d'un lavis gris.

– Je ne suis peut-être plus comme ça... mais je l'ai été.

– Comment avez-vous pu vous rendre complice de telles atrocités ?

– Par orgueil. Pour prouver que j'étais capable de relever ce défi sans précédent. J'étais tout excitée à l'idée de participer à un programme encore mieux financé que le Manhattan Project. Comment les gens qui ont inventé la bombe atomique ont-ils pu y travailler... sachant ce qu'ils étaient en train de fabriquer ? Parce qu'ils se sont dit que d'autres ailleurs dans le monde le feraient... Et qu'il fallait donc s'y résoudre, ne serait-ce que pour assurer sa propre sécurité.

– Quitte à vendre son âme ? demanda-t-il.

– Je n'ai rien à ma décharge, dit Rose. Rien ne pourra jamais justifier ni excuser ce que j'ai fait. Mais il est vrai que lorsque j'ai signé mon contrat, rien ne stipulait que nous porterions les expériences aussi loin, que nous appliquerions ce que nous avions découvert avec tant de... tant de zèle. Nous nous sommes laissé entraîner par étapes sur ce terrain glissant ; nous avons alors commencé à fabriquer des enfants. Pour le premier, nous nous étions fixé de ne le contrôler que durant le deuxième trimestre du stade fœtal. Après tout, il s'agissait d'un fœtus, pas d'un véritable être humain. Du moins c'est ainsi que nous le considérions. Ce n'était donc pas comme si nous faisions des expériences sur un individu. Quand nous avons mené l'un d'eux à terme... nous avons décelé des anomalies inquiétantes dans ses électro-encéphalogrames, quelque chose d'étrange dans les ondes électriques de son cerveau, pouvant indiquer une fonction cérébrale inconnue jusqu'ici. Il fallait donc le garder en vie pour voir... pour voir ce que nous avions accompli. Peut-être l'évolution ferait-elle grâce à nous un pas de géant.

– Mon Dieu !

Il ne connaissait cette femme que depuis trente-six heures.

Pourtant, il avait éprouvé à son égard une foule de sentiments riches et intenses, allant de la vénération à la crainte. Maintenant elle lui inspirait de la répulsion. Mais il s'y mêlait de la pitié, car, pour la première fois, il voyait en elle un des nombreux aspects de l'humaine faiblesse dont lui-même se sentait rempli, même si elle prenait chez lui d'autres formes.

— Assez vite, j'ai voulu partir, reprit-elle. J'ai alors eu droit à une petite entrevue avec le directeur du projet, qui m'a bien fait comprendre qu'il n'y avait pas moyen de partir, qu'il ne pouvait être question pour moi de démissionner. C'était devenu un poste à vie. Tenter de quitter Projet 99, c'était se suicider et mettre la vie de ceux que vous aimiez en danger.

— Mais vous ne pouviez pas aller trouver les médias et faire éclater toute l'histoire pour les arrêter ?

— Pas sans preuve concrète, et tout ce que j'avais se trouvait dans ma tête. Cependant, deux de mes collègues ont eu cette idée, semble-t-il. Au moment opportun, l'un d'eux a eu une crise cardiaque. L'autre a été tué de trois balles dans la tête ; son agresseur n'a jamais été retrouvé. J'ai été si déprimée pendant un moment que j'ai pensé mettre fin à mes jours sans plus leur causer d'ennuis. Et puis CCY-21-21 est apparue...

« D'abord, un an avant CCY-21-21, il y a eu SSW-89-58, un sujet de sexe masculin. Il est prodigieusement doué. Son histoire vous concerne directement, étant donné vos expériences récentes avec des gens qui se sont ouvert le ventre ou immolés par le feu, ainsi que la perte de vos proches dans le crash du Colorado.

À quarante-deux mois, SSW-89-58 possède les capacités d'expression d'un étudiant de première année ; il est capable de lire un volume de trois cents pages en une, deux ou trois heures, selon la complexité du texte. Il ingurgite et assimile les mathématiques supérieures comme si c'était de la crème glacée. Pareil pour les langues étrangères, du français au japonais. Physiquement, il se développe avec la même rapidité. À quatre ans, il a la taille et les proportions d'un enfant de sept ans. Les chercheurs escomptaient bien trouver chez 89-58 des dons paranormaux, mais pas un tel génie, même s'il est de nature plus ordinaire. Ils sont surpris par sa précocité physique et ses capacités stupéfiantes : il peut, par exemple, jouer n'importe quel morceau de piano après l'avoir entendu une seule fois, alors que nous n'avons opéré aucune sélection génétique dans ce but.

Quand les facultés paranormales de 89-58 commencent à apparaître, il s'avère incroyablement doué. Tout d'abord, il est doué de vision à distance. Les résultats sont effarants. Comme par jeu, il décrit aux chercheurs l'intérieur de leurs propres maisons, qu'il n'a jamais visitées. Il leur fait faire la visite guidée de musées où il n'a jamais mis les pieds. Quand on lui montre la photographie d'une montagne du Wyoming où se trouve un centre stratégique de défense aérienne top-secret, il décrit en détail les tableaux qui commandent la rampe des missiles dans la salle de lancement. On le considère comme un atout infiniment précieux en matière d'espionnage, jusqu'à ce qu'il découvre, heureusement de façon progressive, qu'il est capable de pénétrer dans un esprit humain aussi facilement qu'il entre dans des lieux éloignés. Il prend le contrôle mental de son premier moniteur, l'oblige à se déshabiller et l'envoie se promener dans les couloirs de l'orphelinat en s'égosillant comme un coq. Quand SSW-89-58 relâche son contrôle et que son forfait est découvert, il est sévèrement puni. Il n'apprécie pas la punition... pas du tout ! Cette nuit-là, il visualise la maison du moniteur et pénètre son esprit à soixante-dix kilomètres de distance. Le moniteur tue sauvagement sa femme et sa fille, puis se suicide.

Après cet épisode, on arrive à soumettre SSW-89-58 en lui administrant une dose massive de tranquillisants grâce à un pistolet. Deux employés de Projet 99 perdent la vie dans l'entreprise.

On le maintient ensuite dans un coma artificiel pendant dix-huit jours, tandis qu'une équipe de scientifiques conçoit et supervise en urgence la construction d'un habitacle adapté à leur précieux atout, qui le maintiendra en vie, mais sous contrôle permanent. Une faction du personnel propose qu'on en finisse immédiatement avec SSW-89-58, mais cet avis est rejeté. Il se trouve toujours des pessimistes pour contrecarrer les plus louables initiatives.

Maintenant, entrez donc dans la salle de sécurité située au rez-de-chaussée du bâtiment, coin sud-est. Si vous êtes un employé, vous devez vous prêter à un examen et à une fouille minutieuse effectués par trois gardes, car ils ne sont jamais moins à occuper ce poste, quelle que soit l'heure. Il vous faut ensuite placer la main droite sur un scanner qui vous identifie d'après vos empreintes digitales. Puis vous devez faire passer un scanner à votre rétine, afin de prouver que vos composés rétiniens sont semblables à ceux de la scanographie initiale que vous avez passée quand vous avez signé votre contrat.

De là, prenez un ascenseur et descendez cinq niveaux plus bas, sous la terre. C'est ici que s'effectue presque tout le travail de Projet 99. Pourtant, c'est le sixième et dernier niveau qui vous intéresse. Allez jusqu'au bout d'un long couloir et passez une porte en métal gris. Vous pénétrez dans une pièce sobrement meublée où se trouvent trois gardes, dont aucun ne s'intéresse à vous. Ces hommes travaillent par tranches de six heures. Ils guettent ce qui se passe dans cette pièce et dans la suivante, et s'épient mutuellement afin de déceler la moindre anomalie dans leurs comportements respectifs.

L'un des murs de cette pièce présente une grande vitre qui donne sur la pièce voisine. Derrière cette vitre, on peut voir le Dr Louis Blom, le Dr Keith Ramlock, ou les deux à la fois, en plein travail. Ce sont eux les créateurs de SSW-89-58 ; ils supervisent l'exploration et l'utilisation de ses dons. Quand ni le Dr Blom ni le Dr Ramlock ne sont présents, au moins trois de leurs assistants directs sont de service.

SSW-89-58 n'est jamais laissé sans surveillance. »

Ils transitaient de l'Interstate 210 à l'Interstate 10 quand Rose interrompit brusquement son récit.

— Joe, pouvez-vous trouver une sortie avec une station-service ? Il faut que j'aille aux toilettes.

— Qu'est-ce qui ne va pas ?

— Rien. J'ai besoin d'aller aux toilettes, c'est tout. Je veux arriver à Big Bear dès que possible, mais je ne n'ai pas envie de mouiller mon pantalon. Essayez de vous arrêter dans les prochains kilomètres, d'accord ?

— D'accord.

Elle reprit son récit et il se retrouva de nouveau près de Manassas, au cœur du Projet 99, comme si Rose était elle-même capable de visualiser à distance.

« À présent, franchissez le sas qui sépare le poste d'observation de la dernière pièce. C'est là qu'habite 89-58, dans le caisson où il passera vraisemblablement le reste d'une vie contre nature, à moins d'imprévus qu'on n'ose imaginer. Ce caisson fait un peu penser au poumon d'acier qui servait à soigner les victimes de la polio dans des temps plus reculés. Niché comme une noix dans sa coquille, compressé entre les deux valves du moule doublé de mousse qu'on a fait de son corps et qui l'empêche de bouger même le petit doigt, 89-58 se trouve complètement confiné. On l'alimente en oxygène par une pince nasale reliée à des réservoirs situés à l'extérieur du caisson. De même, il est sous perfusion continue : trois goutte-à-goutte piqués à chaque bras et dans sa cuisse gauche servent à l'hydrater, à le nourrir et à lui administrer différents calmants. Il est sondé en permanence afin d'éliminer efficacement ses déjections. Si l'une des perfusions se dérègle, un signal d'alarme prévient immédiatement les moniteurs, et même si tous les équipements sont doublés pour plus de sécurité, on procède immédiatement à la réparation.

Si nécessaire, les chercheurs et leurs assistants peuvent converser avec 89-58 par l'intermédiaire d'une capsule microphonique. Le moule corporel qui double l'intérieur du caisson d'acier est équipé d'écouteurs placés sur ses oreilles et d'un microphone situé au-dessus de sa bouche. Le personnel peut quand il le désire le réduire au silence ou ramener son niveau sonore à un vague murmure, mais lui ne jouit pas du même privilège à leur encontre. Un ingénieux mécanisme permet de lui transmettre des images grâce à de la fibre optique et à une paire de lentilles cornéennes adaptées à ses yeux ; on peut donc lui montrer des photographies, et si nécessaire les coordonnées géographiques de lieux et de bâtiments où on lui demande d'opérer une vision à distance. Il arrive aussi qu'on lui montre les photos d'individus contre lesquels il est chargé d'entreprendre telle ou telle action.

Durant une visualisation, 89-58 décrit en détail ce qu'il voit, et répond consciencieusement aux questions posées par ses moniteurs. En contrôlant ses rythmes cardiaque et respiratoire, sa tension artérielle, les ondes de son cerveau, les mouvements de ses paupières et tout changement dans la conductivité électrique de sa peau, on peut détecter s'il ment ou non avec une fiabilité de 99 %. De plus, ses moniteurs le mettent parfois à l'épreuve en l'envoyant dans des lieux largement connus et identifiés, puis ils comparent ses réponses aux éléments figurant dans le dossier.

L'ayant déjà vu à l'œuvre, ils savent de quoi il est capable. C'est un méchant garçon à qui on ne peut pas se fier.

Quand 89-58 est prié de pénétrer l'esprit d'une personne donnée pour l'éliminer ou se servir d'elle pour éliminer quelqu'un d'autre, le plus souvent un ressortissant étranger, cette mission est appelée " liquéfaction " non seulement parce que le sang coule, mais aussi parce que 89-58 se retrouve plongé dans les eaux troubles d'un esprit humain. À mesure qu'il mène à bien sa liquéfaction, 89-58 la raconte au Dr Blom ou au Dr Ramlock ; l'un d'eux au moins est toujours présent durant l'événement. L'expérience aidant, Blom, Ramlock et leurs assistants ont appris à déceler toute supercherie avant même que les signaux du détecteur de mensonge ne l'indiquent.

Sur des écrans vidéo, ses moniteurs suivent à tout moment les ondes électriques du cerveau de 89-58, qui définissent clairement l'activité dans laquelle il est engagé. Quand il n'effectue que de la vision à distance, les motifs sont radicalement différents de ceux qui apparaissent quand il est engagé dans une liquéfaction. Si sa tâche consiste seulement à observer un lieu éloigné et qu'il occupe sans qu'on le lui ait demandé l'esprit d'une personne se trouvant sur place, par rébellion ou juste pour s'amuser, ses moniteurs s'en aperçoivent aussitôt.

Si SSW-89-58 outrepasse les limites d'une mission, refuse d'obéir à une instruction ou montre tout autre signe de rébellion, on peut le punir de bien des façons : on déclenche des courants électriques dans le moule corporel pour lui infliger des chocs à des points particulièrement sensibles du corps ou sur toute la surface de sa peau ; on fait éclater à ses oreilles des sons électroniques assourdissants ; on imprègne l'oxygène qu'il respire d'odeurs nauséabondes ; on lui administre différentes substances provoquant des spasmes musculaires ou des inflammations des terminaisons nerveuses, autant de souffrances qui ne mettent aucunement sa vie en danger. Une autre technique disciplinaire simple, mais efficace, consiste à interrompre son alimentation en oxygène, ce qui provoque aussitôt chez lui une panique suivie d'une crise de claustrophobie.

S'il est obéissant, 89-58 peut être récompensé de cinq manières. Il reçoit par intraveineuse tous les éléments nutritifs, hydrates de carbone, protéines, vitamines, sels minéraux, qui lui sont nécessaires, mais on peut aussi faire surgir entre ses lèvres un petit tuyau grâce auquel il pourra aspirer goulûment du Coca-Cola, du jus de pomme ou du lait chocolaté. Ensuite, parce que c'est un pianiste prodige et que la musique lui procure un immense plaisir, on peut envoyer dans ses écouteurs les morceaux d'un répertoire qui va des Beatles à Beethoven. Troisième récompense, les lentilles qui lui recouvrent les yeux permettent de lui projeter des films entiers, et, grâce à l'adhérence parfaite de l'image à sa vision, il se retrouve virtuellement au cœur de l'action. Quatrièmement, des euphorisants peuvent le rendre un bref instant aussi heureux que n'importe quel petit garçon. Cinquièmement, et c'est la meilleure des récompenses, on lui permet parfois de visualiser à distance des lieux qu'il a envie de connaître, et, durant ces glorieuses expéditions, guidé par ses seules envies, il connaît la liberté... autant qu'il puisse en juger.

Ils ne sont jamais moins de trois moniteurs à surveiller le caisson et son occupant, car 89-58 ne peut contrôler qu'un esprit à la fois. Si l'un des trois faisait soudain preuve d'un comportement bizarre ou violent, les deux autres pourraient, en appuyant sur un bouton, administrer à 89-58 des sédatifs assez puissants pour le plonger instantanément dans un sommeil profond. Au cas improbable où ceci échouerait, une autre injection suivrait, fatale celle-là : une dose mortelle de toxine tuant en cinq secondes maximum.

De l'autre côté de la vitre d'observation, les trois gardes disposent de touches identiques.

SSW-89-58 n'est pas capable de lire dans les pensées d'autrui. Il n'est pas télépathe. Il ne peut que réprimer la personnalité qu'il pénètre et prendre le contrôle de son enveloppe physique. Quant à savoir si le manque de don télépathique chez 89-58 est une déception ou une bénédiction, les avis sont partagés parmi le personnel de Projet 99.

De plus, quand il est envoyé en mission, 89-58 doit savoir où sa cible est située pour être en mesure d'envahir son esprit. Il ne peut pas chercher à l'aveuglette, il lui faut être guidé par ses moniteurs, qui doivent d'abord localiser sa proie. Une fois qu'on lui a montré une image du bâtiment ou du véhicule où se trouve la cible, et quand cet endroit est géographiquement situé dans son esprit, il peut agir.

Il est donc obligé de se limiter à l'enceinte d'un lieu donné et ne peut poursuivre une cible au-delà des frontières initialement établies. Personne ne sait d'où vient cette limitation, même si les théories abondent. Peut-être parce que l'être psychique invisible est composé d'une énergie qui se dissipe dans les espaces ouverts. De même, 89-58 est capable de visualiser à distance des lieux à ciel ouvert, mais seulement pendant de courts laps de temps. Ce défaut engendre une certaine frustration chez ses moniteurs, mais ils croient et espèrent que ses capacités à cet égard s'amélioreront avec le temps.

Si ce spectacle ne vous est pas insupportable, sachez que le caisson qui contient 89-58 est ouvert deux fois par semaine pour permettre aux moniteurs de procéder à sa toilette. On ne manque pas de l'endormir à cette fin, tout en le gardant relié à la touche fatale. On le baigne, on lui lave tout le corps à l'éponge, on traite les irritations de sa peau, on vide ses intestins du peu d'excréments solides que son corps a produits, on lui lave les dents, on lui examine les yeux, puis on les lui nettoie à l'antibiotique pour prévenir toute infection. 89-58 a beau recevoir quotidiennement des stimulations électriques de bas voltage pour entretenir une masse musculaire minimale, il ressemble à l'un de ces enfants affamés du tiers monde, victimes de la sécheresse et de la corruption de leurs élites. Il est pâle comme un cadavre, tout ratatiné et flétri, ses os de lutin paraissent si fragiles qu'on ne le manie qu'avec d'immenses précautions. Et lorsque inconsciemment il referme ses faibles doigts sur ceux des officiants, son étreinte n'est guère plus forte que celle d'un nouveau-né qui cherche à se raccrocher au pouce de sa mère.

Dans l'engourdissement profond où il gît, il lui arrive de murmurer des mots sans suite, de miauler comme un chaton abandonné, et même de pleurnicher, comme s'il dérivait au fil d'un rêve triste et doux. »

À la station Shell, il n'y avait que trois véhicules devant les pompes à essence libre-service. Courbés contre le vent, les automobilistes cherchaient à se protéger les yeux du sable et des nuages de poussière.

L'éclairage de la station était aussi fort que celui d'un plateau de cinéma. Même s'ils n'étaient pas aux prises avec le genre de police qui fait diffuser des photos aux actualités de la télévision locale, Joe préféra éviter de s'arrêter en pleine lumière. Il alla se garer dans un coin sombre sur le côté de l'immeuble, près de l'entrée des toilettes.

Maintenant qu'il connaissait la cause exacte de la catastrophe, l'identité de celui qui l'avait provoquée et qu'il avait compris toutes les ramifications de l'affaire, Joe était pris dans un tourbillon d'émotions violentes. Comme un scalpel, ce savoir lui fouaillait le cœur et mettait sa souffrance à vif, détruisant la fine croûte cicatricielle qui s'y était formée, aiguisant son chagrin pour le rendre aussi vif que le premier jour.

Il coupa le moteur et resta silencieux.

— Comment ont-ils découvert que j'étais dans cet avion ? poursuivit Rose. J'avais pris tant de précautions... J'ai compris tout de suite qu'il nous cherchait en visualisant la cabine passagers, parce que les lumières ont baissé d'intensité, que ma montre s'est déréglée et que j'ai senti comme une présence autour de nous. Des signes que j'avais appris à déchiffrer.

— Rose, j'ai rencontré une enquêtrice du National Transportation Safety Board qui a entendu la bande enregistrée dans le cockpit, avant qu'elle ne soit détruite dans l'incendie du labo. Ce garçon était à l'intérieur de la tête du capitaine. Je ne comprends pas.... Pourquoi ne s'en est-il pas pris à vous directement ?

— Il fallait qu'il nous ait toutes les deux, moi et la petite fille. C'était sa mission... Moi, c'était facile, il aurait pu m'abattre sans aucun problème, mais avec elle, c'était une autre paire de manches.

— Nina ? s'étonna-t-il, complètement perdu. Mais à ce moment-là, elle ne les intéressait pas, elle n'était qu'un passager parmi d'autres, non ? S'ils l'ont pourchassée plus tard, c'est parce qu'elle avait survécu, avec vous.

Rose évita son regard.

— Vous voulez bien aller chercher la clef des toilettes à ma place, Joe ? J'en ai pour une minute. Je vous raconterai le reste sur la route.

Il entra dans la boutique de la station et demanda la clef au caissier. Le temps de retourner à la Ford, Rose était sortie. Appuyée contre l'aile avant de la voiture, le dos tourné et les épaules courbées sous les rafales du Santa Ana, elle pressait son bras gauche contre sa poitrine et sa main tremblait toujours. En se servant de l'autre, elle rapprocha les revers de son blazer, comme si ce vent du sud lui donnait des frissons.

— Vous voudrez bien m'ouvrir la porte ? lui demanda-t-elle.

Il la précéda dans les toilettes pour dames. Quand il eut ouvert la porte et allumé la lumière, Rose le rejoignit.

– Ce ne sera pas long, lui promit-elle avant de se glisser dans les lavabos.

Il aperçut son visage en pleine lumière, juste avant que la porte se referme. Elle n'avait pas bonne mine.

Au lieu de retourner à la voiture, Joe s'appuya contre le mur du bâtiment, à côté de l'entrée des toilettes, et attendit.

D'après les infirmières qui travaillent en psychiatrie, un grand nombre de malades mentaux réagissent aux vents de Santa Ana encore plus qu'à la pleine lune. Cela ne vient pas uniquement des hurlements et des sifflements sinistres qui font surgir dans l'imagination fiévreuse des aliénés un bestiaire fantastique et terrifiant, c'est aussi l'insidieuse odeur alcaline qui vient du désert et l'air chargé de l'électricité propre à ce vent aride.

Joe comprenait pourquoi Rose avait ramené sur elle les pans de son blazer et courbé le dos. Dans une nuit où la lune et le Santa Ana conjuguaient leurs néfastes influences, un orphelin sans nom qui vivait dans un caisson d'acier se déplaçait invisible, en quête de sa proie, impatient de poser sur elle son baiser mortel et glacé.

On est enregistrés ?

Le garçon s'était servi de l'enregistreur du cockpit pour laisser un appel au secours.

L'un s'appelle le Dr Louis Blom. L'autre le Dr Keith Ramlock. Ils me font du mal. Ils sont méchants avec moi. Arrêtez-les. Empêchez-les de me faire du mal.

Qu'il soit sociopathe, psychotique, homicide, il n'en restait pas moins un enfant. Un monstre, une abomination, mais un enfant. Il n'avait pas demandé à venir au monde et s'il était le mal incarné, c'est eux qui l'avaient fait ainsi en omettant de lui enseigner les valeurs humaines, en le traitant comme une vulgaire pièce d'artillerie, en le récompensant de tuer. Monstre il était, mais un monstre pitoyable et solitaire, perdu dans un effroyable labyrinthe.

Pitoyable mais terrible. Et toujours là, dehors. Attendant qu'on lui dise où trouver Rose Tucker. Et Nina.

C'est marrant.

Le garçon prenait plaisir à tuer. Joe supposait même que ses moniteurs ne lui avaient peut-être jamais donné l'ordre de tuer tous ceux qui étaient à bord du vol 353, qu'il l'avait fait par plaisir, comme un acte de rébellion.

Arrêtez-les, sinon... à la première occasion, je tue tout le monde. Tout le monde, ma parole. Et avec grand plaisir.

En se rappelant les mots qu'il avait lus sur la transcription, Joe comprit que le garçon ne parlait pas juste des trois cent trente passagers de l'avion maudit. À ce moment-là, il avait déjà décidé de leur sort. Non, il envisageait quelque chose de beaucoup plus large, une sorte d'apocalypse.

Que serait-il capable d'accomplir si on lui fournissait non plus les photographies et les coordonnées géographiques d'un simple mécanisme suivant la trajectoire des missiles, mais celles d'un complexe stratégique abritant les aires de lancement de missiles nucléaires ?

« Mon Dieu », murmura Joe, effaré.

Quelque part dans la nuit, Nina attendait. Sous la protection d'un ami de Rose, certes. Mais si vulnérable.

Rose mettait du temps à revenir.

Joe l'appela par son nom en grattant à la porte des toilettes, mais elle ne répondit pas. Il hésita, frappa encore, et quand il l'entendit l'appeler « Joe » d'une toute petite voix, il ouvrit la porte.

Assise sur la lunette des w.-c., elle avait enlevé son blazer bleu marine et son corsage blanc, qui gisait sur l'évier d'un lavabo, trempé de sang.

À cause de l'obscurité et du blazer bleu marine, Joe ne s'était pas rendu compte qu'elle perdait du sang.

Il vit qu'elle avait façonné une sorte de compresse avec des serviettes de toilette humides et qu'elle la pressait contre son muscle pectoral gauche, au-dessus de la poitrine.

— Ce coup de feu sur la plage, dit-il, glacé. Vous avez été touchée.

— La balle a même traversé, dit-elle. J'ai un joli trou bien net dans le dos. Mais je n'ai pas perdu beaucoup de sang et la douleur est supportable... Alors, pourquoi est-ce que je me sens si faible ?

Il tressaillit en découvrant sa blessure.

— Hémorragie interne, suggéra-t-il.

— Je m'y connais en anatomie. J'ai pris la balle juste où il fallait. Aucun vaisseau majeur n'a dû être touché.

– Oui, mais il suffit que la balle ait brisé un os et qu'un frag-
ment se balade là où il ne faut pas.

– J'avais soif. J'ai essayé de boire un peu d'eau au robinet.
Mais j'ai failli m'évanouir quand je me suis penchée.

– C'est décidé, dit-il, le cœur battant, il faut trouver un
médecin.

– Conduisez-moi à Nina.

– Rose, bon sang...

– Nina me guérira, dit-elle, avant de détourner les yeux
d'un air coupable.

– Comment pourrait-elle vous guérir ? dit-il, ébahi.

– Croyez-moi. Nina peut faire ce qu'aucun docteur ni personne sur terre n'est capable d'accomplir.

À cet instant, il devina presque l'un des derniers secrets de
Rose Tucker, mais il n'eut pas le loisir de pousser plus loin,
d'extraire cette perle noire de sa coquille et de l'examiner en
pleine lumière.

– Aidez-moi à me rhabiller et allons-y. Confiez-moi vite
aux mains de Nina. Ses mains qui guérissent.

Fou d'inquiétude, il lui obéit pourtant. En l'aidant à s'habil-
ler, il se souvint comme elle avait eu l'air plus grande que nature
le samedi matin, au cimetière. À présent, elle semblait très
menue.

Fendant avec peine le souffle chaud du Santa Ana, elle
s'appuya sur Joe tandis qu'ils regagnaient la voiture.

Quand il l'installa sur le siège passager, elle lui demanda s'il
pouvait lui trouver quelque chose à boire.

Il alla chercher du Pepsi et du jus d'orange au distributeur
de boissons extérieur. Elle choisit le jus d'orange et il décapsula la
canette pour elle.

Avant de la prendre, elle lui donna deux choses : le cliché
Polaroïd du cimetière et le billet plié de un dollar indiquant le
numéro de téléphone grâce auquel il pourrait joindre Mark et
Infiniface en urgence.

– Avant que vous mettiez le moteur en marche, il faut que
je vous indique comment trouver la cabane de Big Bear, au cas
où je ne tiendrais pas jusque-là.

– Ne soyez pas idiote. Vous y arriverez.

– Écoutez, dit-elle d'une voix qui commandait l'attention.
J'ai confiance en ceux d'Infiniface, ils sont bien mes alliés natu-

rels et ceux de Nina, comme Mark l'a dit. Mais j'ai peur qu'ils se fassent infiltrer. C'est pourquoi je ne les ai pas laissés nous accompagner ce soir. Si nous ne sommes pas suivis, alors cela prouvera que leurs dispositifs de sécurité fonctionnent bien. Si jamais les choses empiraient et que vous ne sachiez pas où aller... appelez-les, ils seront votre meilleur atout.

À mesure qu'elle parlait, Joe avait le cœur serré, la gorge nouée, de plus en plus oppressée.

— Je ne veux pas en entendre davantage. Je vous amènerai à Nina et nous arriverons à temps, finit-il par dire.

Même la main droite de Rose tremblait maintenant, et Joe crut qu'elle n'allait pas pouvoir tenir la canette de jus d'orange. Mais elle y parvint et but avidement.

— Je n'ai jamais voulu vous faire de mal, Joe, dit-elle alors qu'il rejoignait l'autoroute de San Bernardino pour filer vers l'est.

— Vous ne m'en avez pas fait.

— Si, j'ai fait une chose terrible.

Il lui jeta un coup d'œil, mais n'osa pas lui demander ce qu'elle entendait par là. Il préférait garder la perle noire précieusement enfouie dans un recoin de son esprit.

— J'espère que vous ne m'en voudrez pas trop.

— Je ne vous en veux pas du tout.

— C'était pour le bon motif. Ça n'a pas toujours été le cas, du temps où j'ai commencé à travailler pour Projet 99. Mais cette fois-là, c'était pour le bon motif, Joe.

Quittant les lumières de Los Angeles et de ses banlieues pour les montagnes obscures où se cachait Nina, Joe attendit que Rose lui explique pourquoi elle craignait qu'il la haïsse.

« Après ce petit aperçu de l'enfer, quittez le dernier des six niveaux souterrains et son petit hôte en caisson d'acier pour remonter vers la surface. Prenez l'ascenseur qui vous ramènera à la salle de sécurité. Gagnez ensuite le coin sud-est du rez-de-chaussée. C'est là que réside CCY-21-21.

Elle fut conçue sans passion un an après 89-58, sauf qu'elle n'est pas l'œuvre des Drs Blom et Ramlock, mais celle de Rose Tucker. C'est une enfant charmante et délicate, avec un joli visage, des cheveux dorés et des yeux améthyste. La majorité des orphelins qui vivent ici sont d'intelligence moyenne, mais

CCY-21-21 a un QI anormalement élevé, plus élevé peut-être que celui de 89-58, et elle aime apprendre. Elle est d'un naturel tranquille et possède beaucoup de grâce naturelle, mais durant les trois premières années de sa vie, elle ne montre aucun talent particulier.

Puis, par un bel après-midi du mois de mai, alors qu'elle participe à une séance de jeu supervisée avec d'autres enfants sur la pelouse de l'orphelinat, elle trouve un moineau avec une aile brisée et l'œil crevé. Il gît dans l'herbe sous un arbre. Quand elle le recueille au creux de ses mains, il se fige et ne bouge plus. En sanglotant, la petite fille se précipite avec l'oiseau vers le moniteur le plus proche et demande ce qu'on peut faire. Paralysé par la peur, agonisant, le moineau est si faible qu'il remue à peine le bec. Le moniteur dit qu'il n'y a plus rien à faire, mais la petite fille refuse d'accepter la mort imminente du moineau. Elle s'assied par terre, prend gentiment l'oiseau dans sa main gauche et le caresse doucement de l'autre main en chantonnant une chanson qui parle d'un rouge-gorge et d'un cœur qui bat. En un clin d'œil, le moineau est guéri. Les fractures de son aile se remettent, l'œil crevé redevient clair et brillant. L'oiseau chante... et s'envole.

CCY-21-21 devient le centre d'attention d'un joyeux tourbillon. Rose Tucker, que le cauchemar de Projet 99 a presque poussée au suicide, revient à la vie autant que l'oiseau, elle émerge enfin de son abîme de désespoir. Les quinze mois suivants, on explore le pouvoir de guérison de 21-21. Au début, elle ne peut l'exercer à volonté, mais mois après mois, elle apprend à le contrôler, jusqu'au jour où elle parvient à le mettre en pratique à la demande. Parmi les gens qui travaillent au Projet 99, ceux qui ont des problèmes médicaux retrouvent une forme et une santé dont ils se croyaient privés à jamais. Quelques rares hommes politiques et hauts chefs militaires atteints d'une maladie incurable, ainsi que des membres de leurs familles, sont amenés secrètement à l'enfant pour qu'elle les guérisse. Parmi les collaborateurs de Projet 99, certains estiment que 21-21 est leur meilleur atout, d'autres que 89-58 est une valeur plus sûre à long terme, malgré les problèmes qu'il pose.

Maintenant, avançons dans le temps jusqu'à ce jour pluvieux du mois d'août. Quinze mois se sont passés depuis la guérison miraculeuse du moineau blessé. Un généticien de la maison du nom d'Amos est atteint d'un cancer du pancréas, l'une des formes les plus fatales de la maladie. Tandis qu'elle guérit Amos d'une simple imposition des mains, la petite détecte en lui un autre mal, non pas physique, mais tout aussi affligeant. Peut-être à cause de ce qu'il a vu à Projet 99, ou de bien d'autres raisons accumulées durant cinquante ans de vie, Amos a décidé que l'existence n'a aucun but, aucun sens, que notre destinée n'est que néant et que nous ne sommes que poussière dans le vent. Incrustée en lui, cette noirceur est plus sombre que le cancer. La petite fille l'en soulage aussi, en lui montrant tout simplement la lumière de Dieu et l'étrange entrelacs des royaumes de l'au-delà.

Après avoir vu ces choses, Amos est rempli de joie et d'effroi. Il oscille entre le rire et les larmes, et, aux yeux des autres personnes présentes dans la pièce, deux chercheurs du nom de Janice et Vincent, il semble victime d'une inquiétante crise d'hystérie. Quand Amos presse la petite fille d'apporter à Janice la même lumière, elle le fait bien volontiers.

Mais Janice réagit différemment. Chez elle, la peur et la crainte l'emportent. Bourrelée de remords, elle se griffe le visage comme pour se châtier de ses errements passés et du mal qu'elle a infligé aux autres. Son angoisse fait peur à voir.

L'incident fait des vagues.

Rose est convoquée, Janice et Amos isolés et mis en observation. Que leur a fait la petite ? Ce qu'Amos leur raconte d'un air béat semble incohérent. Cet homme qui était, quelques minutes auparavant, un scientifique pondéré et sérieux, sinon heureux, a tout l'air d'un esprit dérangé, quoique inoffensif.

Inquiète, désorientée par les réactions d'Amos et de Janice, la petite fille se renferme et refuse de communiquer. Rose travaille plus de deux heures en privé avec elle et arrive enfin à lui arracher une explication sidérante. L'enfant n'arrive pas à comprendre pourquoi la révélation qu'elle a apportée à Amos et Janice a produit un tel effet sur eux, ni pourquoi la réaction de Janice est un mélange d'euphorie et d'autoflagellation. Née avec une conscience pleine et entière de sa place et de son rôle dans l'univers, avec la certitude de la vie éternelle inscrite dans ses gènes, 21-21 ne comprend pas la dévastation que cette révélation peut provoquer chez ceux qui sont en proie au doute ou englués dans le désespoir.

S'attendant tout au plus à assister à une sorte de tour de

magie opéré par une enfant imaginative prise d'élan mystique, Rose demande à 21-21 qu'elle lui montre aussi. 21-21 lui montre. À partir de cet instant, Rose ne sera plus jamais la même. Au contact de l'enfant, elle s'ouvre à la plénitude de l'existence. Ce qu'elle découvre est indescriptible, et même si la joie jaillit en elle comme un torrent, emportant toutes les misères de sa vie passée, Rose est remplie de terreur, car si elle entrevoit la promesse d'une éternité radieuse, elle se rend compte aussi de ce qu'elle devra accomplir tous les jours de sa vie, dans ce monde et dans ceux à venir, et elle doute de jamais parvenir à répondre à ces attentes. Comme Janice, elle a une conscience aiguë de chacune des mauvaises actions dont elle s'est rendue coupable, méchanceté, mensonge, trahison. Elle sait que cette tendance à l'égoïsme, à la mesquinerie, à la cruauté demeure en elle ; et elle a beau aspirer de tout son être à transcender son passé, elle tremble devant la force d'âme que cela exige.

Quand la vision finit et qu'elle se retrouve comme avant dans la chambre de la petite fille, Rose n'en doute pas un instant : elle a vu la vérité dans toute sa pureté, et non une simple illusion d'enfant transmise par un pouvoir psychique. Pendant presque une demi-heure, elle est incapable de parler et reste assise, tremblante, le visage enfoui dans ses mains.

Peu à peu, elle commence à comprendre ce que tout cela implique. Si cette révélation est apportée au monde, tous les concepts actuels seront dépassés : dès qu'une personne saura qu'il y a une vie après la mort, non sur la promesse d'une foi quelconque, mais parce qu'elle l'aura *vu,* et même si la nature de cette vie reste profondément mystérieuse et inspire autant de crainte que de joie, alors tout ce qui semblait important deviendra insignifiant. Là où il n'y avait qu'un unique sentier à travers les ténèbres s'ouvrent d'infinis possibles. C'est la fin du monde tel que nous le connaissons. Certains n'accueilleront pas de gaieté de cœur le cadeau de la petite fille, car cette fin du vieil ordre signifie leur propre fin, à eux qui prospèrent depuis longtemps sur la souffrance et la faiblesse des autres. Et ceux-là sont nombreux. Ils craindront la petite fille et tout ce qu'elle promet. Ils l'abrutiront de calmants, l'isoleront dans un caisson d'acier, ou bien ils la tueront, tout simplement.

Malgré sa dimension messianique, la petite fille est humaine. Elle peut guérir l'aile d'un oiseau blessé et lui rendre la vue. Elle peut chasser le cancer d'un homme rongé par la maladie. Mais elle n'est pas ange et n'en a pas l'invulnérabilité. Elle est faite de chair et d'os. Son pouvoir précieux réside dans les délicats tissus de son cerveau. Si on lui vide un chargeur dans la nuque, elle mourra comme n'importe quel autre enfant ; et morte, elle ne pourra pas se guérir. Sans doute son âme passera dans d'autres royaumes, mais elle sera perdue pour nous, pour ce lieu troublé qui a tant besoin d'elle. Le monde ne changera pas, la paix ne remplacera pas la discorde ; la solitude et le désespoir ne connaîtront pas de fin.

Rose arrive vite à la conclusion qui s'impose : les directeurs du projet opteront pour la suppression. À l'instant où ils comprendront ce qu'est cette petite fille, ils la tueront.

Avant que la nuit tombe, ils la tueront.

Ils ne voudront pas prendre le risque de la cloîtrer dans un caisson d'acier. Le garçon ne possède que le pouvoir de destruction, mais 21-21 possède celui d'illumination, infiniment plus dangereux.

Ils l'abattront, imbiberont son corps d'essence, mettront feu à son cadavre et éparpilleront ses cendres.

Rose doit agir, et vite. La petite fille doit disparaître de l'orphelinat et être mise en lieu sûr. »

— Joe ?

Se découpant sur la nuit étoilée, comme jaillissant de la croûte terrestre, les montagnes noires s'élevèrent soudain à l'horizon.

— Joe, je regrette, dit-elle d'une toute petite voix, je regrette tellement.

Ils filaient vers le nord sur la nationale 30, à l'est de San Bernardino. Encore soixante-dix kilomètres jusqu'à Big Bear.

— Joe, est-ce que ça va ?

Incapable de répondre, il continua de rouler, les yeux fixés droit devant lui.

— Quand vous vous êtes obstiné à croire que la petite fille qui était avec moi était votre Nina, je ne vous en ai pas dissuadé.

Quelle qu'en soit la raison, elle l'avait trompé. Il n'arrivait pas à comprendre pourquoi elle avait continué à lui cacher la vérité.

— Quand ils nous ont poursuivis, après nous avoir découverts au restaurant, j'avais besoin que vous m'aidiez. Surtout avec cette balle dans le dos. Mais vous n'aviez pas ouvert votre cœur et votre esprit à la photo, quand je vous l'avais donnée. Vous étiez si... fragile. J'ai craint qu'en apprenant que ce n'était pas votre Nina, vous arrêtiez tout. Que vous perdiez tous vos moyens. Que Dieu me pardonne, Joe, mais j'avais besoin de vous. Et maintenant c'est la petite qui a besoin de vous.

Nina avait besoin de lui. Pas une petite fille née dans un labo, ayant le don de transmettre ses fantasmes bizarres à d'autres et d'embrumer leurs esprits crédules. Nina avait besoin de lui. *Nina.*

S'il ne pouvait se fier à Rose Tucker, alors à qui ?

Il réussit à s'arracher un mot : « Continuez. »

« Encore Rose. Dans la chambre de 21-21. Cherchant avec fièvre un moyen de faire passer à la petite un système de sécurité aussi sophistiqué que celui d'une prison.

La réponse lui apparaît soudain dans toute son évidente élégance.

Il y a trois sorties au rez-de-chaussée de l'orphelinat. Rose et la petite fille marchent main dans la main jusqu'à la porte qui relie le bâtiment principal au parking de deux étages.

Un garde armé les voit approcher, plus étonné qu'inquiet. Les orphelins ne sont pas autorisés à pénétrer dans le garage, même sous surveillance.

Quand 21-21 lui tend sa petite main et dit " Bonjour ", le garde sourit et lui prend la main, par gentillesse. Soudain saisi d'émerveillement, il s'assoit, tout tremblant, pleurant de joie et de remords, comme Rose a tremblé et pleuré dans la chambre de la petite.

Rien de plus simple ensuite que de pousser un bouton sur le pupitre du garde pour ouvrir le verrou électronique de la porte.

Un deuxième garde attend de l'autre côté. Il est surpris de voir l'enfant, mais la petite le touche et sa surprise n'est rien comparée à ce qui suit.

Un troisième garde est posté à la sortie du parking. Quand il découvre 21-21 dans la voiture de Rose, il passe la tête par la vitre afin d'exiger une explication, et la petite lui caresse le visage.

Deux autres gardes armés encadrent le portail qui donne sur la route. Toutes les barrières tombent et la campagne de Virginie s'étend devant elles.

Par la suite, il ne sera pas si facile de leur échapper. Si on les arrête, un coup de feu répondra à la main tendue de la petite fille.

Il leur faut au plus vite s'éloigner d'ici, avant que les services de sécurité comprennent ce qui est arrivé à cinq de leurs hommes. Ils vont organiser une battue, peut-être avec l'aide des autorités locales et fédérales. Avec l'énergie du désespoir, Rose fonce sur les routes, montrant une dextérité et des réflexes qu'elle ne se connaissait pas.

À peine assez grande pour regarder par la vitre, 21-21 contemple le paysage, fascinée.

– Ce que c'est grand, dehors, murmure-t-elle enfin.

– Et tu n'as encore rien vu, trésor, dit Rose en riant.

Rose songe qu'elle doit dès que possible faire éclater toute l'affaire, se servir des médias pour étaler au grand jour les pouvoirs guérisseurs de 21-21, puis dévoiler le présent infiniment précieux que la petite peut apporter au monde. Le secret ne profite qu'aux forces obscures et à l'ignorance. Rose pense que 21-21 ne sera en sûreté que quand le monde aura appris son existence. Alors, il la prendra sous sa protection, et l'on ne pourra plus l'enfermer au secret ni la supprimer.

Ses ex-patrons doivent s'y attendre. Ils savent qu'elle va vouloir tout dévoiler. Leur influence est très étendue dans les médias, d'autant plus efficace qu'elle est aussi subtile que l'ombre de nuages courant sur l'eau d'un étang. Dès que Rose refera surface, ils essaieront de la coincer avant qu'elle puisse apporter 21-21 au monde.

Elle connaît une journaliste en qui elle a toute confiance : Lisa Peccatone, une vieille copine de fac qui travaille au *Post*, à Los Angeles.

Il faut donc qu'elle et la petite prennent un avion pour la Californie du Sud dès que possible. Projet 99 est porté conjointement par l'industrie privée, des éléments issus des milieux de la Défense et d'autres services gouvernementaux très puissants. Il serait plus facile de stopper une avalanche avec une plume que de résister à leurs forces combinées, et ils n'hésiteront pas à utiliser tout leur arsenal pour localiser Rose et la petite fille.

Tenter de s'envoler de Dulles ou de l'aéroport de Washington est trop dangereux. Rose pense à Baltimore, Philadephie, New York, Boston. Elle choisit New York. Plus elle brouillera la piste, plus elles auront des chances de leur échapper. Aussi emprunte-t-elle différentes routes, régionales et nationales. Elle roule jusqu'à Hagerstown, dans le Maryland, puis de là à Harrisburg, en Pennsylvannie, sans incident. Pourtant, au fil des kilomètres, l'idée que ses poursuivants ont pu mettre un mouchard sur sa voiture l'inquiète de plus en plus. Si tel est le cas, qu'importe la distance qu'elle mettra entre elles et Manassas, ils les retrouveront toujours. À Harrisburg, elle et la petite abandonnent la voiture et continuent en bus jusqu'à New York.

Quand elles se retrouvent à bord du vol Nationwide 353 à destination de Los Angeles, Rose se croit en sûreté. Dès qu'elles atterriront, Lisa et son équipe seront là pour les accueillir, et la série d'éruptions médiatiques commencera.

Pour le manifeste passager, Rose laisse entendre qu'elle est mariée à un Blanc et elle présente 21-21 comme sa filleule, lui choisissant le nom de Mary Tucker. Avec les médias, elle a l'intention d'utiliser le nom de code CCY-21-21, parce que sa similitude avec les numéros tatoués sur les poignets des détenus dans les camps de concentration caractérisera mieux que tout Projet 99 dans l'esprit du public et engendrera chez lui une sympathie immédiate pour l'enfant. Elle se dit aussi qu'il lui faudra consulter 21-21 pour adopter un prénom définitif. Étant donné le rôle historique que cette enfant est appelée à jouer, il faut un prénom qui sonne bien.

Elles sont assises, de l'autre côté de l'allée, sur la même rangée qu'une mère et ses deux petites filles retournant chez elles. Michelle, Chrissie et Nina Carpenter.

Nina a pratiquement le même âge et la même taille que 21-21. Elle joue avec un jeu électronique qui s'appelle Cochons et Princes, conçu pour les enfants en âge préscolaire. 21-21 est fascinée par les sons et les images qu'elle voit sur le petit écran. Nina s'en aperçoit et invite " Mary " à s'asseoir avec elle sur deux sièges vides, pour qu'elles puissent jouer ensemble. Rose hésite, mais 21-21 est plus qu'intelligente pour son âge et elle sait qu'il faut rester discrète. Aussi se laisse-t-elle attendrir. C'est la première fois que 21-21 joue de façon spontanée. La petite Nina a beaucoup de charme, elle est douce et sociable. 21-21 a beau être un génie avec les capacités de lecture d'un étudiant de faculté, une guérisseuse aux pouvoirs miraculeux et l'espoir du monde, elle est si captivée par Nina qu'elle veut être Nina. Inconsciemment, elle commence à imiter les gestes de Nina et sa façon de parler.

Il était tard quand l'avion a quitté New York. Au bout d'une heure ou deux, Nina commence à avoir sommeil. Elle embrasse 21-21 et, avec la permission de Michelle, elle fait cadeau du jeu électronique à sa nouvelle amie. Puis elle regagne sa place auprès de sa mère et de sa sœur, et elle s'endort.

Nageant en plein délice, 21-21 retourne s'asseoir près de Rose. Elle serre le petit jeu vidéo contre son cœur comme s'il s'agissait d'un trésor inestimable. Elle ne veut même plus jouer avec tant elle a peur de le détraquer; elle veut qu'il reste toujours exactement comme Nina le lui a donné. »

À l'ouest de la ville de Running Lake, encore à bonne distance de Big Bear Lake, Joe suivait la ligne de crêtes après avoir franchi les cañons, sur une route que les arbres fouettés par le vent bombardaient de pommes de pin. Il se refusait à prendre en compte l'histoire du jeu vidéo et ce qu'elle impliquait. En écoutant Rose, il avait failli laisser éclater sa rage. Il savait qu'il n'avait aucune raison d'en vouloir à cette femme ni à l'enfant qui avait un numéro en guise de nom, mais il n'en était pas moins furieux, peut-être parce que la colère lui était coutumière et qu'elle correspondait mieux à son tempérament que le chagrin.

Il changea de sujet, pour écarter l'image des deux petites filles en train de jouer.

– Quel rôle Horton Nellor joue-t-il dans tout ça, sinon qu'il possède Teknologik en bonne part et que Teknologik est partie prenante dans Projet 99?

– Les salauds dans son genre se considèrent comme les maîtres du monde et ils confisqueront l'avenir, à moins que...

Elle s'interrompit pour caler la canette de Pepsi entre ses genoux et tirer l'anneau de sa main droite. Elle y réussit avec peine.

– ... à moins que Nina entre en scène. Elle peut tout changer.

– Affaires, politique et médias confondus, ne formant plus qu'une seule bête immonde pour mieux nous exploiter. C'est ça? Ça paraît un peu caricatural comme point de vue, non?

Rose se cogna les dents contre la canette en alu et un peu de Pepsi lui coula sur le menton.

– La seule chose qui compte pour eux, c'est le pouvoir. Pour eux, il n'y a ni bien ni mal. Il n'y a que les faits. Et ce que ces faits signifient dépend du tour qu'on leur donne.

Elle parlait d'une voix rauque, comme si elle avait la gorge sèche, malgré tout le soda qu'elle avait bu.

Joe lui en voulait de l'avoir entretenu dans l'illusion qu'il allait retrouver sa fille, mais il ne pouvait supporter de la voir s'affaiblir à vue d'œil. Il cligna des yeux, fixa devant lui la route où une pluie d'épines de pin tournoyait dans la poussière et appuya sur l'accélérateur.

La canette de soda s'échappa de la main de Rose, tomba par terre et roula sous le siège.

– Je l'ai lâchée, Joe.

– On va bientôt arriver.

– Il faut que je vous dise comment ça s'est passé... quand l'avion est tombé.

« Les réacteurs hurlent, les ailes et le fuselage vibrent avec des craquements sinistres. Les passagers, criant de terreur, sont compressés si fort dans leurs sièges par l'effet croissant de la pesanteur que beaucoup n'arrivent même pas à lever la tête. Ils prient, vomissent, pleurent, jurent, invoquent Dieu par ses multiples noms, appellent leurs aimés. Une chute qui semble durer une éternité, comme s'ils tombaient de la lune...

... et soudain Rose se retrouve dans du bleu, une clarté bleue et silencieuse, comme un oiseau en plein vol, sauf qu'il n'y a pas de terre en dessous, seulement du bleu, tout autour. Aucune sensation de mouvement. Ni chaleur ni froid. Une sphère parfaite d'un bleu pervenche avec elle au milieu, au centre de la sphère. Suspendue. En attente. Elle inspire profondément. Mais quand elle veut expirer, elle ne peut pas, elle ne peut pas jusqu'à ce que...

... elle réussise enfin à chasser l'air de ses poumons, si fort que son expiration ressemble à un cri. Et elle se retrouve dans la prairie, assise dans son siège, figée, avec 21-21 à côté d'elle. Les bois avoisinants sont en feu. De tous côtés, des flammes lèchent des monceaux de débris tordus. La prairie est un charnier indescriptible. Et le 747 a disparu.

Au dernier moment, la petite fille, en faisant appel à toute la puissance de son don, les a transportées hors de l'avion au prix d'un effort surhumain, dans un autre lieu, une dimension étrangère à l'espace-temps. Elle les a gardées là, dans ces limbes mystérieux, pendant l'instant où l'avion a percuté le sol. Cet effort a vidé 21-21, elle a froid, elle tremble, elle est incapable de parler. Reflétant les feux qui l'entourent, ses yeux brillants ont le regard lointain d'un enfant autiste. Au début elle ne peut pas marcher ni même tenir debout, Rose doit la soulever de son siège et la porter.

Pleurant pour les morts épars dans la nuit, horrifiée devant le carnage, effarée d'avoir survécu, prise dans un ouragan d'émotion, Rose est debout. Elle tient la petite fille dans ses bras, mais elle est incapable d'avancer d'un pas. Puis elle se souvient des lumières qui ont vacillé dans l'avion, des aiguilles de sa montre tournant à une vitesse anormale ; alors elle comprend que le pilote a été l'objet d'une liquéfaction, que le garçon qui vit dans le caisson d'acier, enfoui bien profond sous la campagne riante de Virginie, s'est emparé de son esprit. Cette découverte la pousse à s'éloigner au plus vite du lieu de la catastrophe. Elle contourne les arbres en feu, pénètre dans la forêt baignée de lune, erre à travers des taillis rebelles, puis suit une piste de daim tachetée d'ombre et d'argent jusqu'à une autre prairie, une crête d'où elle découvre les lumières du ranch du Bon Vieux Temps.

Quand elles arrivent au ranch, la petite fille semble mieux, mais elle n'est pas encore redevenue elle-même. Elle est capable de marcher, mais demeure dans un état léthargique. En approchant la maison, Rose rappelle à 21-21 que son nom est Mary Tucker, mais 21-21 dit : "Je m'appelle Nina. C'est Nina que je veux être."

Ce sont les derniers mots qu'elle prononce... Durant les mois qui suivent le crash, réfugiée chez des amis de Rose en Californie du Sud, la petite dort douze à quatorze heures par jour. Quand elle est réveillée, rien ne l'intéresse. Elle reste assise pendant des heures à regarder par une fenêtre, contemple une illustration dans un livre de contes, ou reste prostrée. Elle n'a aucun appétit, elle maigrit. Elle est pâle, grêle et même ses yeux améthyste semblent perdre de leur couleur. Manifestement, l'effort qu'elle a dû déployer pour les transporter dans cet ailleurs bleu l'a complètement épuisée. Il a peut-être failli la tuer. Nina ne montre plus aucun don et Rose perd courage.

Pourtant, vers la Noël, Nina recommence à s'intéresser au

monde qui l'entoure. Elle regarde la télé. Elle se remet à lire. À mesure que l'hiver avance, elle dort moins et mange mieux. Sa peau retrouve son ancien éclat, la couleur de ses yeux s'intensifie. Elle ne parle toujours pas, mais son lien au monde semble s'affermir. Rose l'encourage à sortir de l'exil qu'elle s'est imposé en lui parlant tous les jours du bien qu'elle peut faire et de l'espoir qu'elle peut apporter aux autres.

Dans la chambre qu'elle partage avec la petite fille, Rose garde dans le tiroir d'un bureau un exemplaire du *Los Angeles Post*, qui consacre toute sa une au sort du vol Nationwide 353. Afin de ne pas oublier la folie meurtrière de ses ennemis. Un jour de juillet, onze mois après le désastre, elle trouve Nina assise au bord du lit, le journal ouvert devant elle sur les photographies de certaines victimes du crash. La petite caresse le visage de Nina Carpenter, et elle sourit.

Rose s'assied à côté d'elle et lui demande si le souvenir de son amie perdue la rend triste.

La petite secoue la tête pour dire non. Puis elle guide la main de Rose sur la photo ; quand ses doigts touchent le papier Rose retombe dans une clarté bleue semblable au sanctuaire qui les avait protégées à l'instant du crash. Sauf que c'est aussi un lieu plein de mouvement, de chaleur, de sensation.

Rose a l'impression d'avoir plongé dans une mer de lumière bleue, une mer qui fourmille de nageurs qu'elle ne peut voir, mais qu'elle sent glisser et virevolter autour d'elle. Puis l'un des nageurs semble traverser Rose et s'attarder au passage. Rose sait qu'elle est avec Nina Carpenter, la petite fille au sourire en coin, celle qui a donné son jeu vidéo. Elle est morte, mais en lieu sûr, disparue, mais pas pour toujours, elle vit heureuse dans un ailleurs situé au-delà de cette clarté bleue foisonnante, qui n'est pas vraiment un lieu, mais une interface entre des phases de l'existence.

Aussi bouleversée que lors de sa première découverte de l'après-vie dans la chambre de l'orphelinat, Rose retire la main de la photo de Nina Carpenter et reste silencieuse, saisie d'effroi, comme pétrifiée. Puis elle prend sa Nina à elle dans ses bras, la serre et la berce, incapable de parler et n'en éprouvant pas le besoin.

Maintenant que la petite fille a retrouvé son pouvoir, Rose sait ce qu'il leur reste à faire et par où elles doivent commencer.

Elle ne veut pas prendre à nouveau le risque de contacter Lisa Peccatone. Elle ne pense pas que sa vieille amie l'ait trahie sciemment, mais elle soupçonne que c'est à cause du lien qui relie Lisa au *Post*, et le *Post* à Horton Nellor, que les gens de Projet 99 ont appris sa présence à bord du vol 353. Tant qu'on les croit mortes, elles doivent tirer parti de leur statut de fantômes pour agir aussi longtemps que possible sans attirer l'attention de leurs ennemis. D'abord, Rose demande à la petite fille de faire le don suprême de la vérité éternelle aux amis qui les ont recueillies durant ces onze derniers mois. Puis elles contacteront les maris, femmes, parents et enfants de ceux qui ont péri sur le vol 353 pour leur apporter la même connaissance, ainsi que des visions de leurs bien-aimés dans la clarté bleue. Avec un peu de chance, elles diffuseront si bien leur message avant d'être découvertes qu'il ne pourra plus être étouffé.

Rose a l'intention de commencer par Joe Carpenter, mais elle n'arrive pas à le localiser. Ses collègues du *Post* ont perdu sa trace. Il a vendu la maison de Studio City. Dans l'annuaire, il n'y a aucun numéro à son nom. On dit que c'est un homme brisé et qu'il se terre quelque part pour mourir.

Elle doit donc se tourner vers d'autres.

Puisque le *Post* n'a publié que quelques photos des victimes et que Rose n'a pas le moyen de rassembler les autres photos, elle décide de ne pas se servir des portraits. Au lieu de ça, elle retrouve les tombes des victimes grâce aux notices nécrologiques et en prend des clichés. Il semble bon que l'image imprégnée soit une pierre tombale, que ces monuments de bronze et de granite deviennent des portes grâce auxquelles ceux qui recevront les photos apprendront que la mort n'est pas puissante ni terrifiante, que par-delà cette phase amère, la mort elle-même a une fin. »

Là-haut, sur les montagnes battues par les vents, la forêt houleuse des conifères projetait des nuées d'aiguilles de pin sur la route baignée de lune, tandis que Big Bear Lake était encore à plus de trente kilomètres.

— Joe, vous voulez bien me tenir la main ? demanda Rose Tucker, si doucement que Joe l'entendit à peine par-dessus le bruit du moteur et le frottement des pneus.

Il ne pouvait pas la regarder, ne voulait pas, n'osait même pas lui lancer un coup d'œil, s'accrochant à la superstition enfantine qu'elle irait bien, parfaitement bien, tant qu'il ne verrait pas de ses yeux la terrible vérité qu'il entendait dans sa voix. Mais il regarda. Elle était si petite, affalée dans son siège, calée contre la portière, la nuque appuyée contre la vitre, aussi petite que 21-21 avait dû lui paraître, à elle, quand elles avaient fui la Virginie. Même à la faible lueur provenant du tableau de bord, ses grands yeux expressifs exerçaient la même attraction que lorsqu'il l'avait rencontrée la première fois dans le cimetière. Ils étaient emplis de compassion, de tendresse, et d'une joie étrange qui l'effraya.

— Ce n'est plus loin maintenant, dit-il d'une voix qui tremblait plus que la sienne.

— Trop loin, murmura-t-elle. Prenez ma main, Joe.

— Oh, merde.

— Tout va bien, Joe.

Il stoppa la voiture le long d'une petite plate-forme panoramique aménagée sur le bas-côté de la route. Devant eux s'étendait un paysage nocturne fait d'un ciel où le disque glacé de la lune semblait diffuser plus de froid que de lumière et d'une vaste pénombre d'arbres, de rochers et de profonds cañons.

Il défit sa ceinture de sécurité, se pencha vers elle et lui prit la main.

— Elle a besoin de vous, Joe, dit-elle avec une faible étreinte.

— Je n'ai rien d'un héros, Rose. Je ne suis bon à rien.

— Il faut la cacher... l'emmener loin...

— Rose...

— Donnez-lui le temps d'accroître son pouvoir.

— Je suis incapable de sauver qui que ce soit.

— Je n'aurais pas dû commencer le travail si tôt. Le jour viendra où... où elle ne sera pas si vulnérable. Cachez-la bien... laissez son pouvoir grandir. Elle saura... quand le temps viendra.

Elle commença à relâcher son étreinte.

Il retint vite la main qui s'échappait des siennes.

— Ouvre... ouvre-lui ton cœur, Joe, dit-elle d'une voix ténue, et il eut l'impression qu'elle s'éloignait de lui, tout immobile qu'elle fût.

Ses paupières battirent faiblement.

— Rose, non.

— Tout va bien.

— Je vous en supplie, Rose.

— À bientôt, Joe.

Puis il se retrouva seul dans la nuit. Tout seul dans la nuit tandis que le vent jouait une mélopée funèbre. Il lui tint la main, puis, dès qu'il en fut capable, il déposa un baiser sur son front.

Les indications que Rose lui avait données furent faciles à suivre. Le chalet n'était pas dans la ville de Big Bear Lake ni sur les rives du lac, mais plus haut, accroché à la pente nord de la montagne et niché dans un bois de pins et de bouleaux. La route pleine d'ornières débouchait sur un chemin de terre menant à un petit chalet en bois blanc avec un toit de bardeaux.

Il y avait une Jeep Wagoner verte sur le côté de la maisonnette. Joe se gara derrière elle.

Le chalet avait une grande véranda extérieure, où étaient disposés trois rocking-chairs en rotin. Un Noir, bel homme et bien charpenté, se tenait à la balustrade, son teint d'ébène avait des reflets cuivrés sous la lumière jaune des deux ampoules nues pendues au plafond.

La petite attendait en haut des quatre marches conduisant à la véranda. Elle était blonde et paraissait avoir dans les six ans.

Joe tira du dessous de son siège le revolver qu'il avait pris au type aux cheveux blancs, après la bagarre sur la plage. En sortant de la voiture, il coinça l'arme sous la ceinture de son jean.

Le vent sifflait et gémissait à travers les branches serrées des épineux.

Il marcha jusqu'au bas des marches.

L'enfant se tenait juste au-dessus. Son regard était fixé au loin, vers la Ford. Elle savait ce qui était arrivé.

Sur la véranda, l'homme noir se mit à pleurer.

Pour la première fois depuis un an, depuis qu'en sortant du ranch des Ealing elle avait dit à Rose qu'elle voulait s'appeler Nina, la petite fille parla. Fixant la voiture, elle ne dit qu'un mot, d'une petite voix douce : « Maman. »

Ses cheveux avaient la même nuance que ceux de Nina et elle était tout aussi frêle. Mais ses yeux n'étaient pas gris comme ceux de Nina, et Joe eut beau s'efforcer tant qu'il put de lui substituer le visage de sa fille, il ne parvint pas à s'illusionner.

Il s'était encore une fois fourvoyé dans une quête éperdue, cherchant désespérément à retrouver ce qui était perdu pour toujours.

La lune au-dessus était une voleuse, elle ne rayonnait pas

d'une lumière propre, sa lueur n'était qu'un faible reflet du soleil. Et cette petite fille aussi était une voleuse, elle ne rayonnait pas comme Nina, elle n'en était qu'un pâle reflet, une vague lueur.

Sans se préoccuper de savoir si elle n'était qu'une mutante née en laboratoire et douée d'étranges pouvoirs ou l'espoir de l'humanité, Joe la détesta. Oui, il s'en voulut, mais il la détesta.

5.

Le vent brûlant cognait avec humeur aux fenêtres et le chalet sentait le pin, la poussière, la suie noire des flambées de l'hiver précédent qui recouvrait les murs de brique du grand foyer.

Les lignes électriques qui arrivaient jusqu'ici avaient suffisamment de mou pour se balancer dans le vent. Elles venaient parfois battre contre les murs de la maison, entraînant des chutes de courant qui faisaient vaciller les lumières. À chaque variation, Joe se souvenait des lumières de chez les Delmann, et cela lui donnait la chair de poule.

Le Noir qui avait éclaté en sanglots sur le porche et à qui appartenait le chalet était Louis Tucker, le frère de Mahalia, qui avait quitté Rose dix-huit ans plus tôt, quand elle s'était avérée incapable d'avoir des enfants. C'est vers lui qu'elle s'était tournée aux heures sombres du danger. Et après tout ce temps, même s'il avait une femme et des enfants qu'il chérissait, Louis aimait encore Rose, manifestement.

— Pourquoi pleurer, puisque pour vous, Rose n'est pas vraiment morte, mais juste partie pour un autre monde ? demanda Joe froidement.

— Parce qu'elle n'est plus là et que je ne la retrouverai pas de sitôt, dit Louis. Ce n'est pas pour elle que je pleure, c'est pour moi.

Deux valises étaient posées juste à côté de la porte. Elles contenaient les affaires de la petite fille.

À la fenêtre, elle regardait la Ford. Le chagrin qu'elle ressentait était palpable, il l'enveloppait des pieds à la tête, comme un gros sac de toile.

— Je ne suis pas rassuré, dit Louis. À l'origine, Rose devait rester ici avec Nina, mais je ne sais pas si l'endroit est encore sûr. Il est possible qu'ils aient repéré notre dernière cache, là où j'étais avec la petite avant de venir ici. Une ou deux fois sur le chemin, j'ai cru voir la même voiture derrière nous. Puis elle a disparu.

— Ils n'ont pas besoin de vous suivre. Avec leurs gadgets, ils peuvent vous filer à des kilomètres de distance.

— Et puis juste avant que vous veniez vous garer dans l'allée, reprit Louis, je suis sorti sur le balcon. Il m'avait semblé entendre le bruit d'un hélicoptère. Mais c'est absurde, si haut dans ces montagnes, avec ce vent...

— On ferait mieux de changer d'air, acquiesça Joe.

Tandis qu'à cause du vent les lignes électriques venaient fouetter les murs du chalet, Louis marcha jusqu'à la cheminée, puis en revint en pressant une main sur son front, comme pour chasser la mort de Rose de son esprit et se concentrer sur l'urgence du moment.

— Je m'étais figuré que vous et Rose... Bref, je croyais que c'est vous qui alliez l'emmener. S'ils sont après moi, elle sera plus en sécurité avec vous, non?

— S'ils sont après vous, alors aucun de nous n'est plus en sécurité, dit Joe. Et nous n'avons aucune chance de leur échapper.

Les lignes électriques claquèrent encore contre la maison, faisant vaciller les lumières. Louis retourna jusqu'à la cheminée et ramassa dans le foyer le long bec d'un appareil à gaz.

— Non, dit soudain la petite fille, et elle se retourna, les yeux écarquillés.

Louis Tucker cliqua sur l'embout de l'appareil. Une flamme bleue jaillit du bec. En riant, il enflamma ses cheveux et sa chemise.

— Nina! cria Joe.

La petite fille le rejoignit en courant tandis qu'une horrible odeur de roussi envahissait la pièce.

Couvert de flammes, Louis gagna la porte d'entrée pour leur bloquer la sortie.

Joe tira le pistolet de sa ceinture et le visa, mais il ne put appuyer sur la détente. L'homme qu'il avait en face de lui n'était plus vraiment Louis Tucker; il était devenu la chose du garçon qui le manipulait à cinq mille kilomètres de là, en Virginie. Il n'y avait aucune chance que Louis retrouve le contrôle de son corps et survive à cette nuit. Pourtant Joe hésitait à tirer, car à l'instant même où Louis mourrait, le garçon chercherait à contrôler quelqu'un d'autre.

La petite était sans doute intouchable, son propre pouvoir paranormal la protégeant. C'est donc Joe, et l'arme qu'il tenait à la main, que le garçon utiliserait pour tuer la petite fille.

— *Marrant*, dit le garçon avec la voix de Louis, dont le visage et les oreilles se couvraient de cloques.

Manifestement, cette petite balade dans le corps d'un autre l'amusait, mais il n'oubliait pas pour autant de leur bloquer la sortie.

Peut-être qu'au moment crucial Nina pourrait se transporter dans la clarté bleue, comme elle l'avait fait juste avant que le 747 ne s'écrase. Peut-être que les balles ne traverseraient que du vide, là où elle se tenait l'instant d'avant. Mais il y avait le risque qu'elle ne soit pas encore tout à fait remise, pas encore assez forte pour réussir cet exploit ; ou qu'elle succombe cette fois à l'effort surhumain qu'il exigeait d'elle.

— Sors par l'arrière de la maison ! lui cria Joe. Vas-y ! Fonce !

Nina courut jusqu'à la porte qui menait à la cuisine.

Joe la suivit à reculons, gardant le pistolet braqué sur l'homme qui brûlait, même s'il n'avait pas l'intention de s'en servir.

Leur seul espoir, c'était que le garçon se délecte assez longtemps de la situation pour leur donner le temps de sortir du chalet et de se retrouver à ciel ouvert, là où sa capacité à visualiser et à contrôler un esprit à distance serait, d'après ce que Rose avait expliqué, fortement diminuée. Dès qu'il lâcherait le jouet qu'était devenu Louis Tucker, c'est de Joe qu'il prendrait possession.

— *Ouais, super*, disait la chose en passant l'embout enflammé le long de ses bras, de ses jambes.

Soudain il le jeta de côté et se mit à les chercher.

Joe ne se souvenait que trop de la morsure glacée qu'il avait ressentie dans la nuque en fuyant la maison des Delmann. Cette perspective l'effrayait bien plus que les bras enflammés du spectre qui avançait vers lui d'une démarche chaotique.

Il se réfugia comme un fou dans la cuisine, claquant la porte derrière lui. Un geste vain, car aucun obstacle matériel ne pourrait arrêter le garçon, s'il décidait d'abandonner le corps de Louis pour s'emparer du sien.

Comme Nina se faufilait par la porte de derrière, le vent s'engouffra en hurlant à l'intérieur. Joe la suivit dans la nuit.

Du sable, des feuilles mortes, des aiguilles de pin tournoyaient dans l'air. Derrière le chalet se trouvait un petit terrain couvert d'une herbe drue, avec une table et quatre chaises de jardin en séquoia. Et, juste au-delà, la forêt.

Nina courait déjà pour gagner les arbres. Elle pénétra le fouillis d'herbes hautes qui se dressaient à l'orée du bois et s'évanouit dans la pénombre des pins et des bouleaux.

Craignant de la perdre de vue, Joe s'enfonça entre les arbres en criant son nom, un bras levé pour se protéger les yeux des branches les plus basses.

« Me voilà, me voilà, gare à vous, je suis là, j'approche ! » entendit-il derrière lui. C'était encore la voix de Louis Tucker, indistincte à cause de ses lèvres boursouflées mais répétant d'un ton enjoué ces mots d'enfants qui jouent à chat.

La lune perça par une trouée d'arbres. Joe aperçut à sa droite les cheveux blonds de la petite fille, pâle lueur, reflet d'un autre reflet, à seulement cinq ou six mètres en avant. Trébuchant sur une souche pourrie, il glissa, se redressa, se fraya un passage dans des taillis épineux qui lui arrivaient à la taille et découvrit que Nina avait trouvé une sorte de sentier, sans doute une piste ouverte par un troupeau de daims.

À l'instant où il la rattrapa, les ténèbres alentour s'illuminèrent. Des flammes vinrent lécher le tronc des arbres et fusèrent à travers les bosquets de pins et d'épicéas.

Joe se retourna ; le possédé était à dix mètres d'eux, transformé en torche humaine mais toujours debout. Il avançait en gesticulant à travers les taillis et en se cognant d'arbre en arbre. Le tapis d'aiguilles sèches sur lequel il titubait s'enflammait à son passage et le feu se propageait aussitôt dans les herbes, les fourrés, les arbustes. Il n'était plus qu'à cinq mètres d'eux, maintenant. Le vent puait la chair calcinée. Le garçon devait jubiler, de la bouche du possédé sortaient d'horribles cris de joie, des mots confus, incompréhensibles.

Joe avait beau le tenir des deux mains, le pistolet tremblait. Il appuya sur la détente, six fois de suite ; au moins quatre balles frappèrent leur cible. Le spectre enflammé bascula en arrière et ne bougea plus ; il ne tressaillit même pas.

Louis Tucker n'était plus qu'un cadavre qui se calcinait. Son corps n'abritait plus aucun esprit que le garçon puisse enfourcher et tourmenter à sa guise.

Sa présence flottait, avide, invisible.

Joe se tourna vers Nina... et sentit un stylet glacé lui pénétrer la nuque. La pointe semblait moins acérée que lorsque le garçon avait failli s'emparer de lui sur le seuil des Delmann. Peut-être son pouvoir diminuait-il vraiment à ciel ouvert. Mais la seringue psychique piquait encore, et elle atteignit son but.

Joe hurla.

La petite lui prit la main.

Chancelant, Joe porta la main à sa nuque. Mais il ne sentit rien, aucune meurtrissure.

Le contact de Nina l'avait sauvé.

Avec un cri de sorcière, un faucon piqua alors du haut d'un arbre et se jeta sur la tête de la petite, lacérant son cuir chevelu, battant des ailes, frappant du bec. Elle hurla et se couvrit le visage. Joe chassa l'oiseau. Mais ce n'était pas un simple rapace agacé par le vent, affolé par le feu qui gagnait à travers les sous-bois. Poussé par son nouvel hôte de Virginie, il revint à la charge avec un cri féroce et tomba comme une flèche, piquant du bec, bien trop vif pour qu'on puisse le viser avec une arme à feu.

Joe se jeta à genoux sur le sentier et prit la petite fille contre lui pour la protéger. Elle enfouit son visage dans sa poitrine. L'oiseau cherchait à atteindre ses yeux. À y planter son bec acéré, à fouir dans l'orbite pour parvenir aux tissus délicats du cerveau et la priver de son pouvoir.

Le faucon frappa, il planta ses serres dans la manche de Joe, transperçant la chair de ses avant-bras, fouillant les cheveux blonds de Nina, battant des ailes tout en lui donnant des coups de bec furieux sur la tête, parce qu'elle lui dérobait son visage. Accroché à eux, il s'en prit aux mains de Joe, puis il attaqua son visage, cherchant ses yeux. *Mon Dieu !* Joe sentit une douleur fulgurante tandis que le bec lui déchirait la joue. *Saisis-le, essaie de l'arrêter.* Mais les coups de bec furieux continuaient. Le faucon l'atteignit au sourcil droit. Joe l'agrippa des deux mains, les serres lui déchirèrent les poignets, les ailes battirent contre son visage et le faucon dressa la tête pour le viser de son bec, ses yeux brillant d'une lueur de sang à la lumière des flammes. *Broie-le, broie-le entre tes mains, qu'il ne lui reste plus une goutte de vie.* Les os du faucon étaient fins et creux, ce qui lui permettait de voler avec grâce, mais le rendait fragile. Joe l'écrasa entre ses mains. Il sentit le bréchet craquer sous la pression et le jeta alors loin de la petite. L'oiseau retomba sur la piste de daim, toujours en vie, mais battant vainement des ailes, incapable de s'élever dans la nuit.

Joe écarta les cheveux emmêlés de Nina. Elle n'était pas blessée. Ses yeux n'avaient pas été touchés. Il fut envahi d'un soudain élan de fierté. Il l'avait protégée...

Mais lui ne devait pas être beau à voir. Le sang suintait de son sourcil entaillé et brouillait sa vision, il coulait de sa joue ouverte, de sa main déchirée, de son poignet troué de coups de bec.

Joe récupéra le pistolet, mit le cran de sûreté et le fourra de nouveau sous sa ceinture.

Des bois environnants monta un bramement de terreur qui s'interrompit brusquement, puis sur la pente montagneuse, pardessus le hurlement du vent, un cri aigu perça la nuit. Quelque chose arrivait.

Le garçon avait-il accru son pouvoir durant les mois où Rose était en cavale et parvenait-il mieux à contrôler quelqu'un à l'extérieur ? Ou bien le noyau comprimé de ses talents psychiques subissait-il effectivement, comme l'avait prétendu Rose, une déperdition de chaleur et d'énergie semblable à celle d'une pierre chaude exposée à l'air, mais pas assez vite pour désamorcer complètement son attaque ?

À cause du vent qui soufflait en rafales et du grondement de l'incendie qui déferlait sur eux à la vitesse d'un rapide, Joe ne savait pas exactement d'où le cri était monté. Mais le garçon était sûrement en train d'approcher en silence, dans son nouveau costume de chair, de sang et d'os.

Joe prit la petite dans ses bras. Il fallait qu'ils continuent à avancer et, tant qu'il avait de l'énergie, il marcherait plus vite à travers les bois en la portant qu'en la tenant par la main.

Elle était si menue qu'il en fut effrayé. Presque aussi frêle que les os friables du faucon.

Elle s'agrippa à lui et il essaya de lui sourire. Mais dans le halo infernal, ses yeux flamboyants et son sourire forcé devaient davantage effrayer que rassurer.

En plus du garçon fou incarné dans sa nouvelle peau, une autre menace se profilait : le souffle explosif du Santa Ana activait l'incendie, d'immenses vagues de feu s'enflaient et roulaient sur le flanc de la montagne. Après un été sec et torride, l'écorce des pins, gorgée de résine, s'enflammait comme un chiffon imbibé d'essence.

Des remparts de flammes bloquaient le chemin du chalet. Ils ne pouvaient contourner l'incendie et le prendre à revers, car le feu s'étendait à une vitesse telle qu'ils n'auraient pas eu le temps de se frayer de nouveau un passage dans les broussailles sur un sol aussi accidenté.

Oui, le feu avançait droit sur eux et vite. Il gagnait du terrain.

Joe restait figé avec Nina dans ses bras, en plein désarroi. Il se rendit compte qu'ils n'avaient pas d'autre choix que d'abandonner la voiture. Pour sortir des montagnes, ils devraient faire tout le trajet à pied.

Des masses croulantes d'épines et de pommes de pin enflammées dégringolaient de la cime des arbres au-dessus d'eux, autant de brandons qui rebondissaient de branches en branches, enflammant tout sur leur passage. Et le vent activait tous ces brûlots à travers la forêt, comme une arme futuriste vomissant un feu mortel. Joe et Nina se retrouvèrent soudain pris dans un tunnel de feu.

Il se mit à courir comme un fou sur l'étroit sentier, avec la petite fille dans les bras, s'éloignant du chalet, la tête pleine d'histoires macabres parlant de gens pris dans des incendies de maquis, rattrapés par le feu et incapables de lui échapper.

Ils sortaient juste du tunnel de feu quand de nouvelles oriflammes se déployèrent au-dessus de leurs têtes, embrasant le sommet des arbres qui s'élançaient devant eux. Des essaims d'aiguilles brûlantes leur tombaient dessus, menaçant de mettre feu à leurs cheveux, à leurs vêtements. Le tunnel s'allongeait à mesure qu'ils couraient pour en sortir.

La fumée s'épaississait autour d'eux, nouvelle menace oppressante. À mesure que le feu s'intensifiait, il engendrait lui-même des souffles et des courants d'air qui augmentaient encore la puissance du Santa Ana, provoquant un ouragan de flammes dont les bourrasques soufflèrent d'abord des lambeaux de fumée, puis des masses épaisses et suffoquantes sur la piste qu'ils suivaient.

Joe s'essouffla plus vite qu'il ne s'y attendait. Déshydraté, la gorge et le nez asséchés, aspirant les fumées acides et la suie grasse, crachant une salive épaisse qui lui donnait des hauts-le-cœur, il atteignit une crête, serrant toujours Nina contre lui.

Le pistolet qu'il avait passé sous sa ceinture lui rentrait dans la chair. Il s'en serait débarrassé, s'il avait pu tenir Nina d'une seule main. Mais il craignait de la lâcher.

Quand il traversa la crête étroite et suivit la piste descendante, il découvrit que le vent était moins fort de ce côté-ci. Les flammes surgissaient en travers de l'arête, mais la ligne de feu avait perdu assez de vitesse pour leur permettre de sortir de la fournaise et d'échapper à la fumée. L'air lui sembla si pur, si doux, qu'il le goûta en gémissant d'aise.

Joe avait largement dépassé son niveau de résistance nerveuse et d'endurance physique. Sans la panique qui le soutenait et le poussait à enfreindre ses limites, il se serait sans doute effondré avant d'atteindre la crête. Les muscles de ses jambes lui faisaient mal. Ses bras lui semblaient de plomb à force de porter la petite fille. Mais ils n'étaient pas hors de danger et il continua d'avancer en titubant d'épuisement, clignant des yeux pour chasser les larmes piquantes qui l'aveuglaient, mais avançant tout de même... jusqu'à ce que le coyote arrive par-derrière et lui saute sur le dos, cherchant à le mordre sauvagement, n'attrapant que les pans de sa veste en velours.

Joe vacilla sous l'impact, au moins quarante kilos de fureur carnassière. Il faillit tomber la tête la première en risquant d'écraser Nina, mais le coyote accroché à ses basques fit contrepoids et Joe garda l'équilibre.

La veste se déchira, le coyote lâcha prise et retomba sur ses pattes.

Joe posa Nina à terre et se tourna vers lui en tirant le pistolet de sa ceinture, remerciant le ciel de l'avoir conservé.

Se découpant contre la crête en flammes, le coyote défia Joe, les babines retroussées sur des crocs luisants. Il tenait beaucoup du loup, mais en plus mince, plus élancé, les oreilles plus longues, le museau plus fin. Il était bien plus effrayant, car l'esprit vicieux du garçon s'était lové dans son crâne, et il fixait Joe de ses yeux jaunes, luminescents.

Joe appuya sur la gâchette, en vain. Aucune balle ne partit. Il se souvint alors qu'il avait mis le cran de sûreté.

Le coyote rampa vers lui, ses déplacements étaient vifs, mais prudents ; sur ses gardes, il chercha à lui mordre les chevilles, et Joe dut sauter frénétiquement d'un pied sur l'autre tout en relâchant le cran de sûreté.

L'animal sinuait autour de lui, la gueule écumante. Il lui planta ses crocs dans le mollet droit.

Joe hurla de douleur et se retourna en essayant de lui tirer dessus, mais le coyote tournait avec lui en mordant férocement la chair du mollet. Joe eut peur de s'évanouir, la douleur fusait comme une suite d'électrochocs, remontant de sa jambe à sa hanche.

Brusquement, le coyote lâcha prise et recula devant Joe d'un air craintif.

Joe se tourna vers lui en l'injuriant et le visa avec le pistolet.

Mais la bête avait perdu son humeur agressive. Elle gémissait et guettait la nuit alentour d'un air alarmé.

Le doigt sur la détente, Joe hésita.

Renversant la tête pour regarder la lune chatoyante, le coyote gémit encore. Puis il fixa le haut de la crête.

Le feu n'était plus qu'à une centaine de mètres. Le vent brûlant s'était subitement accéléré et les flammes s'élançaient haut dans la nuit.

Le coyote se raidit et dressa les oreilles. Quand il vit les flammes s'enfler encore, il fonça devant Joe et Nina comme s'ils n'existaient plus et disparut en bondissant dans le cañon en dessous.

Les grands espaces à ciel ouvert avaient enfin épuisé le pouvoir du garçon, il avait perdu son emprise sur l'animal. Joe sentit qu'aucune présence maléfique ne planait plus sur les bois.

Cependant, l'ouragan de flammes déferlait en vagues roulantes et aveuglantes, comme un raz-de-marée infernal lâché sur la forêt.

À cause de sa morsure, Joe avançait en claudiquant ; il peinait et n'avait plus la force de porter Nina. Elle lui prit la main et ils se hâtèrent du mieux qu'ils purent pour gagner les profondeurs obscures du cañon, d'où semblait sourdre comme une eau fraîche et verte tous les pins et les taillis que le feu n'avait pas atteints.

Joe espérait trouver une route, n'importe quel genre de route, recouverte de bitume, de gravier, ou même un simple chemin de terre, qu'importe, du moment qu'elle les mettrait hors de portée de l'incendie et les mènerait dans un futur où Nina serait en sécurité.

Ils avaient à peine fait deux cents mètres qu'un grondement de tonnerre s'éleva derrière eux. Joe se retourna, redoutant une autre attaque, mais il découvrit une harde de daims qui fonçait droit sur eux, fuyant l'incendie. Dix, vingt, trente daims gracieux et vifs aux flancs mouchetés, dont le flot se scinda en deux pour les éviter ; frappant le sol dans un roulement de sabots, l'air affolé, les oreilles dressées, les naseaux frémissants, avec des yeux brillant comme des miroirs, ils filèrent en soulevant des nuages de poussière pâle et disparurent.

Le cœur battant à tout rompre, en proie à une tourmente d'émotions, Joe suivit la piste labourée d'empreintes, tenant toujours la petite fille par la main. Il fit plusieurs pas avant de se rendre compte qu'il n'avait plus mal à sa jambe droite ni à sa main lacérée par les serres du rapace, qu'il ne sentait même plus les meurtrissures que le bec du faucon avait infligées à son visage. Il ne saignait plus.

Au long du chemin, pendant le passage tumulteux de la harde, Nina l'avait guéri.

6.

Deux ans jour pour jour s'étaient écoulés depuis le crash du vol Nationwide 353. En ce deuxième anniversaire, Joe Carpenter était assis sur une plage de Floride à l'ombre d'un palmier et contemplait la mer. Ici, les vagues étaient moins fortes qu'en Californie, elles venaient lécher le sable avec une langueur tropicale et l'océan n'évoquait en rien une machine.

Joe était un homme différent. Il ne ressemblait pas à celui qui avait fui l'incendie de forêt dans les montagnes de San Bernardino. Il s'était laissé pousser la moustache, et ses cheveux, plus longs, avaient éclairci sous l'effet combiné du soleil et des décolorants. La conscience qu'il avait de son corps était bien plus aiguë qu'un an plus tôt, la tension et la colère qui l'habitaient dans le passé l'avaient quitté, ses mouvements avaient retrouvé une aisance, une souplesse nouvelles.

Il avait changé d'identité et possédait sous son nouveau nom tous les papiers habituels : carte de Sécurité sociale, cartes de crédit, permis de conduire. Les faussaires d'Infiniface ne falsifiaient pas vraiment des documents, ils utilisaient leur talent d'informaticiens pour manipuler le système et lui extirper de vrais papiers aux noms de personnes fictives.

Chez Joe la transformation était également intérieure. Il en attribuait la cause à Nina, tout en s'obstinant à refuser l'ultime présent dont elle aurait pu lui faire don. Ce n'était pas en le touchant qu'elle l'avait changé, mais par son exemple et la subtile influence qu'elle avait exercée sur lui : sa douceur, sa gentillesse, sa confiance, son amour de la vie, son affection et sa foi tranquille en le bien-fondé de toutes choses. Elle n'avait que six ans, mais si vraiment elle était ce qu'ils pensaient tous, le lien qui l'unissait à l'infini comme un ombilic de lumière en faisait quelqu'un de très, très vieux.

Ils séjournaient dans une des communautés d'Infiniface dont les membres ne portaient pas de robes et ne se rasaient pas le crâne. La grande maison était située en arrière de la plage et à longueur de temps, elle s'emplissait du doux clapotis des claviers d'ordinateurs. Dans une semaine ou deux, Joe et Nina iraient rejoindre un autre groupe pour leur apporter le présent que seule l'enfant pouvait révéler. Ils voyageaient sans cesse, s'attachant à répandre la parole dans la plus grande discrétion. D'ici quelques années viendrait le temps de la proclamer au monde entier, lorsque, arrivé à maturité, le pouvoir de Nina la rendrait moins vulnérable.

Aujourd'hui, en ce triste anniversaire, elle vint le rejoindre sur la plage comme il s'y attendait, sous les palmes qui se balançaient doucement. Elle avait les cheveux bruns, à présent. Dans son short rose et son haut blanc où Donald Duck clignait malicieusement de l'œil, elle était aussi anodine que n'importe quelle gosse de six ans. Elle s'assit, remonta les genoux sous son menton, les encercla de ses bras et resta sans rien dire.

Ils regardèrent un gros crabe à longues pattes traverser la plage, choisir un lieu à sa convenance et s'enterrer dans le sable.

— Pourquoi ne pas ouvrir ton cœur? finit-elle par dire.

— Je le ferai. Quand le moment viendra.

— Et quand viendra-t-il?

— Quand je n'aurai plus de haine en moi.

— Envers qui éprouves-tu de la haine?

— Longtemps, c'est toi que j'ai haïe.

— Parce que je ne suis pas ta Nina.

— C'est fini, maintenant.

— Je sais.

— Maintenant, c'est moi que je déteste.

— Pourquoi?

— Parce que j'ai peur.

— Toi, tu n'as peur de rien, dit-elle.

Il sourit.

— Si, j'ai terriblement peur de ce que tu pourrais me montrer.

— Pourquoi?

— Le monde est d'une telle cruauté. Si Dieu existe, Il a fait souffrir mon père pendant des années avant de le faucher en pleine jeunesse. Il a pris ma Michelle, ma Chrissie, ma Nina. Il a permis que Rose meure.

— Ce n'est qu'un passage.

— Ouais, un sale moment à passer.

Elle resta silencieuse.

La mer chuchotait contre la grève. Le crabe remua, pointa son œil pédonculé pour inspecter les alentours et décida de déménager.

Nina se leva et s'approcha du crabe. D'ordinaire, ces bestioles étaient plutôt farouches et décampaient à la moindre alerte. Mais celui-ci ne courut pas se mettre à l'abri, il regarda Nina s'agenouiller pour l'observer de plus près. Elle caressa la carapace, toucha l'une des grosses pinces, et le crabe se laissa faire sans esquisser aucune riposte.

Joe contemplait la scène, émerveillé.

La petite fille retourna s'asseoir à côté de lui et le gros crabe disparut dans le sable.

— Si le monde est cruel... tu peux m'aider à le rendre meilleur, dit-elle. Et si c'est ce que Dieu attend de nous, c'est donc qu'Il n'est pas cruel.

Joe ne releva pas.

La mer était d'un bleu irisé. Le ciel la rejoignait le long d'un fil invisible.

— S'il te plaît. S'il te plaît, papa, prends ma main, murmura-t-elle.

C'était la première fois qu'elle l'appelait ainsi. Son cœur se serra. Il croisa ses yeux améthyste. Et souhaita de tout son cœur qu'ils fussent gris comme les siens. Mais ils ne l'étaient pas. Avec lui, elle avait échappé à la tourmente de feu et de vent, aux ténèbres, à la terreur. Il était autant son père que Rose Tucker avait été sa mère, pensa-t-il.

Et il lui prit la main.

Et il sut.

Un temps, il ne fut plus sur une plage de Floride, mais dans une clarté bleue avec Michelle, Chrissie et Nina. Il ne vit pas quels mondes attendaient au-delà, mais il sut qu'ils existaient sans aucun doute et, si leur étrangeté l'effraya, il sentit aussi son cœur s'alléger.

Il comprit que la vie éternelle n'était pas un article de foi, mais une loi de l'univers aussi vraie que n'importe quelle loi physique. L'univers est une création efficace : la matière devient énergie ; l'énergie devient matière ; une forme d'énergie se convertit en une autre ; l'équilibre est sans arrêt changeant, mais l'univers n'en est pas moins un système clos, où aucune particule de matière, aucune onde d'énergie ne se perd jamais. La nature a horreur du vide, elle hait le gaspillage, le gâchis. Plus, elle l'interdit. L'âme et l'esprit humains, à leur plus noble niveau, peuvent transformer le monde matériel, le rendre meilleur ; nous pouvons aussi transformer l'humaine condition, nous élever d'un état de peur primaire, quand terrés dans des cavernes, nous regardions la lune en tremblant, jusqu'à un degré d'où nous puissions contempler l'éternité et espérer comprendre les œuvres de Dieu. La lumière ne peut se changer en pierre par sa seule volonté, ni la pierre s'édifier en temple. Seul l'esprit humain peut de par sa volonté se changer lui-même et en conscience ; c'est de toute la création la seule chose qui ne soit pas à la merci de forces extérieures, et c'est par conséquent la forme d'énergie la plus puissante et la plus précieuse de l'univers. Un temps, l'esprit peut devenir chair, mais quand cette phase de son existence arrive à sa fin, il se désincarne à nouveau et redevient esprit.

Quand il fut revenu de l'ailleurs bleu, Joe resta assis un moment. Tremblant, il garda les yeux fermés, cherchant refuge dans cette vérité révélée comme le crabe s'était enfoui dans le sable.

Il finit par ouvrir les yeux.

Sa fille lui souriait. Elle avait les yeux améthyste et non gris. Ses traits n'étaient pas ceux de la Nina qu'il avait tant aimée. Mais elle n'en était pas le pâle reflet qu'il lui avait semblé, et il se demanda comment la colère avait pu l'aveugler au point de l'empêcher de la voir telle qu'elle était. Une lumière vive, une clarté éblouissante. Comme sa Nina l'était... comme nous le sommes tous.

REMERCIEMENT

La vraie Barbara Christman a gagné le gros lot : j'ai utilisé son nom dans ce roman. Étant donné qu'ils étaient cent libraires à participer à cette loterie, je suis surpris de la façon dont son nom résonne dans cette histoire. Elle s'attendait à apparaître en tueuse psychotique et la voilà dans la peau d'une héroïne calme et tranquille. Désolé, Barbara, il faudra t'en contenter.

TABLE

IMPRESSION
IMPRIMERIE GAGNÉ

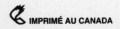

IMPRIMÉ AU CANADA